Соломенные люди

Слуга смерти

Кровь ангелов

МАЙКЛ МАРШАЛЛ

КРОВЬ АНГЕЛОВ

АЗБУКА

Санкт-Петербург

УДК 821.111(73)
ББК 84(7Сое)-44
    М 30

Michael Marshall
BLOOD OF ANGELS
Copyright © 2005 by Michael Marshall Smith

Перевод с английского Кирилла Плешкова

Серийное оформление Вадима Пожидаева

Оформление обложки Владимира Гусакова

© К. П. Плешков, перевод, 2019
© Издание на русском языке,
оформление.
ООО «Издательская Группа
«Азбука-Аттикус», 2019
Издательство АЗБУКА®

ISBN 978-5-389-15842-9

Ральфу Вичинанзе

Как быстро век все укроет,
и сколько уже укрыл!

Марк Аврелий.
Наедине с собой. Размышления.
Книга шестая (59)
(Перевод С. Роговина)

Ки-Уэст

Они явились за ним туда, где он обычно работал.

Теплой предвечерней порой дела шли бойко, и Джим думал, что, пожалуй, еще час — и можно отправляться домой.

На пристани бесцельно толпились приезжие всех форм и размеров, напоминая косяк ярко раскрашенных рыбок.

Туристы самозабвенно жевали, поглощая все то, что могли предложить кафе и уличные торговцы Ки-Уэста: гамбургеры, буррито, мороженое, обсыпанные сахарной пудрой горячие пончики. Потягивали через соломинки кока-колу, холодный чай и содовую из таких емкостей, в которых вполне могли бы плавать маленькие дети.

Был четвертый час — ни поздний ланч, ни ранний ужин. Джим нисколько не сомневался, что все эти люди уже поели в середине дня, а в семь снова усядутся за стол, набивая животы пастой, жареной рыбой, гамбургерами и запивая все это холодным шардоне. Пока же они просто бродили туда-сюда, словно гигантских размеров саранча или счастливые коровы на бескрайнем пастбище.

Их ненасытность потрясала. Если чуть пофантазировать, то можно было представить, будто все эти туши лишь движущиеся вместилища желудков и кишечников, увенчанные непрерывно работающими челюстями. И если источник пищи внезапно иссякнет, то после некоторой паузы головы с прожорливыми пастями начнут медленно поворачиваться, оценивая окружающих на предмет съедобности.

Подобные мысли не покидали Джима, несмотря на все его старания, пока он стоял, прислонившись к ограде вдоль северной стороны Мэллори-сквер. Дальше улочка переходила в террасу, а затем в бульвар, который вел от гостиниц и ресторанов к морю.

Накануне вечером сюда причалили круизные лайнеры, многоэтажные громадины, превосходившие размерами отели, и извергли из своего нутра очередные стада владеющих кредитными карточками травоядных.

Со стороны мелководья дул легкий приятный ветерок. В правой руке Джим держал фотоаппарат, а в сумке, висевшей на плече, лежали кассеты для поляроида и плоская коробка с картонными рамками для фотографий.

Джим Уэстлейк уже много лет занимался тем, что фотографировал туристов. Конечно, полагалось иметь лицензию, но ее отсутствие никогда не было для него проблемой.

Он не приставал к сидевшим за столиками, не ходил с громкими криками взад-вперед и не выскакивал с завлекающей улыбкой прямо перед носом гуляющих. Он никогда не был коммивояжером и старался не доставлять никому лишних неприятностей.

В шестьдесят один год Джим по-прежнему оставался крепким широкоплечим мужчиной. Лишь слегка обрюзгшее лицо выдавало его возраст. Он носил голубые широкие брюки и белую рубашку с коротким рукавом, которые, если честно, терпеть не мог. Седые волосы зачесаны назад, на глазах — темные очки.

Обычно он проводил время в окрестностях Мэллори-сквер или прохаживался туда-сюда по Дюваль-стрит, а увидев того, кто казался ему подходящим объектом, просто предлагал сфотографироваться. Многие решительно качали головой, обеспокоенные перспективой непредвиденных расходов, а некоторые просто проходили мимо, даже не обратив на него внимания.

Лишь немногие останавливались, несколько секунд думали, а потом решали: в конце концов, мы же на отдыхе. К тому времени они уже успели побывать на экскурсии в доме Хемингуэя, постоять на южном мысу и прокатиться над рифами в лодке со стеклянным днищем. И вообще, они неплохо проводили время, а фотографы для того и существуют, чтобы можно было доказать другим и самим себе, что ты отлично отдохнул, немного загорел и хотя бы ненадолго смог забыть о повседневных заботах.

Конечно, скорее всего, у них на шее висел собственный фотоаппарат, может быть даже цифровой, и Джим понимал, что дни его профессии сочтены. Фотографии больше не были редкостью, и мгновенность их получения более не являлась чем-то необычным. Но супружеская пара, подойдя к нему, могла сфотографироваться вдвоем, не обращаясь к помощи посторонних, к тому же Джим умел вызывать улыбку у детей.

Фотография вставлялась в памятную рамку с надписью «Привет из Ки-Уэста» — превосходный подарок для оставшихся дома матерей, достаточно личный и не требующий особых усилий. Туристы видели, что фотограф прилагает все старания — если ему не нравился первый снимок, он делал еще один, без дополнительной оплаты, изящно убирая неудачную фотографию в сумку, чтобы люди не видели себя в неприглядном свете.

Пятнадцать баксов — не слишком дешево, но Джим обнаружил, что при такой цене дела у него идут даже лучше, чем если бы он брал по пять. За пять баксов вас могли просто сфотографировать. За пятнадцать — это уже настоящий сувенир.

Подобное занятие не могло принести ему богатства, но Джим к нему и не стремился. Деньги его давно не интересовали. Дела шли хорошо, а больше ничего и не требовалось. Он верил, что, возможно, именно так и проведет остаток своих дней, неспешно уходящих в прошлое.

Когда он увидел двоих мужчин, которые шли по тротуару и ничего не жевали, то сразу понял: они направляются именно к нему.

Одному из них на вид было лет сорок, может быть на год-два меньше, второму — двадцать с небольшим. Оба выглядели стройными и подтянутыми. Младший был одет в черную футболку и армейские брюки защитного цвета, и весь его вид говорил о том, что он — сила, с которой следует считаться. На старшем были черный костюм и белая рубашка, и в них он чувствовал себя вполне уютно, несмотря на жару. Его явно ни в коей мере не заботило, что думают по этому поводу окружающие.

Младший подошел первым. Джим улыбнулся и поднял свой поляроид.

— Хотите сфотографироваться?

Живя в Ки-Уэсте, можно было встретить немало однополых пар.

Молодой человек, оказавшийся дюймов на пять ниже Джима, ничего не ответил, лишь окинул его взглядом с головы до ног, словно оценивая — хотя и неясно, с какой целью.

Наконец парень заговорил:

— Вы Джеймс Кайл? — В голосе его прозвучали странные нотки.

Джим с сожалением покачал головой:

— Ошибся, сынок. Моя фамилия Уэстлейк. Извини.

Молодой человек кивнул, но не двинулся с места.

Джим прикинулся дурачком:

— Ты насчет лицензии? Я думал, в наше время это не столь уж и важно.

Он кивнул в сторону художников-портретистов, которые сгрудились в конце Дюваль-стрит, обещая сделать всех похожими на Брэда Питта или Долли Партон.

— Множество людей просто садятся и работают, пытаясь воспользоваться своим шансом. Но знаешь, если это действительно проблема, я с радостью...

Он сделал паузу, давая возможность ее заполнить. Но парень молчал, продолжая стоять с непонятным выражением на лице. Вдоль его правой скулы шел старый шрам примерно дюйма в полтора длиной. Где он мог его получить?

— Послушай, сынок... что тебе, собственно, нужно?

Молодой человек повернул голову:

— Не могу поверить, что это он.

Парень обращался к своему спутнику, неожиданно появившемуся рядом. Джима слегка обеспокоило, что кто-то смог оказаться столь близко, оставшись незамеченным. Он вдруг почувствовал, что стареет.

— Это он, — сказал второй. — Ты помнишь меня, Джеймс?

Конечно, Джим его помнил. Это было давно, и тот успел постареть. Но глаза остались такими же бесчувственными и ледяными. Человек выглядел так, словно покинул материнскую утробу уже с дурными намерениями. Джим надеялся никогда больше его не встретить и даже начал верить, что так оно и случится.

Это был Прозорливец.

— Помню. Что тебе нужно?

— У меня для тебя есть работа.

— Мне не нужна работа. У меня уже есть своя.

— Мы ведь договорились, Джеймс.

— Это было давно. Я делал то, что тебе требовалось, потом ты перестал меня об этом просить. Я решил, что все закончилось.

— Нет. Ты знал, что подобное может случиться.

— Что, если я просто решу забыть обо всем этом, повернусь и уйду?

— Тогда ты еще до вечера окажешься в тюрьме, если не будешь к тому времени уже мертв.

Джим посмотрел в сторону пристани. Над головой кружили морские птицы. Одна из лодок со стеклянным днищем медленно входила в гавань в пятидесяти ярдах отсюда, и в ее иллюминаторах отражались лучи солнца. Одни ждали посадки, другие — высадки. Многие ели мороженое. Все оставалось так же, как и прежде, но для него все изменилось. Ему вдруг стало очень холодно, несмотря на выступивший на затылке пот.

Снова повернувшись, он увидел, что молодой все так же смотрит на него холодными голубыми глазами, а уголки его рта слегка дергаются, словно он пытается подавить улыбку.

— Что вам от меня нужно? — устало спросил Джим.

Старший достал из кармана толстый конверт и протянул его Джиму.

— Ты должен быть на месте через три дня. Здесь точные инструкции.

Джим спрятал конверт в сумку.

— Почему я?

— Потому что ты перед нами в долгу и потому что я верю: ты это сделаешь. Не беспокойся. Тебе понравится.

— Я больше не занимаюсь подобными делами.

Прозорливец взглянул на него как на идиота. Он выполнил свою задачу и теперь готов был перейти к следующей, в чем бы та ни заключалась. Молодой парень продолжал смотреть на Джима, едва сдерживая усмешку.

Прежде чем кто-то успел понять, что происходит, левая ладонь Джима плотно легла на поясницу парня. Резким отрывистым движением, которое вряд ли мог заметить кто-либо из прохожих, он вогнал правый кулак молодому человеку в живот, словно приведенный в движение взрывным зарядом поршень. Эффект был подобен удару кирпича по почкам, и выражение лица принявшего удар человека стоило того, чтобы его увидеть.

— Ну что, как дышится, щенок? — наклонившись, прошептал ему на ухо Джим. — Если ты действительно такой крутой, как думаешь, вряд ли тебе сейчас так уж тяжко.

Он похлопал парня по плечу и не спеша отошел назад, с нескрываемым удовольствием глядя на побелевшее лицо и натянувшиеся, словно канаты, жилы на шее. Тот в конце концов сумел издать звук, словно умирающий, пытающийся сделать еще один, последний, вдох.

Джим повернулся ко второму, который невозмутимо стоял рядом, почти не проявляя интереса к происходящему.

— Я все сделаю. И закончим на этом, — сказал ему Джим, повернулся и пошел прочь.

Он жил в сорока минутах ходьбы на север, на поросшем кустарником небольшом островке, который никто не замечал по дороге в Ки-Уэст или из него. Дом был маленький и без бассейна, даже вид из него открывался не самый лучший, хотя, если сидеть в тщательно выбранном месте на крыльце, в определенное время года сквозь деревья можно было увидеть океан.

Джим сидел в кресле, стоявшем именно на таком месте, потягивая из стакана холодный чай со свежими листьями мяты и не видя вообще ничего.

Вернулась домой его соседка Кэрол со своими двумя детьми, помахав ему с расстояния в сорок футов, разделявшего их дворы. Он не ответил, что ее удивило: мистер Уэстлейк был человеком замкнутым, но безукоризненно вежливым, и у него всегда находилась улыбка для ее маленьких ангелочков. Их прелестная фотография, которую он сделал, стояла возле ее кровати.

Кэрол заметила конверт в руках соседа и подумала, что он получил какие-то дурные новости. Она решила заглянуть к нему попозже под тем или иным предлогом. Но тут

Эми и Бритни о чем-то заспорили, и ей пришлось приложить немалые усилия, чтобы загнать их в дом, где находился не знающий усталости телевизор, позволявший ей слегка отдохнуть от детей и выпить бокал вина.

Дверь громко щелкнула, закрываясь за вошедшим в дом семейством, и Джим снова вернулся к своим мыслям. Он посмотрел на конверт, но не стал еще раз извлекать его содержимое. Внутри находились мобильный телефон, клочок бумаги с названием города и две строчки инструкций.

Мысленно он уже отправился в путь, хотя и надеялся, что делать ему этого не придется. Он ненавидел явившегося к нему человека за то, что тот понимал: он не станет рисковать, просто выбросив конверт. Если кто-то знает тебя лучше, чем ты сам, что тебе остается? Он посмотрел сквозь просвет между деревьями на океан, но не увидел ничего, что могло бы ему помочь. Неужели он действительно верил, что все закончилось, что прошедшее десятилетие каким-то образом перечеркнуло все случившееся в прошлом? Если и в самом деле так — то он, судя по всему, последний глупец.

Допив чай, он вошел в дом, сполоснул стакан и оставил его сохнуть возле раковины. У него имелся ровно один стакан, один набор столовых приборов, одна миска для супа и одна тарелка. Ни разу не бывало, чтобы ему этого не хватило. Дом был обставлен мебелью ровно настолько, чтобы случайный визитер не счел обстановку чересчур спартанской. Когда он впервые приехал в Ки-Уэст, подобное было вполне оправданно на случай, если ему придется срочно срываться с места. За прошедшие восемь лет, в течение которых он несколько успокоился и его жизнь обрела равновесие, он понял, что жить так ему нравится.

Зачем иметь что-то в двух экземплярах, когда вполне достаточно одного?

Зачем иметь даже один, если он тебе вообще не нужен?

Он поднялся по лестнице в спальню, где уже стоял небольшой чемодан. Одежда и фотоаппарат лежали на своих местах, но остальное пустое пространство еще предстояло заполнить. Он подошел к пустому шкафу и присел перед ним на корточки. Хотя колени и давали о себе знать, они вполне справлялись со своей задачей. Как успел убедиться щенок в армейских штанах, тело Джима не собиралось легко сдаваться в схватке со временем.

Приподняв коврик возле шкафа, он снял свободно лежавшую половицу. Не самое оригинальное место для тайника, но если бы существовала хоть малейшая вероятность, что к нему могут прийти с обыском, там не лежало бы ничего. Достав из-под пола обувную коробку, он вернул половицу и коврик на место.

Уложив коробку на свободное место в чемодане, он закрыл крышку, запер чемодан на ключ, а затем, не оглядываясь, вышел из комнаты. Он не хотел, чтобы эту комнату видел Джеймс Кайл. Она принадлежала Джиму Уэстлейку.

Внизу он убедился, что все окна закрыты, а задняя дверь заперта, и вышел из дома. Подошел к своему чисто вымытому белому автомобилю и положил чемодан в багажник.

Несколько мгновений он неподвижно сидел за рулем, глядя на дом. Возможно, он мог оставить там Джима, чтобы тот ждал его, незримо оставаясь внутри. Возможно, он мог сделать то, что собирался сделать, будучи Джеймсом, а потом вернуться и жить как прежде. Быть может, то, что случилось днем, произошло лишь потому, что у него оставалась одна вещь, собственность Джеймса, от которой ему следовало избавиться уже давно. Маленькая потертая металлическая кастрюлька. Ничего особенного, но...

Если хочешь быть никем, ты не должен ничего иметь. Он это знал. Знал уже очень давно. И тем не менее... он ее сохранил. Просто не смог выбросить.

Вот почему Джим стал таким хорошим фотографом.

Он понимал, какое значение имеет память о прошлом.

———

Наконец он завел двигатель и, отъезжая от тротуара, увидел соседку, стоявшую возле окна кухни. Джим помахал ей, как обычно.

Кэрол улыбнулась и помахала в ответ, радуясь тому, что старик снова в форме, и не понимая, что видит перед собой не Джима Уэстлейка, а совершенно незнакомого человека по имени Джеймс Кайл, который ехал в прошлое, направляясь из этого мира в сторону преисподней.

ЧАСТЬ ПЕРВАЯ

НИКТО

Между теми, кто уже умер, и теми, кто еще не родился, мы, живущие, лишь связующее звено.

Ричард Пог Харрисон.
Царство мертвых

ГЛАВА 1

Меня зовут Уорд Хопкинс, и за последний год в моей жизни случилось немало событий, которые проносятся перед моим внутренним взором с бешеной скоростью, словно беспорядочно летящая стая птиц. Если бы я в свое время поступил иначе, все могло бы быть по-другому. Лучше или хуже — не знаю. Я предпочитаю верить в свободу воли, но одновременно мне представляется, что набор путей, по которым мы движемся, ограничен и мы перемещаемся по предначертанным невидимыми силами траекториям среди бесконечного хаоса. Все мы куда-то бежим, все мы от чего-то прячемся, лежим без сна по ночам, ощущая волнение и беспокойство, чувствуя себя маленькими и беззащитными в тени нашей собственной жизни.

Время — словно озеро, которое становится все глубже год от года, капля за каплей. Поверхностное натяжение, в сочетании с нашей постоянной беспорядочной деятельностью, поддерживает нас на плаву, словно водяных жуков, не осознающих зияющей под ними бездны. Мы чувствуем себя в безопасности, пока не перестанем двигаться и не начнем погружаться в прошлое. Лишь тогда мы начинаем понимать, насколько важны для нас были прошедшие дни, каким образом они поддерживали нас в каждое мгновение настоящего и скольких людей мы оставили позади, застывших во времени, подобно насекомым в янтаре. А пока что нам кажется, будто имеет значение, каким именно путем мы перемещаемся по поверхности. Мы движемся по сложным траекториям, наблюдаем за теми, кто рядом, редко поднимая взгляд выше горизонта или наклоняясь, чтобы внимательнее разглядеть путь. Но нависающие над озером деревья иногда роняют листья, вызывая рябь на воде, которую мы ощущаем, но не можем понять. Порой также идет дождь из будущего, и иногда весьма сильный.

Время действительно проходит. Но однажды что-то зашевелится глубоко под поверхностью озера, нечто, давно исчезнувшее в прошлом и вместе с тем до сих пор живое. Возникает глубинная волна, холодное течение, подталкивая некоторых из нас друг к другу, а некоторых, наоборот, разделяя еще больше. Большинство следует по воле волны, некоторых она поглощает, и лишь немногие понимают, что вообще что-то произошло. Существа, живущие под нами, редко проявляют себя, заключенные в ловушку прошлого.

Иногда, однако, они не просто шевелятся, но и поднимаются к самой поверхности. Они пугают нас по ночам, словно пронзительный грохот поезда, несущегося через темные холмы к невидимой цели.

Некоторые из дальнейших событий произошли со мной. Но не все.

Я расскажу о том, что знаю.

Первое электронное письмо пришло в конце лета. Мы с Ниной провели день в Шеффере, ближайшем месте, где имелись магазины. Шеффер — крошечный городок в Каскадных горах штата Вашингтон. Его главная улица застроена деревянными домиками, а пять поперечных без особого сожаления уходят в еловые заросли.

В городе есть пара дешевых гостиниц, три бара, неплохое кафе, аптека, продовольственная лавка и рынок, где продают старые книги, компакт-диски и не имеющий особой ценности антиквариат. В парикмахерской женщинам предложат стрижку, модную во времена президентства Джимми Картера. У дороги удобно расположился мотель, на случай, если кто-то потеряет счет времени или слишком много выпьет и не сумеет добраться до дома. Есть небольшой железнодорожный музей и полицейский участок во главе с весьма неплохим человеком. Вот, собственно, и все. Место тут вполне приличное, и живут здесь приятные люди, но, по сути, это лишь большое пятно на дороге.

Мы жили в деревянном домике, когда-то являвшемся частью старомодного курорта на орегонском побережье. В конце девяностых пара пенсионеров из Портленда купила три таких домика, перевезла их на грузовиках и поставила на участке в сорок акров в конце заброшенной лесной дороги. Муж вскоре умер, но Патриция до сих пор пребывает в добром здравии. Она чем-то похожа на мою мать, Бет Хопкинс. Патриция предложила нам воспользоваться одним из домиков, после того как мы спасли ее от верной гибели в лесу. Мы немного подумали, кое о чем договорились и приняли предложение.

На участке Патриции располагается большой пруд, а дальше — территория национального парка. Если взглянуть на другой берег осенним вечером, легко поверить, что человечества никогда не существовало, и вряд ли стоит особо печалиться по этому поводу.

Наш домик находился на дальнем берегу, в полумиле от дороги, и состоял из гостиной с камином, маленькой кухни, спальни и ванной. Места вполне хватало. Впрочем, все мое имущество умещалось в багажнике средних размеров автомобиля. Таковой у нас тоже имелся. Он принадлежал женщине, которую мне когда-то представили как агента по особым делам Бейнэм.

Нина. Сейчас она сидела на крыльце перед домиком. Воздух был прохладным, но довольно приятным, и все говорило о том, что до зимы еще далеко. Казалось, будто Нина смотрит на заход солнца, но я знал, что это не так. Наверное, солнце было этому радо. Вряд ли у него получилось бы изящно опуститься за горизонт под пристальным взглядом Нины.

Я стоял в кухне, занимаясь приготовлением салата. Нина большую часть дня молчала, но ее спокойствие напоминало спокойствие большого камня, лежащего на середине склона. Я спросил ее, хорошо ли она себя чувствует, и получил утвердительный ответ, который, однако, звучал неубедительно, хотя и не допускал возражений. Понятия не имею, почему женщины так себя ведут, но тут уж ничего не поделаешь, пока они сами не решат заговорить. Я знал, что разговор нам вскоре предстоит — он назревал уже неделю, — и не слишком спешил его начинать. В итоге моя стряпня начала приобретать причудливые пропорции. Какая-либо кулинарная эстетика давно была позабыта, и салат выглядел так, словно кто-то решил сэкономить усилия, вывалив в миску содержимое целого салат-бара. Я дошел даже до того, что подогрел на плите фасоль и оставил ее остывать в миске с холодной водой, стоявшей в раковине.

Чтобы убить время, я зашел в гостиную и открыл ноутбук Нины. У меня имелся и мой собственный, но на самом деле он не был моим и лежал на чердаке. Вся содержавшаяся в нем информация была скопирована, зашифрована и сохранена на сервере, находившемся далеко отсюда. Однако файлы на ноутбуке являлись самыми ранними версиями из всех, что у меня имелись, и потому оставались для меня не менее важными. Странно, как порой человеческий разум приписывает некий статус и приоритет даже цифровым данным, электронам, которые могут находиться сразу везде и, следовательно, вообще нигде. Видимо, нам приходится верить, что все сущее имеет свое начало. Иначе как оно может закончиться?

Я проверял свою электронную почту самое большее раз в пару недель. На самом деле я не имел никаких контактов с внешним миром. Единственного человека, раньше регулярно писавшего мне, не было в живых — именно ему принадлежал спрятанный на чердаке ноутбук. Вся почта, которую я сейчас получал, состояла из появлявшихся от случая к случаю предложений сделать пенис тверже или длиннее, получить кучу грантов от всевозможных колледжей или посмотреть скрытую видеозапись знаменитости, трахающейся с каким-то придурком в подозрительно хорошо освещенной домашней обстановке.

И потому, когда я увидел единственное письмо, причем, похоже, адресованное именно мне, меня словно сковало ледяным холодом.

Строка темы содержала лишь два слова: «Уорд Хопкинс?»

Адрес отправителя был мне незнаком — зарегистрированный на хот-мейле, любимом логове спамеров, но не только их. Письмо было отправлено на адрес, принадлежавший мне уже много лет, но которым я не пользовался два или три года. Вряд ли сообщение на этот адрес могло иметь какое-то отношение к моей нынешней жизни.

Я открыл письмо. Оно состояло всего из одной строки: «Мне нужно с вами поговорить».

Я уже начал переносить письмо в корзину, когда что-то вдруг заставило меня засомневаться. Может быть, все же следовало записать адрес отправителя? Стереть — не значит ответить отказом, в чем у меня уже был повод убедиться.

Снаружи послышался скрип половиц. Повернувшись, я увидел направлявшуюся к двери Нину, одетую в черные джинсы и теплую коричневую куртку, которую я купил ей в Якиме пару месяцев назад. Вид у нее был мрачный.

Я быстро закрыл компьютер и вышел в кухню.

— Уорд, я уже насмотрелась на закат до изнеможения, — сказала она. — Где, черт возьми, еда?

— Сейчас будет.

Я вынул фасоль из воды, слегка встряхнул и ловко высыпал поверх остального содержимого миски. Нина молча наблюдала за мной, глядя на результат моих тяжких трудов.

— Вуаля, — сказал я. — Всем салатам салат.

— А ты, похоже, не шутишь. Как насчет нескольких сосновых шишек сверху? И парочку белок, для большей живописности. Могу добыть, если хочешь. А может быть, вообще целое дерево. Скажи свое слово, маэстро.

— Стоп, стоп. — Я поднял руки. — На самом деле я все это делал не ради благодарности. Хватит и удовольствия на твоем лице.

Она слегка улыбнулась.

— Ну и идиот же ты.

— Возможно. Но я — твой идиот. Давай попробуй. Собственно, все равно придется. Больше ничего нет, я использовал все, что было.

Она покачала головой и снова улыбнулась, на этот раз искреннее. Положила несколько ложек салата на тарелку, затем добавила еще, демонстрируя добрые намерения. Потом поцеловала меня в щеку и унесла тарелку и бутылку с вином обратно на крыльцо.

Я последовал за ней. Разговор нам еще предстоял.

Некоторое время мы молча ели.

Воздух был все еще довольно приятным, но в нем уже ощущался холод, спускающийся с горных вершин. Вечер не слишком располагал к поеданию салата. Минут через десять Нина отложила вилку жестом, недвусмысленно говорившим: «С меня достаточно». Ее тарелка все еще была наполовину полна.

— Извини, — сказала она, увидев, что я это заметил. — Знаю, тебе немало пришлось потрудиться.

— Даже чересчур. И ни черта не вышло. Это салат позора. Я же тебе говорил, надо было просто купить у Иззи большую коробку жареной курицы.

— Может быть.

— Однозначно. В этом можешь на меня положиться. Я разбираюсь в еде. Это мой дар. Я могу предсказать лучшую еду на любой день — не только для себя, но и для всего племени. В прошлые времена я мог бы быть шаманом.

Я бы спрашивал совета у костей и читал предзнаменования в небесах, а потом провозглашал: «Хо-хо, парни, вам скоро захочется мяса, так что попытайтесь завалить мамонта, когда пойдете на охоту». И всегда оказывался бы прав.

Нина смотрела на меня.

— Ты еще что-то говоришь?

— Это не я. Наверное, просто ветер.

Над озером спустились сумерки, и оно стало похоже на черное стекло.

Нина какое-то время смотрела вдаль, а потом наконец спросила:

— Что будем делать дальше, Уорд?

Вот оно. Я понял, что разговор, который я пытался оттянуть, на самом деле вовсе не являлся разговором. Просто вопрос. Всего лишь один вопрос.

Я закурил сигарету.

— А чего ты хочешь?

— Дело не в том, и ты это знаешь. Просто... так больше не может продолжаться. Так нельзя жить.

— Нельзя?

— Я не это имела в виду. Ты знаешь. Я про нынешние обстоятельства. Про то, что у нас нет выбора.

Я взял ее за руку. Лето мы провели очень хорошо, несмотря ни на что. В основном мы оставались в окрестностях Шеффера. Мы познакомились с некоторыми из местных жителей, почти ничего, однако, не рассказывая о себе. Мы лучше узнали и друг друга — принимая предложение воспользоваться домиком Патриции, мы были вместе всего неделю, хотя наши жизненные пути пересеклись на полгода раньше. Вскоре после того, как умерли мои родители. Точнее, были убиты, как выяснилось впоследствии. Нина знала почти все, что можно было узнать о моем прошлом. О ней я тоже знал немало — подозреваю, больше, чем кто-либо другой, включая человека по имени Джон Зандт, который когда-то был нашим другом, но, похоже, бесследно исчез.

Нам троим были известны тайны, которые лучше бы не знать. Вот почему наша жизнь пошла именно таким образом.

Мы много и подолгу гуляли по лесу, готовили здоровую еду на очаге, который я сделал из плоских камней. Нина рассмеялась, увидев его в первый раз, и заметила, что я каким-то образом умудрился соорудить очаг в индейском стиле. Тем не менее он вполне справлялся со своей задачей.

Благодаря прогулкам и помощи, которую я оказывал Патриции и другим, я находился в самой лучшей форме за многие годы. Рана в плече, полученная пять месяцев назад, больше меня не беспокоила. В то время как я потерял несколько фунтов, Нина прибавила в весе несколько унций, и, хотя ее никто никогда не мог назвать стройной, ее это ничуть не портило.

Мы также немного попутешествовали, совершая более или менее случайные поездки на восток и юг, что помогало избавиться от ощущения, будто мы от кого-то скрываемся. Дважды нам пришлось побывать в Лос-Анджелесе, и во второй раз мы забрали кое-какие вещи из дома Нины, непрочного сооружения, примостившегося на далеко не фешенебельном склоне гор Малибу. Нам не удалось задержаться там надолго, чтобы она смогла выставить дом на продажу — впрочем, вряд ли кто-либо захотел бы его купить, — и в конце концов мы заперли дом и оставили все как было.

Собственно, именно это и имела в виду Нина. По существу, все до сих пор оставалось как было, как бы мне ни хотелось считать иначе. Мы заслонили ставнями наши окна, но внешний мир продолжал существовать. Прежде всего, у Нины была работа. Серьезная работа. Отпуск, о котором она договорилась, затянулся настолько, что ей приходилось делать выбор — или увольняться, или вернуться. Мне в этом отношении было проще. Несколько лет назад я работал на ЦРУ, занимаясь мониторингом средств массовой информации. В конце концов мне пришлось уйти. На самом деле, как любил напоминать мой друг Бобби, я ушел сам — незадолго до обязательной проверки на детекторе лжи.

Мы немного поговорили на эту тему, чувствуя, что наступает неизбежное — чего никому из нас не хотелось. Казалось, будто нас держит в своей теплой ладони великан-волшебник и теперь его рука опускалась, готовясь вернуть нас назад на землю.

— Что-нибудь придумаем, — сказал я. — Но что касается сегодняшнего вечера — могло быть и хуже. Пока что я сижу здесь с тобой, и этого мне вполне хватает.

— А кому бы не хватало? Я ведь просто персик, почти в буквальном смысле. Симпатичная, умная, уравновешенная. Лучшая подруга во всех отношениях.

Я поднял бровь:

— Сомневаюсь, что я бы зашел столь далеко.

— А что, нет? Назови причину.

— Ну... ты ведь стреляла в своего последнего любовника.

— Это был несчастный случай.

— Ну да, как же.

— Именно так. — Она подмигнула. — Но в следующий раз будет иначе.

Я рассмеялся, и мучивший нас вопрос вновь на какое-то время отошел в тень. Мы сидели на крыльце, разговаривая и глядя на темнеющее озеро, пока не стало слишком холодно, и мы прошли в дом. Потом мы вместе лежали в постели, и я прислушивался к шуму деревьев и к дыханию спящей Нины, а затем уже и вовсе перестал различать звуки и тоже заснул.

Пять месяцев, возможно, и не слишком долгий срок, но именно благодаря им наши отношения стали самыми продолжительными из всех, которые у меня когда-либо были. Мне до сих пор не верилось в это чудо. Казалось, жизнь продолжается.

Я ничего не рассказал о письме, которое получил, так же как и о втором — точно с такими же темой и содержанием, —

пришедшем два дня спустя. Его я удалил, а первое убрал глубоко в папку на диске. Простодушие не было мне свойственно, так же как и чувство дома. Я боролся с миром единственным возможным способом — пытаясь от него скрыться.

Еще несколько дней все шло как обычно. Лишь однажды утром, когда к домику Патриции подъехала незнакомая машина, я понял, что ничто — ни улыбка, ни ложь во спасение, ни чересчур изысканный салат — не остановит мир перед тем, чтобы снова нас найти.

ГЛАВА 2

Звонок раздался в начале двенадцатого. Я возился у озера с большими кусками старой серой древесины, оставшейся с того дня, когда я помогал залатать стену амбара, и размышлял, не соорудить ли из них импровизированный стол, чтобы можно было ужинать возле воды, не притаскивая с собой маленький столик с крыльца. В глубине души я понимал, что долго нам ужинать на улице все равно не удастся, более того, подозревал, что любое творение моих рук не выдержит ничего тяжелее полной бутылки вина.

Услышав в отдалении три коротких звонка мобильника Нины, я не придал им особого значения. В доме не было телефона, и если кто-то из знакомых хотел с нами связаться, звонили ей на сотовый. Я продолжал складывать деревяшки то так, то этак, пока наконец не поднял взгляд и не увидел Нину, с побелевшим лицом стоящую на крыльце.

— Это Патриция! — крикнула она. — Кто-то сюда едет!

Бросив инструменты, я быстро вернулся к дому. Голова была ясной, а сердце холодным.

— Сколько их?

— Одна машина. Пока что.

Нина вбежала в дом, а я полез под крыльцо, достал длинный и тяжелый сверток, упакованный в толстую пластиковую пленку, и быстро перезарядил винтовку, прислушиваясь к звукам, доносившимся с другой стороны озера.

Закончив, я тоже вошел в дом. Нина уже положила на стол два наших пистолета.

— Еще что-нибудь?

— Нет, — ответил я, кладя свой пистолет в карман.

Поцеловав ее, я снова поспешил на улицу. Посмотрев через озеро, увидел стоящий рядом с домом Патриции автомобиль. Ближе подъехать было невозможно — любому направлявшемуся в нашу сторону пришлось бы проделать последние двести ярдов пешком. Можно пройти по неровной дорожке вдоль берега озера или срезать путь через деревья, подойдя к дому сзади. И оба этих пути нужно было держать под наблюдением.

Взяв винтовку, я обогнул дом и стал подниматься вдоль узкого хребта, хорошо укрытого среди деревьев. С этого места, которое я нашел уже давно, открывался хороший вид на расположенную тридцатью ярдами ниже тропинку, а меня трудно было заметить снизу. Присев за стволом самого большого дерева, я приложил винтовку к плечу. В свое время я провел немало часов в самых разных уголках участка Патриции, тренируясь на всякий случай, и почти не сомневался, что с этого расстояния сумею попасть в любую цель. Во всяком случае, попытаюсь это сделать.

Одна машина. Вероятнее всего, четверо. Если, конечно, предположить, что на дороге не ждет еще одна. И что тех, других, не послали к нам через лес. Если так, то я должен услышать стрельбу Нины прежде, чем она услышит мою.

Шесть минут спустя я отчетливо услышал шуршание листьев от чьих-то осторожных шагов по тропинке. Звук шел снизу слева. Я ждал, сохраняя полное спокойствие и стараясь не думать, что случится, если мне придется стрелять. Куда нам бежать и что делать. А может быть, до этого и не дойдет, возможно, наша жизнь вытечет из наших тел прямо здесь, в безразличную ко всему землю, которая лишь час будет красной, потом еще несколько дней коричневой, а затем станет неотличимой от прочей грязи и пыли. Впрочем, последнюю мысль оказалось легче всего отбросить. Я не собираюсь умирать. Ни сейчас, ни когда-либо. Я просто не вижу в этом необходимости. И рано или поздно миру придется со мной считаться.

Еще через две минуты я увидел какое-то движение внизу, у подножия склона. Двое, возможно, трое. Что ж, неплохо, хотя, возможно, где-то есть и подкрепление. Отклонившись назад, я бросил взгляд влево, но никого больше не увидел. Я подождал двадцать секунд, которые требовались им, чтобы снова оказаться в поле моего зрения. На самом деле понадобилось почти сорок, что дало мне короткую передышку. Они не слишком торопились. Я не знал, то ли они чересчур осторожны, то ли действительно были знатоками своего дела, а реагировать в этих случаях следовало совершенно по-разному. Мне до сих пор не было в точности известно, сколько их, — когда они пересекали очередное открытое пространство, луч солнца упал на озеро, ослепив меня желто-белым сиянием.

Потом они снова скрылись за деревьями. Оставался еще один, последний просвет. Двое или трое — в конце концов, не такая уж и большая разница. Все равно придется тащить трупы куда-нибудь далеко в лес, где их никто не найдет.

Я встал и переместился чуть вперед между деревьями, откуда можно было точнее прицелиться, в то же время чувствуя себя в безопасности. Неожиданный выстрел мог дать мне лишние две секунды, поскольку эхо от окружавших меня стволов скрыло бы мое истинное местоположение.

Опустившись на колено, я прицелился. Среди деревьев, в пяти ярдах от просвета, в котором я их ждал, мелькнула темная одежда. Еще тридцать секунд...

И тут я что-то услышал.

Сперва я не сообразил, в чем дело. Потом понял, что это снова звонит телефон Нины.

Я в ужасе застыл на месте. Патриция совершила большую ошибку. Очень большую. Она не должна была наблюдать за происходящим. Так мы договорились. Увидев кого-то подозрительного, она должна была позвонить Нине. Если затем она услышит выстрелы, она должна была позвонить нашему другу в Шеффере. И ничего больше. Во всех остальных случаях ей следовало сидеть у себя в доме, притворяясь отсутствующей или мертвой или и то и другое вместе.

Люди внизу тоже остановились, видимо услышав звонок. Я видел их не слишком отчетливо для того, чтобы уверенно снять одного из них первым же выстрелом. А без этого...

Послышались приглушенные голоса. Возможно, они решили идти дальше, поняв, что отвлекший их телефон мог лишь ухудшить положение тех, кто их ждал.

Они снова двинулись вперед, пока наконец не оказались на открытом пространстве. Двое, высокого роста. Оба в темной одежде.

В сорока ярдах от меня. Если стрелять, то не в голову. В туловище. Для надежности. Я задержал дыхание, глядя вдоль ствола, и мягко потянул за спусковой крючок.

Внизу что-то мелькнуло — кто-то быстро бежал со стороны нашего дома навстречу двоим незнакомцам. Я увидел ярко-коричневое пятно.

Я резко поднял голову, и в то же мгновение снизу послышался женский крик. Куртка Нины — значит, и голос ее?

Не раздумывая, я вскочил на ноги и начал осторожно, но быстро спускаться по склону, все еще держа винтовку наготове и палец на спусковом крючке, хотя теперь уже совершенно не понимал, что происходит.

Спрыгнув на тропинку в двадцати ярдах позади пришельцев, я увидел в ста футах впереди Нину, которая бежала к двоим, оказавшимся в итоге между нами. Те остановились. Один из них все еще держал в руке телефон. Второй повернулся и, увидев меня, медленно поднял руки.

— Эй, Уорд, — сказал он. — Спокойнее.

— Ради всего святого, Чарльз! — крикнула Нина человеку с телефоном. — Вы вообще соображаете, что делаете?

———————

Они сидели на крыльце, а мы стояли в нескольких ярдах от них. Ни я, ни Нина пока не решались подойти ближе, хотя уже был сварен кофе, Патриции все объяснили, и пот у меня на затылке успел высохнуть.

— Мы же могли вас убить, — сказала Нина уже не в первый раз.

Она все еще стояла, уперев руки в бока, охваченная неподдельным гневом.

— Я и сейчас мог бы, — пробормотал я.

Двое сидели в креслах, где мы обычно ели. Второй, тот, который меня приветствовал, не произнес ни слова, если не считать отказа от сахара. Он был поджар и высок, с коротко подстриженными волосами. Его звали Дуг Олбрич, и он служил лейтенантом в спецподразделении полиции Лос-Анджелеса, занимавшемся расследованием тяжких преступлений.

Первым, хромоту которого я заметил даже на расстоянии, был Чарльз Монро, особый агент одного из подразделений ФБР в Лос-Анджелесе, непосредственный начальник Нины. Я встречался с ним лишь однажды, как раз перед тем, как он получил несколько огнестрельных ранений от человека, напавшего на нас в ресторане во Фресно пять месяцев назад. Монро повезло, и он остался жив, хотя, вероятно, в течение многих недель чувствовал себя далеко не лучшим образом. Судя по тому, с какой осторожностью он сел в кресло, боль давала о себе знать до сих пор.

Того, кто стрелял в нас, Нина убила неподалеку отсюда в лесу в тот самый день, когда мы познакомились с Патрицией.

С тех пор Нина видела своего босса лишь дважды, во время наших кратких визитов в Лос-Анджелес, куда ее вызывали для доклада и дачи свидетельских показаний на суде над убийцей, которого мы задержали в тот день.

— Почему вы предварительно не позвонили? — спросила Нина. — Я имею в виду вчера, а не тогда, когда уже наполовину обошли вокруг озера? Больше всего мне сейчас хочется вас прикончить, несмотря на последствия.

Монро поставил чашку на стол.

— А вы были бы здесь, когда я приехал?

— Конечно были бы.

Он ей не поверил.

Олбрич смотрел на деревья, радуясь, что эта часть разговора не имеет к нему никакого отношения. Однако в чертах его лица чувствовалась напряженность.

— И прежде всего, вы ответили бы на звонок?

— Чарльз... ради бога...

Она потерла лицо руками и взяла с перил свою чашку.

— Монро, — сказал я, — что вам, собственно, нужно?

— От вас — ничего. Вы не сотрудник ФБР, организации, в которой работаю я. И Нина тоже, о чем, надеюсь, она помнит. Вы и не полицейский, и никогда им не были. Догадываюсь, что когда-то вы работали на другое агентство, которое можно приблизительно определить как «разведка», но, судя по тому, что я слышал, это было давно и по вам там особо не скучают. Так что, насколько я понимаю, вы можете уйти в лес и больше не возвращаться.

— Уорд спас вам жизнь, — напомнила Нина.

— В самом деле? Последнее, что я видел, — как он вытаскивал вас из ресторана, оставив меня застрявшим в кабинке. Стрелявший погнался за вами, и я остался жив по определению.

— Весьма избирательное мнение, — сказал я, хотя в душе был с ним согласен.

Мне тогда куда важнее было спасти жизнь Нины и свою собственную, чем его, — особенно после того, как он получил, насколько мне показалось, смертельные ранения. Я обнаружил, что вполне спокойно могу после этого жить.

— Послушайте, — встрял Олбрич, — так мы ни к чему не придем.

— Мы с Ниной и не собираемся никуда идти, — огрызнулся я. — У нее есть договоренность с этим господином, которая запрещает ему раскрывать наше местонахождение — в том числе и вам. Он уже ее нарушил, и, как мне кажется, это только начало. Вы ведь приехали сюда не затем, чтобы доставить Нине письмо, Монро? Так что же, черт побери, вам нужно?

— Нина, — сказал Монро, — вам пора возвращаться.

Ничего себе! Я понял, что Нина получила ответ на свой вопрос, заданный прошлым вечером. Похоже, иного и быть не могло. Я покачал головой и несколько раз прошелся взад-вперед.

— Не знаю, вернусь ли я, — ответила Нина. — Мне здесь нравится.

— Вы увольняетесь? В самом деле? Если так, возьмите ручку и бумагу. Мне нужно ваше письменное заявление.

Нина посмотрела на меня. Я пожал плечами, давая понять, что это ее работа, ее решение и ее жизнь.

— Ну давайте же, Нина, — сказал Монро, в голосе которого звучало раздражение и вместе с тем попытка убедить. — Вы сами прекрасно знаете, что я предоставил вам отпуск лишь в силу исключительных обстоятельств.

— Вы и без того были должны мне два миллиона лет отпуска.

— Вы сбежали от нас уже много недель назад. И вы сами это знаете.

— Ладно, — устало сказала она. — Возможно, я и уйду. Возможно, с меня хватит. Для меня особой разницы нет.

— Это неправда. За десять лет благодаря вам в тюрьме оказалось немало убийц.

— Посадить кого-то за решетку, после того как он убил двух, четырех, шесть человек, — разве это победа? Это примерно как вытереть лужу пролитого молока. Отлично, пол на какое-то время чистый. Но молока-то все равно нет. Родственники жертв все так же просыпаются по утрам, чувствуя невосполнимую потерю. Что случилось, то случилось, и с этим ничего не поделаешь.

— Такова суть нашей работы, — сказал Олбрич. — Если только не придумают какой-нибудь способ возвращаться назад во времени.

Нина покраснела. Она почувствовала себя крайне глупо оттого, что полицейский так истолковал ее мысли. Монро, судя по всему, тоже это понял.

— Кроме того, — быстро добавил он, — есть еще кое-что. Вы мне нужны.

— Нет, не нужна, — ответила она, твердо покачав головой. — У вас полно других сучек, и могу побиться об заклад, некоторые даже настолько умны, что понимают причинно-следственную связь.

— Нина, я проделал немалый путь, чтобы встретиться с вами, и у меня не слишком много времени.

— Тогда возвращайтесь назад в Лос-Анджелес. Счастливого пути. В следующий раз позвоните заранее и захватите цветы, пирожные или еще что-нибудь. Похоже, вы крайне дурно воспитаны.

— В Калифорнию я не вернусь. К ФБР обратились за помощью в расследовании убийства в Виргинии. Дело весьма грязное, и вполне возможно, что это серийный убийца, — по крайней мере, так считают местные копы. Я бы хотел, чтобы вы поехали со мной.

Нина снова покачала головой:

— Я не...

— Нина, они считают, что это сделала женщина.

Нина стояла на берегу озера уже десять минут, и я знал: каждая прошедшая секунда означает, что, вероятнее всего, она уедет. Ее поза недвусмысленно говорила о том, что все вокруг — деревья, озеро, горы и, скорее всего, даже я — не имеет теперь для нее никакого значения.

Я оставался в доме вместе с Монро и Олбричем. Никто из них не пытался со мной заговорить. Олбрич несколько раз бросал взгляд на часы.

— Так все-таки объясните, — не выдержал я. — Вы нашли труп к востоку отсюда, и, возможно, это действительно дело ФБР, а может быть, и нет. Чего я не могу понять — что здесь делает ваш приятель Олбрич. Меня не волнует, как вы определяете юрисдикцию полиции Лос-Анджелеса, но Виргиния от него весьма далеко.

Монро и Олбрич переглянулись.

— Расскажите ему, — сказал Монро, неуклюже вставая и спускаясь с крыльца. — Все-таки это напрямую его касается. И у нас мало времени.

Он прошел мимо меня и направился к Нине.

— Тот тип, Хенриксон, — начал Олбрич, когда Монро отошел достаточно далеко. — Он ведь ваш брат?

Он имел в виду убийцу, которого мы поймали в лесу. Человека, которому вскоре предстоял суд за убийство женщины по имени Джессика Джонс в Лос-Анджелесе и еще одной из Сиэтла, Кэтлин Уоллес, чье тело было найдено в сорока милях от того места, где мы сейчас сидели. Исход дела был предрешен. Далее ожидался еще один суд, по делу об убийствах нескольких девочек-подростков в Лос-Анджелесе пять лет назад, которое в прессе окрестили делом «мальчика на посылках». Здесь уже все было не столь просто.

— Мы близнецы, — сказал я. — Но я никогда его не знал. Его настоящее имя — Пол. Сам он называет себя «человек прямоходящий» — если помните, прозвище «мальчик на посылках» придумал сам Монро. В любом случае Пол действует не в одиночку. Впрочем, вы обо всем и так знаете из доклада Нины.

— На самом деле там об этом не говорилось, — глядя в сторону, ответил Олбрич. — В итоге был сделан вывод, что ваши не слишком конкретные заявления лишь запутали дело.

— То, о чем я говорю, — правда, — сказал я. — И Нина об этом знает. Пол работал на тайную организацию убийц, поставляя им жертвы на заказ. Впрочем, этим он далеко не ограничивался.

— Расследованием занимается Монро, а не Нина.

— Монро занимается собственной карьерой. Ладно, так в чем, собственно, дело?

— После того как вашего брата выписали из больницы, его перевели в «Пеликан-Бей», тщательно охраняемую тюрьму возле границы с Орегоном.

— Я думал, там сидят всякие гангстеры-психопаты вроде «арийских братьев», «черных повстанцев» и прочих.

— Обычно так и есть. Но Монро был убежден, что вашему братцу необходимо оставаться под строгой охраной до суда, в одиночной камере без окон, под прицелом охранников, для которых смерть заключенного лишь дополнительная канцелярская работа. После того, что он сделал с теми женщинами, трудно не согласиться. Так что Монро своего добился. В Коркоране или Техачапи Хенриксона бы не взяли и в итоге его отправили в «Пеликан-Бей», на север. За три месяца он пережил три попытки убийства, одну со стороны охранника, который сейчас в больнице. Но потом...

Олбрич тяжело выдохнул, и этого оказалось достаточно, чтобы перехватить у него инициативу. Особенно когда я увидел, как стоявший на берегу Монро что-то сказал и Нина вдруг подняла голову, посмотрела на меня и быстро пошла назад.

— Только не говорите мне этого, — произнес я, чувствуя, как кровь приливает к ушам и начинает стучать в висках.

— Два дня назад его должны были доставить из тюрьмы обратно в Лос-Анджелес. Мы не знаем, что случилось в пути, но в ста милях к югу что-то произошло наверняка. На дороге обнаружили бронированный грузовик, а в полумиле от него тела двух охранников. Еще двое исчезли. Есть версия, что они тоже мертвы.

— Нет, — сказал я. — Надо исходить из того, что они помогли Полу бежать.

— Монро предполагал, что вы скажете нечто подобное. Он говорил, вы во всем видите заговор, убийцу под любой кроватью.

— Вы знаете, что я имею в виду. Вы помогали Джону Зандту. Вы добывали для него информацию. Он выслеживал Пола.

— Я помогал Джону, потому что знал его еще по работе в полиции, а он был выдающимся полицейским. Вот только теперь он больше не полицейский. Для начала — имеются два ордера на его арест за убийства.

— Ну да. Он убил человека, который организовывал доставку девочек прямо в лапы маньяков, и еще одного, который помогал их похищать.

— Осторожнее, Уорд. Если Зандт когда-нибудь снова появится, вам, возможно, придется повторить это перед судом.

— Я не одобряю того, что сделал Джон. Но когда у меня окажется время и мне никто не будет угрожать, я пойду и спляшу на могилах этих двоих подонков.

— А кто вам угрожает?

— А как вы думаете? Те, кто за этим стоит. И это не фантазия. Почему, по-вашему, мы с Ниной все это время оставались здесь под вымышленными именами? Думаете, мы просто любим природу? Или жутко стеснительные?

— Я думал, это из-за вашего брата. Я знаю, что вы участвовали в его поимке.

— Нет, — холодно ответил я. — Дело не в нем. Мы полагали, что система исполнения наказаний штата Калифорния держит ситуацию под контролем.

— Уорд, — позвала Нина.

Монро шел в нескольких шагах позади нее, заложив руки за спину. У него был вид человека, выполнившего свою задачу.

— Он тебе рассказал?

— Да. Поздравляю, Чарльз. Вы только что потеряли одного из самых опасных людей на планете Земля.

— Мы его найдем, — сказал Монро.

— Нет, не найдете, — ответил я. — Никаких шансов. Если кто-то кого-то и найдет, то это он вас. Желаю удачи.

— Не думаю, что он станет искать именно меня.

— Верно, — согласился я. — Так почему же вы не рассказали нам об этом немного раньше? Скажем, полтора дня назад? Или у вас с тех пор сидели в Шеффере агенты, следившие, не направится ли он сюда? Вы использовали нас в качестве приманки?

— Нет, конечно, — ответил он.

Я ему не поверил, и это означало, что в Шеффере мы больше не могли чувствовать себя в безопасности. Пол вовсе не обязательно должен был отправиться разыскивать меня, но на это вполне были способны и другие.

— Значит, Олбрич приехал лишь затем, чтобы спросить, не знаю ли я, где Пол?

— А вы знаете?

— Нет, — ответил я. — А даже если бы знал, сейчас я бы вам этого не сказал.

Я курил на крыльце, пока Нина собирала вещи. Монро и Олбрич нетерпеливо ждали, стоя неподалеку. Некоторое время я смотрел в затылок Монро, и просто меткого выстрела теперь казалось мне недостаточно. Мне хотелось схватить его за шею, утопить в озере и продавать на это представление билеты. Дешевые билеты, с бесплатной закуской.

— Я готова, — сказала Нина.

Обернувшись, я увидел, что она стоит в дверях с сумкой в руках, переодевшись в привычную для нее одежду — костюм сотрудника ФБР. Сейчас она выглядела совершенно иначе: по-деловому, профессионально. Она выглядела... на самом деле, она выглядела просто здорово.

Я встал.

— Агент Бейнэм во всей ее красе.

— Я тоже этого терпеть не могу, — сказала она, подходя ближе. — Ты ведь мне веришь?

— Да, — тихо ответил я. — Потому что мне кажется, что кое-кто до последнего времени игнорировал звонки Монро.

— Возможно.

— Тебе стоило сказать мне, что он пытался с тобой связаться.

— Ты прав, — ответила она. — Извини. Я виновата. Но скажи мне — кто пытался связаться с тобой?

— О чем ты?

— В тот вечер, когда ты приготовил свой странный салат, ты закрыл ноутбук, не выйдя из почтовой программы. Когда мне понадобился компьютер, она оставалась на экране.

Сказать было нечего.

— Ты меня поймала.

— Так кто пытается с тобой связаться?

— Это мой старый адрес. Это может быть кто угодно.

— Не думаю. Ты, конечно, человек хороший, несмотря ни на что, но все же не настолько популярная личность. Вряд ли это приглашение на боулинг. Мы живем в реальном и опасном мире, Уорд. Ты должен выяснить, кто это.

— Ты босс.

— Именно. И всегда помни об этом. — Она наклонилась и поцеловала меня. — Увидимся.

Она спустилась к озеру и ушла в сопровождении двоих мужчин. Мне показалось, будто она исчезла задолго до того, как скрылась из виду.

Всю вторую половину дня я занимался консервацией дома: прибрался в комнатах, выключил бойлер, закрыл ставнями окна. Большую часть времени я пытался думать о том, куда мне теперь отправиться, но тщетно. Лучшее, что пришло в голову, — сесть в машину и ехать прямо на восток. Поднявшись на чердак, я достал компьютер Бобби и поставил его на подзарядку, а сам отнес свои немногочисленные пожитки к машине Нины, стоявшей за домом Патриции.

Я объяснил миссис Андерс, что Нина уехала и что скоро я уеду тоже. Я посоветовал ей быть осторожнее, остерегаться незнакомых людей и немедленно связываться с шерифом, если что-то покажется ей подозрительным. Она приготовила мне чашку кофе, отчего я лишь почувствовал себя еще более одиноким.

Вернувшись, я проверил почту. Ничего не было, что в определенном роде лишь осложняло задачу. Ладно, Нина сказала мне, чтобы я выяснил, кто пытается с нами связаться, но письмо с обратным адресом находилось на ее компьютере. Я все еще не был уверен, что это действительно нечто серьезное. Возможно, Нина считала, что меня пытается выследить Пол, — в таком случае она ошибалась, поскольку письмо было отправлено, когда он еще находился в тюрьме.

Я уже собирался выключить машину, когда вдруг заметил, что почтовая программа все-таки что-то загружает. Переключившись на окно загрузки, я понял, что письмо идет на один из ящиков Бобби. Я оставил его адреса активными то ли из уважения, то ли из суеверия, не желая уничтожать последний след его пребывания в этом мире.

В ящике оказалось три письма. Все они были озаглавлены «Позвони мне», и самое последнее отправлено три недели назад. Я бы не раздумывая отнес их к спаму, если бы хот-мейловский адрес отправителя не показался мне знакомым.

Я открыл последнее письмо:

«Бобби — ты там? Происходит нечто странное. И мне нужны твои мозги. Немедленно».

Подписи не было, как и в полученных мною сообщениях. Почему? Я мог лишь предположить, что отправитель полагал, будто Бобби и я узнаем его адрес и так. Немного подумав, я скопировал адрес в письмо с моего собственного ящика и напечатал:

«Это Уорд Хопкинс. Бобби умер. Кто вы и что вам нужно?»

Затем я, почти не раздумывая, нажал кнопку отправки.

Я знал, что самое лучшее сейчас — побыстрее смыться, но оказалось, что это не так-то легко. Я в последний раз огляделся вокруг, как учил меня отец во время семейных поездок на отдых, проверяя одну за другой комнаты и закрывая за собой каждую дверь. Мне не сразу удалось найти свое пальто, но потом я сообразил, что, видимо, оно висит за открытой входной дверью. Я не помнил, чтобы вешал его туда, но день сегодня был весьма напряженным.

Я потянул на себя дверь, чтобы забрать пальто, и увидел, что оно тут не единственное. Рядом висела коричневая куртка Нины.

Она оставила ее здесь.

На мгновение я почувствовал себя словно подросток, затем мысленно пожал плечами. Возможно, куртка оказалась просто слишком большой и не влезла в сумку или не вязалась с внешним видом сотрудника ФБР. Тебе же тридцать девять лет, Уорд. Возьми себя в руки.

Потом я заметил, что из кармана торчит сложенный листок бумаги — записка.

«Ну и дура же я. Замерзну до смерти».

И все-таки у меня появилась цель.

Я запер дом и поехал на юг в сторону Якимы, где был аэропорт. Я решил, что проведу там ночь, а утром улечу в Виргинию.

ГЛАВА 3

Впоследствии Ли Гион Худек наверняка сказал бы, что с самого начала знал: ничем хорошим это не кончится. Он не мог вспомнить, когда ему впервые так показалось, но странное предчувствие точно наличествовало, хотя в подобную чушь он не верил. Такое пристало бы мелким торговцам с Венис-Бич, или пьяным девицам с дешевыми колодами карт Таро, или, в крайнем случае, Питу Воссу: Соня Пит считал, будто владеет некоей потусторонней магией, поскольку его мамаша была то ли из индейцев, то ли из буддистов или еще черт знает из кого. Особенно сильно он начинал верить в сверхъестественное, когда напивался, что, впрочем, бывало достаточно часто. Ну а Худек полагал, что все это полнейший бред как в отношении Пита, так и в мировом масштабе.

Худек с самых ранних лет прекрасно понимал, что в мире все происходит в соответствии с жесткими предопределенными законами, а всяческая красивая чушь — для неудачников. Мир любит тех, кто готов действовать, тех, кому удается пробиться наверх. Соня, конечно, был полным придурком, но зато большим и смирным, ему можно было доверять, и он пусть и не слишком расторопно, но беспрекословно выполнял свою работу, продавая товар. К тому же они уже довольно давно работали вместе, так что Худека это вполне устраивало.

Началось все с того, что они сидели в машине — Пит на пассажирском сиденье, а Брэд Метцгер сзади — возле поворота на Туджунга-Каньон-драйв. Крыша была опущена, и их согревали солнечные лучи. Они ждали уже довольно долго. Машина принадлежала Худеку, за нее он заплатил наличными. Многие в его положении обзавелись бы навороченной тачкой в ретростиле — какое-то время и у него была такая же, — но не так давно он решил, что ему больше подойдет делового вида «мерс». К тому же и копы доставляли куда меньше головной боли.

Хотя Худеку не исполнилось еще и двадцати, он также владел своим собственным домом. Ничего особенного, всего лишь скромное жилье с тремя спальнями в Саммер-Хиллз, но при нем имелись бассейн и большой гараж на два автомобиля, а размер телевизора ошеломлял.

Пит и Брэд жили в Сими-Вэлли, к югу от Санта-Барбары, оба с родителями. Так жили все, кого он знал, почти ничем не занимаясь в течение года после окончания школы. Работа в Калифорнии больше с деревьев не падает, и весьма средние успехи в школе ничего не значат в мире за ее пределами.

Машина стояла на обочине дороги, и по правую сторону от нее поднималась пыльная и неровная стена каньона. Было жарко. Соня играл в карманную видеоигру, издававшую писклявые звуки. Брэд что-то бубнил насчет девчонки, за которой он ухаживал, и стоит ли ему платить за то, чтобы она сделала себе операцию на носу. Худек сам был близко знаком с вышеупомянутой девушкой и придерживался мнения, что Брэд не сможет выносить ее общества даже до конца послеоперационного периода, особенно если учесть, что на какое-то время она будет не способна делать минет. Однако он полагал, что Брэд мог бы сообразить это и сам. Если парень намеревается выкинуть такие деньги на девчонку, то ему явно слишком много платят.

Имелось в виду — много платит Худек.

— Знаешь, я сам ее трахал, — неожиданно сказал он. — Год назад.

Брэд на мгновение замолчал, а потом завел разговор про какую-то другую девушку.

Когда Худек снова посмотрел на часы, было семнадцать минут второго. Посредники опаздывали уже больше чем на полчаса, чего никогда не бывало раньше. Да, ехать за товаром через всю Долину не доставляло никакого удовольствия, но так было всегда. К тому же Эрнандес выглядел человеком вполне надежным, и Ли не имел ничего против того, чтобы встречаться именно здесь. А именно сейчас, когда у него имелся план, надежность была важнее всего.

Он опять взглянул на часы, в чем не было никакой необходимости. Все те же семнадцать минут второго. На мгновение ему показалось, будто движение минутной стрелки замедлилось, словно минута разбухала, готовая взорваться.

Возможно, именно тогда у него возникло странное ощущение, что этот день станет началом дороги в будущее, на которой еще нет никаких указателей.

Потом наступило восемнадцать минут второго.

Сзади послышался щелчок зажигалки.

— Брэд, не кури в машине.

— Блин, крыша же открыта.

Худек повернулся и уставился на сидевшего сзади парня.

Брэд покачал головой, открыл дверцу и вышел. Он отошел на несколько шагов к стене каньона, сел на камень и закурил. На самом деле ему нужна была не сигарета, а косяк (черт побери, он в нем крайне нуждался!), но хотя Ли и менял постоянно свое отношение к сигаретам, он однозначно был против травки на работе. Брэд дождаться не мог, когда закончится эта часть их работы, которая всегда его немного пугала. Пока что ни разу ничего страшного не случилось, но все-таки наркота есть наркота, а это дело опасное, даже если у тебя и нет отходняка по высшему разряду, каковой сейчас со всей определенностью испытывал Брэд.

Прошлым вечером он тусовался в Санта-Барбаре с младшими Рейнольдсами и другими ребятами, пока старшие

Рейнольдсы проводили время на кишащей адвокатами вечеринке в Голливуде за коктейлями, бутербродами и шутками про нового окружного прокурора. Тем временем их дети устроили собственную вечеринку, с вином, травкой и видеоиграми. В конце концов Брэд вырубился в спальне вместе с какой-то девицей. Карен, желавшая поправить себе нос, в тот день вынуждена была присутствовать на семейном обеде, откуда ей было никак не вырваться. А рядом с Брэдом оказалась пятнадцатилетняя школьница, имени которой он так и не узнал, но она, судя по всему, сильно любила кокаин. Поэтому Брэд очень надеялся, что девчонка забудет об этом эпизоде.

В семь утра в комнату вошел мистер Рейнольдс, подошел к шкафу и выбрал себе галстук.

Уходя, он сказал:

— Доброе утро, Брэдли.

— Доброе утро, мистер Рейнольдс, — пробормотал Брэд.

На этом все и закончилось. Судя по всему, мысли мистера Рейнольдса были заняты совсем другим — каким-нибудь крупным судебным делом или вроде того. Очень хотелось надеяться, что не валиумом, которым накачались его сын и дочь и которым их через Брэда снабдил Худек.

Однако сейчас сидевшего на камне Брэда больше занимал вопрос, действительно ли Худек спал с Карен Люкс. Вполне возможно, что и так. От Ли всего можно ожидать. Хотя Брэд знал его большую часть своей жизни, ходил с ним в те же самые залы, пинал, ловил или бросал те же самые мячи, он никогда не мог бы сказать, что знает о своем друге все. На некоторые вопросы не было ответа. Например, почему Ли выбрал себе именно такое занятие и каким образом он оказался одним из тех, на кого в конце концов Брэду пришлось работать. Возможно, он и трахался с Карен, а возможно, и нет. В их среде царила полная свобода нравов. Так что, вероятно, это в конечном счете было не так уж и важно.

Брэд поднял взгляд, услышав полифоническую мелодию из «Симпсонов», и увидел, как Ли прикладывает к уху свою «моторолу». Разговор продолжался около минуты. Худек не повышал голос, но такова была его обычная манера, так что это ни о чем не говорило. Наконец он закрыл телефон и поманил пальцем Брэда.

— Откладывается, — сказал Худек, когда Брэд подошел к машине.

Взгляд его трудно было понять.

— Как откладывается?

Худек пожал плечами.

— Хреново, Ли, — пробормотал Брэд.

От жары у него еще сильнее заболела голова.

— Слишком многие ждут.

— Знаю. — Худек снова пожал плечами. — Сейчас он не может, вот и все. Встреча переносится на вечер. Ничего страшного.

С точки зрения Брэда, в этом как раз не было ничего хорошего. Во-первых, раньше такого никогда не случалось, а во-вторых, была суббота и куча народу ждали травки и коки. Чем позже они получат товар, тем позже они смогут закончить его развозить и начать развлекаться сами. Однако взгляд уставившегося в ветровое стекло Худека ясно говорил, что он, мягко говоря, недоволен, так что Брэд ничего не сказал. Вместо этого он достал пистолет, лежавший наготове под задним сиденьем, и убрал его в багажник, завернув в пляжное полотенце. Как всегда, он сразу же почувствовал себя намного лучше.

По пути назад, пока Худек ехал на скорости в пятьдесят миль в час по шоссе 118, он задремал, так и не сказав ни слова. Соня всю дорогу домой продолжал играть в свою игру. Бип, бип, пинг.

Солнце струило сверху свои лучи, превращая окружающий пейзаж в плоскую умиротворенную картину.

Высадив остальных возле торгового центра «Бель-Айл», Худек поехал вокруг Долины без какой-либо определенной цели. В конце концов он оказался за столиком возле кафе

«Фрисби», с гамбургером и картошкой с чили, глядя на проезжающие мимо автомобили. Любой бросивший взгляд в ту сторону увидел бы светловолосого паренька спортивного телосложения с единственной татуировкой в виде колючей проволоки вокруг левого бицепса (никаких фальшивых бандитских штучек), слегка загорелого, в чистых джинсах и не слишком дешевой футболке. Ничем не примечательная внешность. Обычный представитель местной фауны, молодой самец основного вида, населяющего данную территорию.

Его телефон звонил несколько раз, и он отвечал, методично излагая причины, почему заказчик пока не может получить свой товар. Он был знаком с этими людьми, и никто из них на него не обиделся. Все здорово. Ли все сделает. Как обычно. По крайней мере, так было всегда. Не позвонил лишь тот, кто ему был сейчас больше всего нужен и от кого он должен был узнать новое время и место встречи. Как говорил его отец, становилось «все страньше и страньше».

Как и многие его друзья, Худек вполне ладил с родителями. Большинство молодых людей просто терпели своих предков, поскольку те почти не доставляли им хлопот. Существуя как бы на заднем плане, родители при необходимости отвозили своих чад куда нужно, давали деньги на одежду, развлечения и прочее и лишь иногда тратили свое драгоценное время на то, чтобы вслух поинтересоваться, не собирается ли их сын или дочь найти себе какую-нибудь работу.

Худек же, в отличие от других, по-настоящему ценил своего отца, когда тот был рядом. Худек-старший занимался проектированием недвижимости и много времени проводил в поездках. У него было полно связей, и он очень хорошо зарабатывал, но при этом вовсе не зазнавался. И у него, и у его жены имелось множество очень дорогих вещей, которые никогда не покидали пределов дома и даже прятались при приходе гостей. К тому же отец обладал чувством юмора. Ли выбрал мелодию для мобильного телефона в шутку над самим собой, вспомнив, как много лет назад, когда он был еще маленьким мальчиком, отец смотрел «Симпсонов» и смеялся от души над Гомером, обратившимся к своим детям со словами: «Помните: с точки зрения всех остальных, мы самая обычная семья». Райан Худек следовал похожему девизу, не вполне обычному для того места и времени, в котором он жил: «Если ты понимаешь, чего стоишь, вовсе не каждому следует об этом знать».

Ли последовал примеру отца, усвоив также урок, почерпнутый из бесчисленных фильмов и подкреплявшийся еженедельно криминальной хроникой по телевидению. Если ты бросаешься в глаза, ты привлекаешь к себе внимание. А это плохо. С точки зрения всех остальных, Ли был всего лишь обычным парнем, которому особо нечем было заняться жарким субботним днем. И это вполне его устраивало.

Какое-то время спустя Ли вспомнил, что сегодня день рождения его матери. Он купил открытку, флакон ее любимых духов и поехал домой. Отца не было, — вероятно, он играл в гольф, и Ли прошел прямо во двор.

Лиза Худек сидела в шезлонге у бассейна, в темных очках. Приняв подарок и поцелуй от сына, она улыбнулась, глядя куда-то в сторону.

Ли провел рядом с ней целый час, наблюдая за рябью на поверхности воды в бассейне, в то время как его мать то и дело прикладывалась к высокой, покрытой инеем бутылке. Наконец зазвонил мобильник. Это был Эрнандес.

Встречу назначили на семь тридцать. Да, очень поздно, но ничего не поделаешь. Где именно — сообщат позже.

Да и не мог бы он на этот раз приехать один?

Худек пробормотал: «Да, конечно» — и пошел в дом сделать несколько звонков.

В семь пятнадцать он медленно затормозил в середине квартала, в том месте, где Роско-бульвар пересекал Сеноа-авеню. Как ему и говорили, на перекрестке в пятидесяти ярдах отсюда находилась бензоколонка. Напротив располагалось низкое здание, мимо которого Худек проезжал множество раз за последние несколько лет, не удостаивая его даже взглядом. Когда он был маленьким, здесь находился ресторан со шведским столом, и он был уверен, что они с родителями несколько раз там обедали. Потом ресторан закрылся, уступив место магазину ковров, потом автомобильных запчастей, потом еще нескольким разным заведениям, прежде чем превратиться в одно из тех неприметных мест, которые постепенно улетучиваются из человеческой памяти.

— Ну что ж, неплохо, — сказал он, выключая двигатель.

— Ничего хорошего на самом деле, — покачал головой Брэд.

На этот раз он сидел на пассажирском сиденье. Соня Пит был в другой машине, со Стивом Веркайленом, четвертым членом команды. Их машина стояла на углу возле бензоколонки, и Брэд мог видеть ее капот. Впрочем, это не слишком его успокаивало.

Пистолет лежал под сиденьем Брэда, но и это не помогало. Отчего-то он подозревал, что сегодня вечером оружием в конце концов придется воспользоваться, и ничего хорошего в этом не было. Пистолет лежал в машине не для того, чтобы его применять, а лишь затем, чтобы другие знали о его существовании. Только однажды они обстреляли фасад дома одного типа в качестве предупреждения, удостоверившись, что того нет дома. Воспользоваться же пистолетом по-настоящему — совсем другое дело. Присутствие оружия больше не придавало Брэду хотя бы минимальной уверенности, и ему казалось, будто он ощущает исходящий от него холод сквозь сиденье. Будто пистолет просыпается, потягивается, прихлебывает кофе и спрашивает: «Ну что, приятель, как по-твоему, для чего я здесь?»

При мысли о том, что под сиденьем Худека спрятан еще один пистолет, становилось только хуже. Рядом лежала сумка с деньгами.

Брэд закурил, надеясь, что хотя бы это что-то изменит.

— Спереди все заперто и заколочено. Как ты собираешься войти?

— Через заднюю дверь.

— Ты и в самом деле туда собрался?

— Да, — ответил Худек. — И мы пойдем вместе.

— Ли, послушай... Тебе же специально сказали, чтобы ты пришел один, что они станут делать, если мы появимся вдвоем?

— Вот именно это мы и намерены выяснить.

Брэд хотел было ответить, но, встретившись со взглядом Худека, понял, что сказать нечего. Ему некуда было деваться — он задолжал немалую сумму денег, и Худек был единственным, от кого он мог их получить. Если бы он сейчас просто открыл дверцу и ушел, его ждало бы незавидное будущее: без наркотиков, денег и какого-либо места в жизни.

— Я мог просто взять тебя с собой, как обычно, — сказал Худек. — Не говоря тебе ничего о том, что сказали мне. Но я не стал ничего скрывать.

— Ладно, — пробормотал Брэд. — Ладно.

Худек посигналил Питу и получил ответный сигнал. Соня и Стив вышли из машины и направились через перекресток. Ли и Брэд подождали, пока вокруг станет достаточно безлюдно, вышли, достали пистолеты и быстро засунули их сзади за джинсы. Оба накинули куртки. Худек взял сумку с деньгами в левую руку. Можно было идти. Просто двое парней на прогулке. Ничего особенного.

«О да, — подумал Брэд, ощущая легкую тошноту. — Мы чертовски хитрые. Обалденно круто. Разве что-то может пойти не так?»

Он последовал за Худеком через дорогу, подняв голову и стараясь шагать как можно более непринужденно. Они пересекли небольшую площадку перед зданием и направились вдоль его правой стороны. Узкий проход вел к другой, более широкой площадке позади дома. Она была пуста, если не считать лежавшего у ее края смятого куска потертого брезента. В дальнем конце находилась низкая кирпичная стена, о чем Худек, проезжавший здесь два часа назад, уже знал. По другую сторону этой стены, спрятавшись за ржавым мусорным контейнером, должны были стоять Пит и Стив.

Дойдя до середины площадки, Худек остановился. Он вынужден был признать, что место выбрано удачно. Хорошо освещенное, но полностью невидимое с дороги. В длинной задней стене здания виднелась дверь, но он не пошел прямо к ней. Он стоял, неторопливо оглядываясь и прислушиваясь, словно хищник на своей собственной территории.

Брэд восхищался его хладнокровием. И очень, очень надеялся, что все будет хорошо.

— Мы же говорили, чтобы ты пришел один.

Сердце Брэда едва не выскочило из груди. Голос раздался сзади. Конечно же.

— Повернитесь, — произнес голос. — Медленно.

Повернувшись, Худек и Брэд увидели троих, стоявших в четырех ярдах от них. Все подтянутые, темноволосые, темноглазые. Вероятно, они ждали, когда парни выйдут из-за угла здания, а затем тайком следовали за ними. О господи.

Брэд узнал лишь одного из них — Эрнандеса, с которым они постоянно общались. Ему было около тридцати, и лицо его напоминало бывший в употреблении топор. Он посмотрел на Худека и покачал головой.

— Мы же говорили, чтобы ты пришел один, — повторил он с той же интонацией, что и в первый раз.

— Я слышал, — ответил Худек. — Еще ты сказал, чтобы я у тебя отсосал, и этого я тоже делать не собираюсь.

Эрнандес выпятил губы и рассудительно кивнул, словно оценивая качество реплики, будто он был всего лишь отрицательным героем компьютерной игры «Большая автомобильная кража VII», только что получившим возможный ответ номер три.

Он повернулся к стоявшему справа от него и снова кивнул. Тот кивнул в ответ. Оба посмотрели на Худека и кивнули еще раз.

Мгновение чересчур затянулось, и Брэду становилось по-настоящему страшно.

— Ты говорил, что мы встретимся внутри, — сказал Худек. — Какого хрена вы здесь делаете? Какого черта вы крались за нами?

— Чтобы проверить, что ты следуешь указаниям, — ответил Эрнандес.

— Ты всерьез думал, будто я собираюсь им следовать?

— Мы надеялись.

— Жизнь полна разочарований, чувак. Смирись с этим. Может, все-таки закончим? Я и так уже сегодня полдня ждал тебя впустую в Долине.

— Возможно, мы найдем другого богатенького парнишку для наших дел. Который будет поступать, как ему скажут, — как и подобает хорошему мальчику.

— Слушай, ты чего-то и впрямь не понимаешь, — сказал Худек, театрально качая головой. — Ты что, думаешь, будто мы прямо тут что-то у вас возьмем? Да ни за что.

— В самом деле?

Теперь Эрнандес снова улыбался.

Брэду не понравилась его улыбка. Она была слишком неубедительной. Брэд вдруг понял, что один из стоявших рядом парней держит в опущенной руке пистолет. Возможно, оружие было у него с самого начала, просто Брэд настолько нервничал, что не заметил.

«Забери у них товар, Ли, — умоляюще подумал он. — Пожалуйста, Ли, давай просто заберем товар и смоемся отсюда».

— Пит, — внезапно громко сказал Худек, — не подойдешь к нам?

Последовала долгая пауза. Соня Пит так и не появился из-за угла большого металлического сооружения.

Брэд в отчаянии посмотрел на Худека и впервые увидел в его взгляде некоторое замешательство.

— Стив, — позвал Худек.

Снова тишина, нарушаемая лишь сигналом автомобиля на перекрестке, доносящимся словно из другого мира.

Эрнандес наклонил голову:

— Пит? Стив? Кто это такие? Еще одни непрошеные гости? Еще какие-то крысы из Долины?

Худек промолчал, не отводя взгляда от мусорного контейнера.

Эрнандес снова посмотрел на стоявшего справа.

— Ребята, вы знаете каких-нибудь Пита или Стива? Не встречали таких?

— Угу, — ответил тот. — Кажется, встречали.

Он подошел к большому куску брезента возле стены и приподнял один его угол.

Брэд уставился на лежавших под брезентом Пита и Стива. Их рты были заклеены серебристой клейкой лентой, так же как, видимо, руки и ноги, поскольку они не шевелились. По крайней мере, это могла быть одна из причин, по которой они лежали неподвижно.

Парень снова опустил брезент.

— Вам не стоило этого делать, — сказал Худек ровным и бесстрастным голосом. Он сунул правую руку под куртку. — Явно не стоило.

— Тебе следовало прийти одному.

— Развяжите их.

— Пошел к черту.

Худек вытащил руку с пистолетом.

— Я сказал, развяжите их.

Некоторое время они обменивались репликами, но Брэд почти ничего не слышал. В голове у него непрерывно звучал голос, заглушавший все остальное.

«Мне двадцать лет, — бубнил голос. — Слишком рано. Это очень мало. Я думал, что я уже взрослый, но ошибался. Я больше не хочу заниматься сексом, принимать наркотики или пить пиво. Я не хочу быть здесь. Я хочу сидеть дома, смотреть „Секретные материалы" и есть мороженое. Я хочу, чтобы мне снова было десять лет».

— Ну и дерьмо же ты, — сказал Худек.

Брэд снова обрел способность воспринимать окружающее. Пистолеты в руках незнакомцев были направлены на него и Ли. Все было очень, очень плохо, но Брэд знал, чего от него ждут, и вытащил свой пистолет. Теперь уже точно не могло случиться ничего хорошего. Пятеро с пистолетами. Считайте сами.

Худек поднял пистолет, нацелив его прямо в грудь Эрнандеса. Тот даже не дрогнул, и Худек впервые обрел полную уверенность в том, что этому человеку уже приходилось убивать, и не однажды. Худек обладал ясностью ума, на которую Брэд не мог даже и надеяться, но в это мгновение мысли у них были практически одни и те же. Вот и все. Вот теперь все стало окончательно ясно.

— Ладно, — сказал он. — Если по-другому никак...

Сзади послышался громкий щелчок, затем мягкий стук, словно от удара дерева по кирпичу.

Худек увидел, что взгляд Эрнандеса сместился в сторону. Они с Брэдом обернулись.

Дверь в задней стене здания была открыта нараспашку. На пороге стоял человек в деловом костюме.

— Да заходите же, — сказал он. — Ради всего святого. Мы ждем.

Брэд был застигнут врасплох не меньше, чем Худек, и не мог произнести ни слова. Только Худек сумел обрести дар речи, но и то с трудом. Он даже не заметил, как Эрнандес, воспользовавшись замешательством, стукнул Брэда по затылку, и не услышал, как его друг безвольно осел на асфальт.

Он просто смотрел, раскрыв рот, на человека в дверях — целых пять секунд, а потом наконец произнес:

— Мистер Рейнольдс?

ГЛАВА 4

Внутри здания было темно и жарко. Единственным источником света служила висевшая под потолком голая лампочка, освещавшая остатки прежних его воплощений — груду покрывшихся плесенью свернутых ковров, неопределенного вида автомобильные запчасти, какой-то продолговатый механизм, который, как показалось Ли Худеку, использовался на кухнях ресторанов. Пахло пылью и теплом.

Он проследовал за мистером Рейнольдсом через большое помещение, по коридору, а затем они прошли еще в более просторный и темный зал, занимавший всю оставшуюся часть здания. Мистер Рейнольдс неожиданно шагнул в сторону, явно предлагая Ли идти дальше самому. В противоположном конце зала виднелся свет, — вероятно, туда и следовало направляться.

На мгновение у Худека возникла мысль развернуться и попытаться силой прорваться назад, но это не имело никакого смысла. Брэд все еще лежал на площадке, так же как и Пит со Стивом, и кто знает, что могли сделать с ними Эрнандес и его подручные. Да и собственное будущее тоже было Худеку неизвестно.

Впрочем, в ближайшее время все прояснится.

Он направился прямо в темноту. В столь большом помещении от его шагов должно было раздаваться эхо, но почему-то этого не происходило. Возможно, звук заглушали кучи мусора, невидимые во мраке. Возможно, просто было чертовски жарко. Казалось, будто воздух застыл неподвижно, настолько, что его можно было пощупать, и поглощал любые звуки. А может быть, и людей тоже.

Свет исходил от единственной лампы, стоявшей на свободном участке пола. Казалось, ее позаимствовали из дешевого мотеля или какого-то фильма — высокая деревянная стойка с большим абажуром, который когда-то был белым, а теперь стал тошнотворно-серым от пыли. Рядом стояло большое потертое кресло, цвет которого невозможно было разобрать даже при хорошем освещении. В кресле сидел человек.

— Привет, Ли, — сказал он. — Помнишь меня?

Худек остановился футах в двадцати от него — не потому, что так полагалось по протоколу, но скорее потому, что по каким-то необъяснимым причинам ему не хотелось подходить слишком близко.

Незнакомец был одет в темный костюм и темную рубашку. На вид ему было чуть меньше сорока, он был хорошо сложен, хотя и несколько худ, с коротко подстриженными волосами и бледной кожей. Резкий свет не позволял отчетливо разглядеть черты лица, но Худек не сомневался, что никогда раньше не встречал этого типа. Чем-то он напоминал крупного пса неопределенного темперамента, настороженно сидящего в кресле. Готового отправиться на прогулку. Или пообедать.

— Нет, — ответил Худек.

— Хорошо.

Незнакомец какое-то время молча его разглядывал. Взгляд его ничего не выражал, словно Худек был всего лишь картиной, для которой он искал подходящее место. Вероятнее всего, в задней комнате или в коридоре, где свалены старые пальто и сломанные теннисные ракетки.

— Так как твои дела, Ли?

Худек пожал плечами:

— Да знаете ли, неплохо.

— Хорошо. Это хорошо. Садись.

Худек в замешательстве посмотрел на незнакомца, затем понял, что тот куда-то показывает левой рукой. Повернувшись, Ли увидел, что прямо позади него появился деревянный стул. Ему ничего не оставалось, кроме как сесть.

В руке он все еще держал сумку с деньгами, предназначенными для оплаты сделки, которой, судя по всему, не суждено было состояться. Он поставил сумку на пол. Сердце колотилось так, словно кто-то стучал по его груди молотком, пусть и не в полную силу, но вполне достаточно, чтобы прогибались ребра.

— Тебя просили, чтобы ты пришел один, — сказал незнакомец, словно только что вспомнив некую незначительную мелочь. — Ты этого не сделал. Почему?

Худек снова пожал плечами:

— Просто мне это показалось не слишком удачной идеей.

— Понимаю. Те, у кого ты покупаешь товар, просят принести деньги без какой-либо охраны, к тому же начали что-то крутить со временем. Ты заволновался и подумал: черт побери, возьму с собой пару приятелей и не буду делать то, что мне приказали. Я ведь мужчина, в конце концов. Я Ли Гион Худек.

— Именно так, — с энтузиазмом кивнул Худек, радуясь, что наконец ощутил под ногами твердую почву.

Кем бы ни был этот тип, он явно его понял.

— Если ты сделаешь так еще раз, — продолжал незнакомец, — если ты не подчинишься распоряжениям, сколь бы сложными или простыми они ни были, полиция никогда не найдет твою голову. Я убью тебя и всех, кто когда-либо был тебе близок, причем на этом твои проблемы лишь начнутся. Понятно?

Худек тупо уставился на него.

— Ты понял?

— Черт возьми, да. Конечно. Я понял вас, в самом деле понял. Извините.

— Отлично, — кивнул незнакомец, и вид его снова стал дружелюбным. — Понимаешь, Ли, это действительно очень важно, поскольку я должен чувствовать, что могу тебе доверять. Мы оба должны это чувствовать, ясно?

— Конечно, конечно, — сказал Худек, быстро кивая в знак согласия. Он уже, похоже, не сомневался, что жить ему осталось недолго. — Но... когда вы говорите «мы», кого вы имеете в виду? Просто я думал, что Эрнандес...

Незнакомец ничего не сказал, лишь поднял лежавшие на подлокотниках руки и повернул их ладонями вверх.

Из темноты появились четверо — двое среднего возраста, двое намного моложе. В каждой группе один был одет весьма вызывающе, второй — так, что его никто бы не заметил в толпе.

— Мы те, у кого вы покупаете наркотики, — сказал незнакомец. — Через Эрнандеса мы их распространяем. Добро пожаловать на следующий уровень, Ли.

Потребовалось около минуты для того, чтобы сердце Худека вновь начало биться в более или менее нормальном ритме. За это время четверо опять куда-то исчезли, и он снова остался наедине с сидящим в кресле.

— Скажи что-нибудь, — сказал незнакомец. — Есть у тебя какие-нибудь мысли?

Худек замялся. Что он имеет в виду?

— В смысле...

— Ты хорошо справляешься со своей работой. Нас это радует. Оборот у тебя неплохой, хотя в глаза особо и не бросается. Это все, чего бы тебе хотелось? Предел твоих мечтаний?

Худек снова поколебался. Теперь он полагал, что понял, о чем его спрашивают, но ему не хотелось ошибиться.

— Ну... да, я кое о чем думал.

— Почему бы тебе не сказать мне, о чем именно?

— У меня есть план. — Худек глубоко вздохнул. — Каждый год миллионы ребят отправляются на весенние каникулы. Особенно во Флориде. С каждым годом туда съезжается все больше народу, мероприятия спонсирует крупный бизнес, Эм-ти-ви и все такое прочее. В этом году я ездил в Панама-Сити, и у меня возникли кое-какие мысли. В сезон, с марта по апрель, туда приезжают четыреста — пятьсот тысяч молодых людей. Они хотят пива, они хотят футболок с порнухой, они хотят трахаться. Они хотят наркотиков — даже если сами еще об этом не знают. Конечно, достать наркотики не проблема, но все это не организовано как следует, и можно сделать лучше. Намного лучше.

— Понимаю, — сказал незнакомец. — И ты думаешь... почему только Ай-би-эм или Эй-ти-энд-ти делают деньги на этих молодых тиграх? Если американский бизнес превратил весенние каникулы в источник дохода, почему бы и Ли Гиону Худеку не поступить так же, выйдя на этот рынок?

— Именно так. У вас тут надежная команда, хорошо сработавшаяся, и вы могли бы сбыть огромную массу наркотиков. И я хочу быть одним из вас.

Слово было сказано.

Его план стал достоянием других. Худек никогда раньше не говорил об этом вслух и теперь почувствовал себя еще увереннее.

— Это действительно мысль, — сказал незнакомец. — Но она не слишком оригинальна, к тому же с ней связаны три проблемы. Сейчас я тебе все объясню, хорошо?

Худек кивнул, сразу же почувствовав, как его душа уходит в пятки.

— Первая и самая большая — копы. Конечно, во время каникул и сейчас работает немало дилеров, но это все мелкие рыбешки, откупающиеся взятками от местных законов. Весенние каникулы — время большого бизнеса, Ли. Город может заработать за сезон до четверти миллиарда долларов, в зависимости от того, скольких жаждущих пива придурков он сможет заманить в свои ночные клубы и бары.

Конечно, в любом городе хорошо известно о торговле наркотиками, это часть жизни, и все это понимают. Но если все это выплеснется на первые полосы газет — этому городу конец. Задача служителей закона состоит в том, чтобы не допустить подобного, но вместе с тем они тоже думают о своей безбедной старости. Ты знаешь многих флоридских полицейских, Ли? У тебя есть связи? У тебя есть опыт подкупа высокопоставленных офицеров?

Худек покачал головой.

— Я так и думал. Вторая проблема — поставки. Даже если тебе удастся подмазать полицейских и поставить на нужные места своих людей — а это тебе в любом случае потребуется, как и хорошие средства связи и транспорт, а также надежные хранилища, в чем, возможно, копы даже сумеют тебе помочь, — перед тобой сразу встанет вопрос товара. Как ты собираешься его оплачивать? Не знаю, сколько твоих карманных денег лежит в этой сумке, но они явно не покроют расходов.

Худек знал, что это самое сложное.

— Я думал, — сказал он, — что можно каким-то образом расплатиться после продажи.

— Кто-то одалживает тебе наркотики, а если ты не сумеешь их продать, то возвращаешь назад вместе со своей распиской и их десятью процентами? И при этом они закрывают глаза на недостачу, на таблетки и кокаин, которые твои ребята употребили сами или в обмен на то, чтобы потрахаться на пляже? Ты в самом деле так думал?

Худек пожал плечами, чувствуя, как к лицу приливает жар. Конечно, это было глупо.

Человек в кресле даже не улыбнулся, но откуда-то сзади послышался смешок. Даже не один.

— И наконец, — сказал он, — где, собственно, ты намерен найти подобных альтруистов-благодетелей? Стоит тебе начать искать хоть какие-то связи на юге, ребята из Майами тебя на куски порвут, прежде чем ты успеешь раскрыть рот.

— Значит, это была просто дурацкая идея, — упав духом, сказал Худек и посмотрел на свои руки.

— Нет, Ли. Это как раз хорошая идея. Подобное отчасти происходит уже сейчас. Но ты прав, все делается совсем не так. Тебе понадобится надежный и крупный источник поставки наркотиков, а также способ для отмывания полученных денег. Еще потребуется вспомнить свои прежние отношения с силами правопорядка, а также определенные средства, чтобы их освежить. Также будет нужен тот, кто поможет тебе избежать глупых ошибок и не даст ударить в грязь лицом. Иными словами, потребуются серьезные покровители.

Худек поднял взгляд. Незнакомец пристально смотрел на него.

— Покровители, которые будут тебе доверять, которые будут уверены, что на тебя можно положиться. Которые будут знать, что ты всегда делаешь то, что велено.

Худек кивнул, не решаясь произнести хоть слово.

— На самом деле твоим покровителям может потребоваться, чтобы ты и твоя команда доказали, на что вы способны; они могут сперва попросить тебя об одной или двух услугах, чтобы ты продемонстрировал свою лояльность. Понимаешь?

— Думаю, да, — ответил Худек. — Чего вы хотите?

Незнакомец улыбнулся:

— Вовсе не обязательно заниматься этим прямо сейчас. Чуть позже.

Он некоторое время смотрел на Худека, затем кивнул:

— Рад был снова тебя видеть, друг мой. Когда будешь уходить, тебе дадут то, за чем ты пришел. На этот раз можешь забрать деньги с собой, как жест нашей доброй воли. Раздай их своим ребятам. Порадуй их. Насчет всего остального — потом.

Худек встал.

— Я буду работать вместе с вами? Я имею в виду, напрямую?

Незнакомец покачал головой, и Худек ощутил некоторое облегчение.

— У меня хватает и других дел. Ты будешь работать с Эрнандесом. Будь хорошим мальчиком. Смотри и учись. Набирайся опыта, в будущем тебе это пригодится.

Он подмигнул. Худек рискнул улыбнуться.

Незнакомец едва заметно повел головой. Поняв намек, Худек повернулся и пошел прочь.

Мистер Рейнольдс, ждавший Ли в коридоре, повел его обратно через зал со свисавшими с потолка лампочками. Худек ощущал головокружение, дрожь и эйфорию одновременно, не в силах поверить, что впереди него шагает отец Стэйси и Джона Рейнольдс. Мысль о том, что его присутствие здесь выглядит, мягко говоря, странным, даже не пришла Худеку в голову, пока он общался с человеком в кресле — тот явно обладал талантом полностью завладевать вниманием собеседника.

Когда они подошли к выходу, мистер Рейнольдс остановился.

— Никому не говори, что видел меня здесь, — сказал он. — Я иногда даю юридические консультации, только и всего. На это я имею полное право.

— Конечно, мистер Рейнольдс.

— И постарайся, чтобы Брэдли тоже это понял.

— Обязательно. Он сделает так, как я скажу.

Мистер Рейнольдс кивнул:

— В этом я не сомневаюсь. Боюсь, пистолеты вы назад не получите. — Он протянул руку куда-то в тень и достал небольшую ярко-красную сумку с белой эмблемой «Найк». — Но это — вам.

Худек приоткрыл молнию и увидел внутри то же, что и всегда, но в большем количестве, чем обычно. Он даже не смог сразу сообразить, какой с этого можно получить доход.

— Спасибо, — сказал он.

— Не за что, Ли. Но если я хоть раз услышу, что ты продаешь эту дрянь моим детям, ты пожалеешь о том дне, когда родился.

Он повернулся и ушел.

Худек одолел последние несколько ярдов и, открыв дверь, выбрался на площадку.

Было еще светло, что его несколько удивило. Посмотрев на часы, он обнаружил, что прошло всего тридцать пять минут с тех пор, как они сюда приехали. Невероятно.

Посреди площадки стояли трое. Его друзья.

Он приблизился к ним. Брэд выглядел слегка обеспокоенным. У Пита и Стива остались красные пятна на лицах в тех местах, где были заклеены их рты. Все потрясенно молчали, нервно затягиваясь сигаретами. Худек на мгновение пожалел, что не может последовать их примеру.

— Нам велели ждать здесь, — сказал Пит. — Эрнандес и те двое подонков. Они... не знаю, они какое-то время ждали вместе с нами, а потом... просто свалили. И вообще все это чертовски странно, чувак.

Брэд моргнул, приходя в себя. Увидев сумки в руках Худека, он нахмурился:

— Получил товар?

— Да.

— И у тебя... остались деньги.

— Верно. Можно считать, премия. Все нормально.

Брэд покачал головой. Казалось, его мозг нуждался в перезагрузке.

— Тогда... что, черт побери, все это значит?

— Все нормально, — повторил Худек. — Это все, что я знаю.

Он направился вдоль стены здания в сторону дороги. На самом деле Ли не был уверен в том, что, собственно, только что произошло. Он знал лишь, что, пройдя через это, стал сильнее и имел теперь дело с профессионалами совершенно другого уровня. Чего ему точно не следовало делать, так это недооценивать тех, с кем он только что познакомился. Особенно человека в кресле. Его угрозы можно было воспринимать как способ подчеркнуть свою мысль, придать словам больший эффект, как обычно бывает в кинофильмах. Однако Худек не верил, что в данном случае дело обстоит именно так. Он считал, что незнакомец имел в виду в точности то, что сказал, намерен следовать собственным словам и, возможно, даже кое-что недоговаривал.

И он все так же не помнил, чтобы когда-либо встречал этого человека.

— Я так и знал, что сегодня должно случиться нечто странное, — сказал Соня, потирая запястья.

— Пит, — буркнул Брэд, — заткнись.

— Нет, серьезно. Мне сегодня под утро приснился странный сон. Будто я в торговом центре и пошел в «Макдоналдс» пообедать. Хотя была вроде как ночь, поскольку за окнами было темно, но ощущение такое, будто я собирался именно пообедать. И вместо того чтобы купить гамбургер или что-нибудь вроде того, я попросил салат, что, согласитесь, чертовски глупо.

— Просто удивительно, — сказал Брэд. — Прямо на первую полосу. В заголовки Си-эн-эн. Да ты просто бредишь, брат.

— Вовсе нет. Да, я попросил салат, но салат мне не дали. Мне дали большой пакет жареной картошки. А картошку я просто обожаю, но тогда мне ее не хотелось. Мне хотелось этого чертова салата. И я сказал: «Слушай, чувак, принеси салат, какие проблемы?» А тип за стойкой просто улыбнулся, и он не был похож на обычную обслугу — намного старше, седой, крупный и почему-то немного страшный. Он забрал у меня картошку и дал закрытый пакет. Я отошел и вдруг неожиданно оказался на стоянке. Открыл пакет и увидел, что там все равно нет никакого салата.

— И что же там было? — неожиданно для самого себя спросил Брэд.

Худек не обращал на них внимания, глядя вдоль улицы на Долину и наслаждаясь мгновением. Именно здесь и сейчас его жизненный путь поднялся на следующую ступень. Ему уже трудно было поверить в то, что произошло внутри здания, — случившееся скорее напоминало сон или фрагмент из телесериала, но сумки в обеих его руках свидетельствовали об обратном.

— Яблочный пирог, — сказал Пит. — Я не собирался возвращаться обратно, так что просто открыл пакет и откусил кусочек. Но начинка оказалась ярко-красной. И он был чертовски холодным.

Брэд уставился на него:

— И это все?

Неожиданно у всех сразу начали звонить мобильные телефоны.

— Ладно, — сказал Худек. — Заказчики начинают беспокоиться. Поехали.

Внутри здания четверо снова вышли из тени. Кто-то щелкнул выключателем, и помещение залил яркий свет.

— Он вполне подойдет, — сказал человек в кресле, вставая и медленно потягиваясь. — Но все-таки прощупайте его. А потом — можно действовать.

ГЛАВА 5

Джим сидел за столиком у окна в заведении под названием «У Марши», в Южной Каролине. Он ехал по шоссе номер 95 до самой Саванны, а затем в пятнадцати милях севернее свернул на дорогу номер 321. В течение всего пути из Ки-Уэста он двигался не слишком быстро и уже потратил на день больше, чем предполагал. Всю дорогу на север он ехал в правом ряду — всего лишь еще один седой мужчина в старой машине, из тех, мимо кого обычно проносишься на полной скорости. Сперва это было отчасти связано с тем, что прошло немало времени с тех пор, как он совершал подобную поездку, — за последние восемь лет он редко садился за руль, если не считать местных рейдов по магазинам. Однако вскоре он снова привык к ощущению уносящейся назад под колесами дороги и уже не мог винить в том, что едет достаточно медленно, собственную осторожность. Также, впрочем, как и собственное упрямство, хотя и оно оказывало некоторое влияние.

В небе собирались густые тучи. Был всего лишь шестой час, но уже начало темнеть. Судя по разговорам у стойки, которые Джим без каких-либо усилий мог расслышать, к вечеру ожидался серьезный дождь, и это время как раз приближалось.

Подошла официантка и, не спрашивая, налила ему еще кофе. Он улыбнулся, и она улыбнулась в ответ, а затем ушла обслуживать других. Джим смотрел, как удаляется ее отражение в подставке для салфеток. Волосы ее были выкрашены в странный мертвенно-белый цвет, и будь она холодильником, внутрь поместилось бы немало продуктов. И тем не менее в ней было нечто привлекательное, каким бы странным это ни казалось. Умелые руки и приятный характер значат куда больше, чем думают многие. С некоторым удивлением Джим вдруг понял, что прошло десять с лишним лет с тех пор, как он последний раз занимался сексом, и мысль об этом не принесла ему ничего, кроме облегчения.

Размешав в кофе ложку сахара, он посмотрел в окно. Пора было делать выбор. До сих пор он тащился с черепашьей скоростью, словно путь на север означал для него преодоление крутого склона, с которым его автомобиль едва мог справиться. Теперь же его отделял от первого пункта назначения лишь час с небольшим, и пора было перестать притворяться. Путь его был предопределен — если только он не остановится прямо сейчас. Предстояло проехать еще немало миль, но их оставалось все меньше. А сейчас — лишь небольшой перерыв. И если уж он собирался кое-чего не делать — пора было начинать.

Ощущение пустоты и напряженности в желудке вполне могло быть вызвано обычным голодом. Бросив взгляд на прислоненное к подоконнику меню, он в очередной раз отверг его содержимое, хотя и знал, что нужно что-то съесть. Через два столика от него кто-то недавно заказал сэндвич с солониной, и от него великолепно пахло — слегка поджаренным хлебом, теплой кислой капустой и густым соусом, именно так, как когда-то нравилось Джиму. У него всегда были весьма специфические вкусы. Возможно, если бы он поел, то неприятные ощущения прошли бы.

Хотелось ли ему этого?

Он не знал. В самом деле не знал.

Так что он просто сидел и потягивал кофе, пока тот не закончился, а потом вышел, оставив доллар чаевых к счету в полтора доллара и надеясь, что они достанутся той самой официантке.

Вернувшись к машине, он заметил сумку на пассажирском сиденье, что на мгновение привело его в замешательство. Ну конечно. Он почти забыл о ее содержимом, которое купил чуть южнее Джэксонвилла. Кроме того, он приобрел и кое-что потяжелее, еще до того, как покинул Ки-Уэст, и, по его мнению, это означало, что решение принято.

Впрочем, решение уже приняли за него. Планета вращается, сердце бьется, и кровь течет независимо от того, что ты об этом думаешь.

Через восемьдесят миль он свернул в сторону Бенборо. Чуть позднее он ошибся развилкой, и пришлось возвращаться немного назад. Он не очень хорошо знал здешние места, и в любом случае тут не слишком стремились облегчить жизнь посторонним. Люди бывали здесь в основном проездом. То и дело попадались поросшие лесом участки, но в основном по обе стороны дороги тянулась плоская равнина.

После Бенборо стало проще: из города вела лишь одна дорога. Еще через милю с правой стороны показался большой покосившийся знак. В последний раз, когда Джим его видел, он был светло-зеленым, но за прошедшие годы его перекрасили в красный цвет — судя по его состоянию, довольно давно. Похоже было, что это сделал некто, с трудом различавший очертания букв, не говоря уж об их значении.

«Бенборо-парк», — гласила надпись.

Он съехал на обочину и свернул на подъездную дорогу. Он знал, что здесь ничего не изменилось, — звонки, которые он, повинуясь некоему импульсу, совершал каждые пару лет, подтверждали, что кто-то все еще отвечает по телефонному номеру трейлерного парка. Он не пытался выяснять, та ли это пожилая женщина, с которой он был знаком, или удостовериться, что парк все еще работает. Там жили люди, и жили уже много лет. Не существовало никаких причин для того, чтобы он вдруг исчез, поставив несколько десятков семей, пожилых пар и одиночек перед лицом неизвестности. Сам город Бенборо практически не развивался, и в ближайшее время никто не собирался строить в его окрестностях жилые кварталы или деловой центр.

И какое, собственно, было ему до этого дело?

Но тем не менее каждые два года он туда звонил.

Дорога шла по кривой, которая, возможно, выглядела достаточно изящно на первоначальном плане, когда-то нацарапанном на конверте в проектной конторе, но в реальном мире просто тянулась вдаль, ничем не радуя глаз.

Проехав полпути, можно было увидеть разбросанные вокруг шестьдесят с лишним трейлеров различной формы и степени изношенности. В отличие от большинства подобных мест дорожки, вдоль которых они стояли, не образовывали простую сетку. Видимо, составитель плана обладал своеобразным художественным вкусом. С точки зрения Джима, это затрудняло поиски конкретного обитателя стоянки, что, вероятно, имело как положительные, так и отрицательные стороны.

К счастью, он точно знал, куда ехать. В дальней стороне парка, там, где группа деревьев отмечала начало полосы неиспользуемой земли шириной в сорок ярдов, которая вела к берегу ничем не примечательной речки, стояли в ряд четыре невысоких деревянных строения, очень больших и ветхих. Два из них использовались под склад старого хлама и разных материалов для ремонта. Остальные были разделены на складские помещения, сдававшиеся внаем.

У въезда в парк Джим остановился. Два серых металлических шеста с висевшей между ними на высоте трейлера вывеской подтверждали, что это действительно Бенборо-парк, а не фешенебельный район, рай или лучший из всех возможных миров. По другую сторону от въезда дорога разветвлялась, и в центре развилки стоял трейлер, выкрашенный в такой же красный цвет, как и табличка на шоссе. Это было место номер один, и там жила женщина, заведовавшая парком. Ее звали Ханна — если, конечно, предполагать, что она до сих пор жива.

Он вышел из машины. На небе сгустились угольно-черные тяжелые тучи, но дождь все еще не начинался. Джим надеялся, что дождь все же рано или поздно пойдет, хотя бы ради сидящих за стойкой «У Марши» стариков, для которых он, похоже, казался выдающимся событием. Хотя ливень наверняка испортил бы удовольствие маленькой девочке, игравшей на дороге рядом с трейлером возле правого ответвления дороги. Она что-то тихо напевала себе под нос, и Джиму это нравилось.

Проходя мимо трейлера номер один, он вспомнил историю, которую рассказывал много лет назад. Да, для него только что завершился долгий и тяжелый бракоразводный процесс, и это все, что у него осталось. Не так уж много, но ему хотелось бы, чтобы оно хранилось в надежном месте, подальше от адвокатов и их приближенных. Он ехал в Майами — друг сказал, что, возможно, сумеет найти там для него работу в отеле. Если не получится — можно отправиться в Аризону или в Техас, попытать счастья дальше на западе.

Он постучал в дверь, прислушиваясь к доносившимся изнутри звукам телевизора. После недолгого ожидания дверь открылась.

— Да, сэр?

Это была та самая женщина, которую он помнил. Годы пребывания в заполненном сигаретным дымом трейлере придали ее коже неопределенный цвет. Сухие седые волосы были связаны в неряшливый конский хвост. Она явно понимала, что выглядит крайне непривлекательно, но ее это абсолютно не волновало.

— Здравствуйте, — широко улыбнулся Джим. — Вы ведь Ханна? Не знаю, помните ли вы меня.

— Сомневаюсь. Вы не из парка.

— Верно. Какое-то время назад я арендовал у вас складское помещение. Мне нужно туда попасть.

— Хорошо, — кивнула она. — Какой номер?

— Семнадцать, — ответил Джим, стараясь, чтобы его голос звучал ровно.

Она ушла в заднюю часть трейлера, представлявшую собой убогое подобие конторы. Джим знал, что именно сейчас могут возникнуть трудности. Он ждал рядом с трейлером, не отводя взгляда от дороги. Девочка куда-то исчезла.

Через несколько минут вернулась Ханна.

— Вот уж действительно — какое-то время назад, — сказала она. — Прошло двенадцать лет. А вы заплатили только за пять.

— Я слишком задержался, — ответил он.

Она кивнула:

— Вы ведь тогда направлялись в Австралию?

— На самом деле — в Майами.

— И как там? Ничего хорошего?

— Все нормально. Разве что немного жарко.

— Жарко? Только не говорите мне о жаре. Лето просто отвратительное, и до сих пор еще не было дождей. Вы должны мне денег.

Он протянул ей заранее приготовленные банкноты. Она пересчитала их.

— Я не учел инфляцию.

— Тут нет инфляции, — рассмеялась она. — Мы не можем себе такого позволить.

Джим улыбнулся:

— Я бы хотел продлить аренду еще на год, если не возражаете.

— Не возражаю, тем более что вы уже заплатили. — Она протянула ему маленький ржавый ключ. — Всего доброго. Ключ оставьте на пороге.

Дверь закрылась, и на этом разговор окончился.

Проезжая через парк в дальний его конец, он удивлялся тому, насколько легко все получилось. В ту ночь, двенадцать лет назад, он приехал очень поздно и далеко не в лучшем расположении духа. История, которую он рассказал в качестве прикрытия, была шита белыми нитками, и тем не менее Ханна подвезла его обратно до Бенборо, чтобы он смог успеть на автобус до Майами. Он заплатил за пять лет вперед, а потом исчез на почти вдвое больший срок. Вполне можно было бы подумать, что она... впрочем, не важно. Судя по всему, он просто сделал удачный выбор, справедливо рассудив, что спрос на складские помещения здесь не слишком велик. Или, возможно, она просто давно продала его имущество и теперь сидит у себя в трейлере за запертой дверью, смеясь над его деньгами.

Остановившись возле третьего из больших сараев, он прошел до пятой двери и, отперев ее ключом, вошел внутрь.

Место 17 представляло собой прямоугольное пространство размером десять на двадцать футов. Сразу же стало ясно, что здесь до сих пор находится то, что когда-то оставил Джим.

Стащив брезент, он бросил его на землю, а потом несколько мгновений просто стоял и смотрел. Да, действовать следовало быстрее, но он ничего не мог с собой поделать.

На самом деле то, что находилось на месте номер 17, выглядело весьма прозаически. Старый белый «фольксваген»-фургон, в котором не было ничего такого, что могло бы привлечь чье-то внимание. Спереди имелось большое окно, для лучшего обзора. С боков окон не было, а сзади — еще одно, закрытое толстой черной шторой. Внутри ничего не было видно, но там находились миниатюрная кухня и крошечное спальное отделение сзади, во всю ширину фургона, вполне сносное для человека невысокого и готового спать на боку, слегка подогнув ноги. Собственно, путешественнику ничего больше и не требовалось — по крайней мере, данному конкретному путешественнику.

Вернувшись к своей машине, Джим достал две сумки. Открыв чемоданчик, он сунул руку в коробку из-под обуви и извлек оттуда старый комплект автомобильных ключей. Казалось несколько странным снова держать их в руках вместе с потертым пластиковым брелком, бесплатным подарком с рекламой распродажи восемнадцатилетней давности. С чувством некоей умиротворенности он вспомнил тот день, когда купил фургон. Совсем другая жизнь.

Открыв дверцу со стороны водителя, он бросил ту сумку, что полегче, на пассажирское сиденье, а более тяжелую перенес в заднюю часть машины. Слив из бака остатки бензина, он заправил машину заново, сменил аккумулятор на новый, лежавший во второй сумке, а старый вынес наружу и положил в багажник своего автомобиля.

Пора было проверить, все ли в порядке. Проводка могла отсыреть, а масло наверняка загустело. Все-таки прошло немало времени.

Он сел за руль, чувствуя, как сиденье принимает его в свои объятия, подобно старому другу, вставил ключ и без особых церемоний повернул.

Щелчок — и тишина.

Он снова повернул ключ. Фургон кашлянул, фыркнул, а затем резво ожил. Джим гордо покачал головой, уже не в первый раз восхищаясь надежностью творений инженеров «фольксвагена».

— С возвращением, старая лошадка, — сказал он.

Через десять минут он положил ключи на порог трейлера номер один и подошел к тихо пыхтевшему фургону. Сев за руль, подождал, пока дорогу перейдет пара средних лет. Никто даже не обратил на него внимания. Фургон относительно белого цвета, ничего больше. К тому же Джиму сейчас было за шестьдесят, а в таком возрасте мужчины редко могут многое себе позволить.

Машина, на которой он приехал, стояла на месте 17, закрытая брезентом. Внутри ее лежали вещи, в которых он приехал. Сейчас на нем были черные джинсы и выцветшая джинсовая рубашка, купленная в местном магазине. Подобная одежда не была похожа на ту, которую носил Джим Уэстлейк — она куда больше подходила человеку по имени

Джеймс Кайл, учителю, домовладельцу и ничем не примечательной личности.

Девочка снова играла на улице. Джим нахмурился. Кому-то следовало за ней присматривать. На пороге должен был сидеть кто-то взрослый, возможно с банкой пива в руке, но не выпуская девочку из виду. Обитатели Бенборо-парка наверняка хорошо знали друг друга, но этого далеко не всегда достаточно. С ребенком легко могло случиться нечто дурное. Очень легко. Настолько легко, что мысль об этом вгоняла его в тоску.

Мир должен быть устроен так, чтобы невинные и чистые таковыми и оставались, чтобы каждый мог прожить отведенные ему годы и подойти к своему концу с мыслью: «Что ж, на самом деле все было не так уж и плохо».

Но как часто случалось подобное? Все тратили свое драгоценное время совсем на другое. Вместо того чтобы думать об обустройстве дома и стрижке газонов, о моде на обувь в этом сезоне, о диете или об известности, вместо того чтобы заботиться исключительно об устройстве собственной жизни, людям следовало больше внимания уделять другим. Своим детям, родителям, женам и домашним животным. Людям следовало посвящать время и силы защите своих любимых, поскольку, лишь потеряв что-то или кого-то, начинаешь понимать, насколько важными и неповторимыми они были для тебя. Но люди никогда не думают о подобном наперед в силу собственной глупости или просто потому, что в жизни слишком много соблазнов, не оставляющих на это времени.

В числе прочего это являлось одной из причин, по которой он когда-то сделал то, что сделал. Чтобы показать, о чем на самом деле следует заботиться и чему придавать значение.

По крайней мере, так он тогда пытался себя убедить. Но это не всегда оказывалось истиной. В данном отношении он ничем не отличался от других. Он считал, что внутри каждого из нас сидят двое, лгущие друг другу. Единственная разница заключается в том, насколько велика и смертельна эта ложь.

Через несколько миль двигатель фургона как следует прогрелся, и машина покатилась быстрее, словно радуясь тому, что вновь вернулась на дорогу. Джим возвратился назад тем же путем, пока не выехал на шоссе номер 321, а затем продолжил дорогу на север навстречу сумеркам, под затянутым грозовыми тучами небом.

ГЛАВА 6

Нина стояла посреди Рейнорского леса, искренне желая, чтобы мужчины наконец замолчали, дав ей возможность сосредоточиться. Утро она провела в полицейском участке Торнтона, где ей пришлось разглядывать бесчисленное множество черно-белых фотографий мертвеца, найденного в шести футах отсюда, причем половина из них явно была лишней.

После того как Олбрич оставил их с Монро и уехал назад в Лос-Анджелес, они почти ни о чем не разговаривали, кроме убийства. По мере того как она раз за разом прокручивала в собственных мыслях те немногие факты, на которые можно было опереться, они все больше разбухали, будто оставленный под дождем хлеб, утрачивая какой бы то ни было смысл.

Монро стоял в двадцати футах ниже по течению ручья вместе с группой полицейских, в который уже раз повторяя одно и то же. Она попыталась отключиться, но тут же услышала другой голос, на этот раз намного ближе.

— Видите те кусты? Вот почему никто не заметил его раньше.

К ней обращался Джо Рейдел, коренастый молодой детектив из управления округа Катбридж, один из тех, кто с прошлого утра расследовал дело об убийстве в Торнтоне. Местным полицейским присутствие криминалистов, похоже, нисколько не мешало, ничего они не имели и против представителей ФБР. Именно Рейдел первым предложил обратиться к ним за помощью.

Складывалось впечатление, что в этом городе не слишком любят неожиданно появляющиеся мертвые тела и будут только рады, если кто-то еще поможет избавиться от этой проблемы. Рейдел был единственным, кто еще не изложил Нине свою версию случившегося, — возможно, если она позволит ему это сделать, то все они наконец заткнутся и дадут ей подумать о своем.

— Понятно, — ответила она.

Рейнорский лес тянулся вдоль северной окраины города. Посреди него тек неглубокий ручей, и большая часть земли по берегам превратилась в подобие покрытого лужами болота, над которым кружили тучи комаров. Тело обнаружили в одной из этих луж, в нескольких ярдах от странного бугорка на земле. Из-за кустарника это место не было видно с шедшей вдоль ручья тропинки, и Нина несколько мгновений покорно разглядывала его.

— И тем не менее никто особо не пытался спрятать труп.

— Да. К тому же по этой тропинке часто ходят.

Рейдел показал вверх по склону, где лес становился реже. На вершине возвышенности находилась маленькая площадка.

— Никто не называет ее тропой любви, но на самом деле ее предназначение состоит именно в этом.

— Должна сказать, тут вовсе не так уж и уютно.

— Городок здесь небольшой, так что приходится довольствоваться тем, что есть.

— И никаких следов одежды? Крови?

— Никаких. — Детектив обвел рукой вокруг. — Все завалено листьями, ветками и прочим лесным мусором, но я уверен, что тело никто не трогал до того, как до него добрались наши эксперты. Двое, которые нашли труп, старались держаться от него подальше.

— Судя по состоянию колотых ран на груди и животе, жертва в момент смерти была одета?

— Весьма вероятно. В некоторых ранах обнаружены следы волокон. Хотя две раны в области паха полностью чисты. Так что, возможно...

— ...имело место половое сношение. Верно.

Нина открыла конверт, который держала под мышкой, и достала две фотографии убитого. На первой был общий вид — судя по всему, именно тот, который предстал глазам обнаружившей труп пары. Бледные очертания лежащего в сумерках посреди леса тела выглядели столь нечеткими, что с трудом удавалось определить пол. Тело покоилось на спине, ноги были раскинуты. На животе и груди виднелись раны. Грудь была мужской.

На втором снимке, сделанном с более близкого расстояния, было видно, что голова жертвы отчасти находится под водой и над поверхностью выступают лишь подбородок и нос. Глаза под водой были открыты, так же как и рот. Фотография была достаточно четкой, и безволосые части тела напоминали слишком долго пролежавший на прилавке кусок сырого мяса. Левая рука была откинута в сторону, словно во сне. Правая слегка выступала над поверхностью воды, будто сломанная ветка. Кисть отсутствовала.

— Руку пока не нашли?

Рейдел обреченно покачал головой, с видом человека, который понимает, что уйти отсюда ему придется еще не скоро.

— Чистая работа, — сказала Нина. — Семнадцать колотых ран плюс ампутация. Однако крови на теле нет. Дождя тоже не было — ни прошлой ночью, ни в течение дня, пока его не нашли.

— Что позволяет предположить — возможно, жертву убили где-то в другом месте, раздели и изуродовали, а затем принесли сюда.

— Время смерти — где-то позапрошлой ночью?

— Верно. Примерно тогда же тело бросили здесь — как считает патологоанатом, основываясь на относительной плотности насекомых и микроорганизмов на теле. И ампутация была посмертной — что объясняет отсутствие крови. Куда проще отрезать человеку руку, когда он уже мертв.

— И все равно это не так-то легко, — сказала Нина, снова просматривая записи.

Кисть была отделена двумя или тремя ударами тяжелого острого предмета, а не отпилена.

— А ближайшее место, где можно припарковать машину, та площадка на склоне? Довольно большое расстояние для того, чтобы тащить труп весом в две сотни фунтов. Особенно женщине.

— На спине трупа имеется несколько ссадин и ушибов. Возможно, его волокли по земле.

— И тем не менее мне бы не хотелось тащить его так далеко, а я ведь занимаюсь спортом. Во всяком случае, занималась.

— Здесь все однозначно завязано на секс, а убитый не был гомосексуалистом. Ему сорок шесть лет, он женат, и у него двое детей.

— Женатые мужчины иногда бывают гомосексуалистами. Или вы тут, на юге, такого не встречали?

Рейдел улыбнулся:

— Мэм, я родился в Вашингтоне. Там можно встретить что угодно, если знать, где искать. Но убитый из тех, кто, по слухам, любил лапать женщин за задницы. Он также был завсегдатаем местных баров — пока никто не подтвердил, что он когда-либо уходил оттуда с женщинами, но он немало времени проводил за разговорами с ними. Включая и тех, кто работал за стойкой, одна даже назвала его озабоченным кобелем. С теми, кто работал в вечернюю смену, мы еще поговорим. Естественно, это вовсе не доказывает, что он не был геем, но искать доказательства — ваша работа. И возможно, вам удастся объяснить происхождение следа от губной помады, найденного на шее жертвы.

— Помимо всего прочего, я попытаюсь найти доказательства того, что это дело рук серийного убийцы, а не обычное убийство, каковым оно в данный момент выглядит.

— Что ж, вы специалист в подобных делах. — Рейдел загасил сигарету и аккуратно убрал окурок назад в пачку. — Пожалуй, пока что я вас покину, агент Бейнэм. Дайте знать, если вам что-нибудь потребуется.

Он направился вниз по склону туда, где стояли остальные. Несколько мгновений спустя Нина услышала смех.

Она повернулась и какое-то время разглядывала склон.

К Джулии Гуликс и Марку Крегеру Нина и Монро отправились вдвоем. Молодые люди жили в Торнтоне, но работали вместе в Оуэнсвилле, ближайшем достаточно крупном городе. Прогулка в Рейнорский лес стала для них пятым свиданием, и они еще ни разу не спали вместе. Влюбленные не слишком спешили, возможно не будучи уверенными в том, что их отношения действительно настолько близки. По сути, они вели себя как дети, хотя давно уже вышли из этого возраста: ему было двадцать девять, ей — двадцать пять.

С ними беседовали в комнате для переговоров компании, где они работали. Оба чувствовали себя весьма неуютно, но Нина решила, что в этом нет ничего удивительного. После трех недель тайных встреч в баре, находившемся в ста ярдах по той же улице, их зарождающиеся отношения, вероятно, были уже ни для кого не секрет. Нине показалось, что Гуликс относится к своей частной жизни примерно так же, как и она сама. После двадцати лет это уже далеко не игра и уж тем более не нечто такое, что следует выставлять напоказ.

Вопросы задавал Монро.

— До какого времени вы оставались в баре?

— Примерно до девяти, — ответил Крегер.

Голос его звучал тихо, на висках проступала ранняя седина.

— Чуть позже обычного, потому что... в общем, недавно у нас вошло в привычку ходить в итальянский ресторан, несколькими кварталами дальше.

— А почему вы не пошли туда в прошлый четверг?

Крегер слегка покраснел, бросил взгляд на Гуликс, а затем уставился в пол.

— Ну... — сказала Гуликс.

У нее были ярко-рыжие волосы и бледная веснушчатая кожа.

— Мы ведь об этом уже говорили?

— Я знаю, — кивнул Монро. — И все же, пожалуйста.

Нина изо всех сил попыталась сдержать улыбку и на какое-то время отключилась. Все это уже имелось в их показаниях, которые сумел вытащить из них Рейдел во время вчерашнего допроса. Большая их часть исходила от Крегера.

Вечер четверга должен был стать для них вечером с большой буквы. Крегер это знал и полагал, что Гуликс тоже знает, хотя никто из них не решался сказать об этом вслух. Встретившись после работы, они, как обычно, отправились в бар на Юнион-сквер. Именно здесь прошли первые три их свидания, а следующие два продолжились в итальянском ресторане, отличавшемся весьма приветливым и дружелюбным персоналом. Свидания со второго по четвертое включительно сопровождались все более страстными поцелуями, и к пятому стало ясно, что пора переходить к чему-то более серьезному. Никто из них не был уверен, будут ли они ужинать этим вечером, и никто не хотел об этом спрашивать.

Нина готова была побиться об заклад, что в тот вечер две квартиры в Торнтоне были прибраны необычно тщательно. В квартире Гуликс, возможно, даже была застелена чистым бельем кровать. Крегер, скорее всего, не зашел бы столь далеко (может быть, даже не предполагая подобного варианта), но, по крайней мере, в его квартире тоже было чисто.

У обоих наверняка стояла в холодильнике единственная бутылка хорошего вина — не более того, поскольку оба утверждали, что пьют мало. Покрывала на диванах были расправлены, на полках центральное место занимали самые умные книги. Но все же никто из них не готов был спросить: «Послушай, почему бы нам не пойти ко мне домой?»

В итальянский ресторан тоже никто не предлагал переместиться, поскольку сытый желудок не способствует... в общем, понятно чему.

Они просто сели поближе друг к другу и немного поцеловались, но место казалось им для этого не слишком подходящим, к тому же от Торнтона их отделяли двадцать пять минут езды, за которыми, вероятно, могло последовать продолжение.

Постепенно разговор свернул с общих тем на погоду, мол, сейчас она не такая уж и плохая, и, собственно, почему бы просто не пойти прогуляться? Вполне возможно, осталось не так уж много подходящих вечеров.

Так что они расплатились и какое-то время гуляли по улице, но, честно говоря, в Оуэнсвилле не было ничего такого, на что стоило бы посмотреть. Парочка вскоре вернулась к машине Марка Крегера, а потом назад в Торнтон. Оба думали, что для более близких отношений пока еще немного рановато. И когда они проезжали мимо поворота, всего лишь в полумиле от города, Джулии вдруг пришла в голову идея, и она предложила...

— Почему бы нам не остановиться и не пойти прогуляться?

Монро кивнул.

— Вам уже знакома была та тропинка?

— Нет, — ответила Гуликс. — Вернее, да, лес был мне знаком, да и все вокруг его хорошо знают. Днем там гуляют многие семьи. Но я никогда... не бывала там вечером.

— Я тоже, — сказал Крегер.

«Ну как же, конечно», — подумала Нина.

— Но местные жители пользуются этой тропой постоянно?

Гуликс и Крегер кивнули.

— И вы прошли немного, а потом остановились, и именно тогда мистер Крегер заметил что-то в кустах?

Крегер послушно описал, как они прошли около сотни ярдов от парковки, а потом вдоль ручья. Он посмотрел вперед, обнимая мисс Гуликс, и увидел на земле нечто бледное, с вытянутой рукой. Они подошли ближе, поняли, что именно обнаружили, а потом по мобильному телефону вызвали полицию.

Четыре часа спустя каждый из них вернулся в одиночестве к себе домой. В конечном счете вечер четверга так и не оказался для них тем самым вечером. Нина полагала, что теперь, вероятно, он на некоторое время отложится — все-таки образ мертвого тела не так-то легко стереть из воспоминаний. Крегер до сих пор испытывал тошноту, вспоминая об этом.

— Труп опознали, — сказала Нина. — Это местный житель по имени Ларри Уидмар. Кто-нибудь из вас его знает?

Оба отрицательно покачали головой, и на этом разговор закончился.

На обратном пути в Торнтон Нина, которой неоднократно приходилось ездить вместе с Монро, отметила, что предпочтительная для него скорость снизилась как минимум процентов на десять. Видимо, ранение до сих пор давало о себе знать, и он не хотел рисковать, словно его тело постоянно посылало некие сигналы, требуя осторожности. К тому же он и выглядел несколько старше.

Нина прекрасно его понимала: в нее тоже стреляли, почти год назад, вскоре после знакомства с Уордом. Это случилось в месте под названием Холлс, в горах неподалеку от

Йеллоустоуна. Один из тех, кто имел непосредственное отношение к гибели родителей Уорда, попал ей в грудь, чуть ниже ключицы. Некоторое время после этого она тоже чувствовала себя очень старой, ощущая холодное дыхание смерти.

Теперь же она вообще не вполне понимала, как именно себя чувствует. Казалось странным снова вернуться в мир, заниматься своим делом. В этом было нечто нереальное, иллюзорное. И еще у нее болела голова.

Местные полицейские ходили по барам, пытаясь найти тех, кто видел Уидмара в среду вечером или раньше. Другие обшаривали лес, нагоняя страх на каждую пару, решившую, что этот вечер станет их вечером.

Монро и Нине предстояло последнее на этот день задание — допросить еще одного человека, который мог иметь отношение к случившемуся.

— Что Рейдел говорил обо мне?

— Когда?

— Сами знаете. Когда он снова вернулся к ручью и наконец перестал мешать мне думать.

— О том, что вы, похоже, внесли свой вклад в предположение о том, что убийца вовсе не женщина. Что, с его точки зрения, несколько странно, учитывая, что вы, судя по всему, способны не раздумывая отрезать мужику яйца.

— И вы над этим посмеялись?

— Только не я, Нина.

— Вам не хуже меня известно, насколько глупо выглядит сама мысль, что это могла быть женщина.

— Женщины тоже убивают, Нина.

— Но не так.

— Думаю, всегда найдется несколько таких, кто на это способен.

— Способен — не обязательно виновен.

— На самом деле часто именно так и случается.

Разговор вскоре иссяк, и у Нины появилась возможность бросить взгляд на город, через который они проезжали. Торнтон ей не нравился, хотя она и не могла сказать почему.

Внешне городок выглядел вполне симпатично. Он находился в юго-западной части штата, в получасе езды от берега Смит-лейк и в часе от национального парка «Блю ридж».

Шоссе из Оуэнсвилла вело прямо в небольшой торговый район. Здесь можно было съесть гамбургер, смазать машину, отдать вещи на хранение или отправить их по почте, купить газонокосилку или остановиться в типовом отеле. Можно было проехать прямо насквозь, полностью миновав старую часть города.

Но если свернуть влево на Пондероза-стрит, можно подняться на холм, мимо большой старой церкви и средней школы, к построенным в готическом стиле зданиям, расположенным за деревьями на дальнем краю лужайки.

В небольшом строении на другой стороне улицы находился детский сад. Дальше дорога вела вниз, в аккуратно обсаженный деревьями старый район — несколько улиц с кафе, ресторанами и сувенирными лавками. Все здания были не выше двух этажей, с деревянными фасадами, а усыпанные листьями тротуары вымощены красным кирпичом «елочкой».

То тут, то там ходили люди с местной газетой под мышкой. Симпатичные молодые мамаши с младенцами останавливались, чтобы поболтать друг с другом. Туда-сюда раскатывал фургон курьерской службы, доставляя товары.

Через несколько кварталов магазины заканчивались, и шли обширные участки, на которых стояли деревянные дома с претензией на великолепие.

Чуть дальше снова начиналась сельская местность, треть города, окруженная лесом, тянувшаяся на несколько миль на север.

Торнтон вполне заслуженно мог быть включен в перечень «Самые очаровательные маленькие города Америки».

И все-таки, хотя Нина провела здесь менее суток, он уже успел ей не понравиться.

Возможно, следовало принять во внимание тот факт, что впервые она услышала об этом городе как о месте убийства, и это накладывало на отношение к нему некоторый отпечаток, — в конце концов, каким бы симпатичным ни казался город, именно здесь сошлись в смертельном противостоянии двое.

Что послужило тому причиной? Почему это случилось именно здесь? Нет ничего удивительного в том, что люди убивают друг друга в крупных городах — все знают, что на столь большой территории слишком легко встретиться двоим, никогда близко не знавшим друг друга и не связанным какими-либо моральными ограничениями. Но в маленьком городке, где все друг друга знают, — неужели ничто и никто не могло помешать злодеянию свершиться?

Нина, однако, была достаточно опытна для того, чтобы питать наивные иллюзии в отношении местного сообщества или сельских идиллий, и знала, что хотя большая часть преступлений со смертельным исходом действительно совершается в мегаполисах, небольшие города тоже вносят свою лепту в этот мрачный список.

Нет, все-таки с Торнтоном явно было что-то не так.

Уидмары жили в небольшом доме, выстроенном в стиле эпохи королевы Анны, с кирпичным крыльцом у входа. Гейл Уидмар, женщина лет пятидесяти, выглядела весьма элегантно, и ее дорогая прическа оставалась нетронутой даже после полутора суток траура. Дети были у сестры, жившей в сорока минутах езды отсюда, и Гейл собиралась к ним присоединиться, как только допрос закончится. Дорожная сумка уже стояла в коридоре. В комнатах царила странная тишина, словно дом недоумевал от того, насколько быстро все в нем поменялось.

Миссис Уидмар сидела в кресле с высокой спинкой посреди большой гостиной. Муж Гейл Лоренс — она никогда не называла его Ларри — владел сетью прачечных (второй в городе, как уже выяснила Нина) и был совладельцем преуспевающей пиццерии в исторической части города. Он также состоял в местном школьном совете. Уидмары могли позволить себе и что-нибудь подороже этого дома, но жили в этом районе, поскольку именно здесь оба родились и выросли. Вместе они прожили двадцать лет.

Как и многие, пережившие внезапную кончину близкого человека, миссис Уидмар была насторожена и напряжена. Такие люди всегда нуждаются в поддержке, но не доверяют никому на свете. Им кажется, будто все втайне думают, что если бы они лучше относились к своему супругу, то с ним не случилось бы ничего ужасного.

Пять процентов вины за любое убийство падает на самых близких родственников жертвы, и они подсознательно злятся на погибшего. Особенно за то, что теперь приходится отдуваться в одиночку, к чему они совершенно не привыкли. Трудно свыкнуться с мыслью, что убийства происходят не только в кино, а случаются по-настоящему. И теперь надо как-то жить дальше, даже если ты не имеешь никакого понятия о том, где хранятся документы на дом или кто занимается ремонтом газонокосилки.

Нелегко осознать, что между вымыслом и реальностью очень зыбкая грань. Неминуемо задумываешься: а что еще может случиться? Вдруг пришельцы из космоса тоже существуют? Или привидения?

Монро выяснил у миссис Уидмар, что в среду вечером ее муж пошел поужинать вместе со своим партнером, совладельцем пиццерии, и не вернулся. Поэтому в семь утра следующего дня она сообщила о его исчезновении в полицию.

Нина тем временем разглядывала фотографии на каминной полке. На них Лоренс Уидмар выглядел настолько обыкновенно, что это казалось даже несколько удивительным. Дежурная улыбка, густые волосы с проседью, средних размеров животик. Его вполне можно было представить стоящим в очереди в банке, или вносящим солидную сумму денег в поддержку школы на собрании школьного совета, или в баре, где он, придвинув ближе свой табурет, спрашивал сидящую рядом девушку, чего она хотела бы выпить. Смерть оставляет после себя столько вопросов, что подходящим кажется почти любой ответ.

— Партнер вашего мужа утверждает, что они разошлись около половины одиннадцатого, — вступила в разговор Нина. — У вас есть какие-нибудь мысли насчет того, куда Лоренс мог бы пойти потом?

— Нет, — ответила Гейл. — Хотя порой он по вечерам долго гуляет. По крайней мере, так бывало последние три или четыре года. Он считал, что таким образом поддерживает себя в форме. А в спортзалы он ходить не любил.

— Он обычно гулял в каком-то определенном месте?

— Нет. Просто по окрестностям...

— Не в Рейнорском лесу, к примеру?

Женщина холодно посмотрела на нее.

— В последний раз он был там больше двадцати лет назад. Со мной.

— Местные полицейские убеждены, что вашего мужа убила женщина, миссис Уидмар. Что вы на это скажете?

— То же, что и вы.

— А именно?

— Что все это чушь.

— У него никогда не было ни с кем близких отношений? Простите, что спрашиваю, но...

— Знаю. Это ваша работа. И мой ответ — как я уже отвечала каждому, кто спрашивал об этом прямо или косвенно за последние два дня, — нет.

— И у вас нет мыслей насчет того, кто мог бы захотеть с ним расправиться?

Миссис Уидмар решительно покачала головой, и на мгновение показалось, что сейчас она потеряет самообладание. Она энергично высморкалась и несколько раз моргнула, глядя в пол.

— Я любила мужа, — сказала она. — И до сих пор люблю. Он был порядочным человеком и хорошим отцом. Звучит банально, но это правда. Детям очень будет его не хватать. Но... он был просто мужчиной. Просто нормальным мужчиной. — Наконец она подняла взгляд. — Я правда не понимаю. Кому могло понадобиться его убивать?

— Именно это мы и хотим выяснить.

— А какое отношение к этому имеет ФБР?

В разговор вмешался Монро:

— Наше внимание привлекли некоторые детали этого убийства.

Миссис Уидмар сдержанно улыбнулась:

— Что ж, напрягите ваше внимание. И найдите того, кто это сделал.

— Естественно, мы сделаем все, что в наших силах, — ответил он.

Но она обращалась не к нему.

Нина и Монро шли по улице. Солнце клонилось к горизонту, отбрасывая косые золотистые лучи.

— Что вы обо всем этом думаете?

— Мы знаем, что она не могла этого сделать, — ответила Нина. — Да и вообще, на мой взгляд, она не имеет никакого отношения к убийству. У его партнера не было никаких поводов от него избавиться?

Монро покачал головой:

— Они были старыми друзьями, и он не мог таким образом ничего приобрести, зато многое бы потерял. Похоже, он потрясен еще больше, чем жена.

— Она потрясена до глубины души, — сказала Нина. — Можете мне поверить.

Они подошли к машине. Нина ждала, пока Монро откроет дверцу, но его внимание отвлек дом на другой стороне улицы, который был меньше, чем дом Уидмаров, и явно в большей степени нуждался в ремонте. Судя по всему, он предназначался на продажу, хотя продавец, похоже, не слишком был заинтересован в результате. Наконец Монро снова повернулся к Нине:

— Уидмар вел кое-какие делишки на стороне. С одной из девушек, работавших в его заведении, и с официанткой из ресторана. Случайные связи, так сказать.

— Знаю, Рейдел мне говорил. И очевидно, некоторые из прогулок Уидмара заканчивались в барах. Но то, что его жена об этом не знала, вовсе не доказывает, что он вел некую двойную жизнь или был полным дерьмом. Мужчины определенного возраста часто заговаривают с девочками из бара. Домогательства остаются домогательствами, но человек может давать волю рукам, вовсе не будучи одним из приспешников Гитлера. Не у каждого есть моральные принципы, подобные вашим, Чарльз, и не каждый настолько умеет себя контролировать.

— Я не говорю, что Уидмар был плохим человеком. И я терпеть не могу сарказм.

— Сарказм? Ваши моральные принципы вошли в легенду.

— Нина, зачем вы бьете меня в больное место?

— Наверное, просто для развлечения.

— Не верю. У вас есть причины для всего, что бы вы ни делали. И теперь пришло время мне об этом рассказать, поскольку больше я спрашивать не стану.

— Ладно. — Она наклонила голову. — Уорд сказал мне, что все то, что мы вам сообщили, не было приобщено к делу Джессики Джонс и Кэтлин Уоллес. И что Пола снова считают лишь психопатом-одиночкой.

— Господи, Олбрич... Он хороший полицейский, но, черт побери, слишком много болтает.

— Возможно, он считал, что чем-то обязан Уорду. Надо полагать, о его братце до сих пор ни слуху ни духу? Несмотря на всю вашу вчерашнюю уверенность?

Монро покачал головой.

— Так да или нет, Чарльз?

— Нет никаких доказательств, что к убийствам Джонс и Уоллес причастен кто-то еще, и именно это вполне устраивает суд. А все разглагольствования Хопкинса насчет якобы существующего заговора серийных убийц лишь мутят воду, и ничего больше.

— Вы знаете, как они себя называют, Чарльз? «Соломенные люди».

— Я слышал то, что вы мне говорили, но не знаю, насколько это правда. И я вовсе не намерен заниматься выяснением этого вопроса.

— Если о них будет упомянуто на суде, то может стать известным, что вам заранее сообщили, где находится тело Джессики Джонс. Разве отсюда не следует причастность к ее убийству кого-то еще? Но вы ведь не хотите, чтобы этот факт всплыл на поверхность?

Нина наконец заметила человека, стоявшего в саду у дома напротив, который с интересом наблюдал за ними, поливая лужайку из шланга. Она поняла, что почти кричит, и понизила слегка дрожащий голос:

— Давайте вернемся в отель, Чарльз. Хочется оказаться в каком-нибудь ничем не примечательном месте. Я уже сыта этим городом по горло.

ГЛАВА 7

Машина затормозила перед отелем «Холидей-Инн» около семи часов утра. Я стоял посреди автостоянки — отчасти потому, что здесь можно было курить, не опасаясь гневных взглядов, отчасти потому, что не испытывал никакого желания встречаться с Монро. Они с Ниной вышли из машины, и к ним присоединился кто-то еще, ждавший снаружи.

Я посмотрел вслед троим, скрывшимся в вестибюле гостиницы. Третий был примерно моего роста, но чуть более крепкого телосложения. Мне вдруг показалось, будто я очутился вне собственного тела, или собственной жизни, и пытаюсь заглянуть внутрь. Ощущение было не из приятных. И оно все усиливалось, пока я ждал, наблюдая за тремя силуэтами в номере 107 на первом этаже. Когда я был моложе, то думал, что слоняться по автостоянке с пистолетом в кармане — это очень круто.

Сорок минут спустя третий вышел из гостиницы и уехал. В номере Нины остался виден лишь один ее силуэт, неподвижно застывший за занавеской.

Я вошел в отель, обогнул дальний конец стойки портье и направился по коридору. Постучав в дверь, я прождал целую минуту, прежде чем мне открыли.

Нина сняла туфли и из-за этого выглядела фута на два ниже обычного. Вид у нее был усталый и настороженный.

— Как ты узнал, в каком я отеле?

— Позвонил в полицию, сказал, что я мелкая сошка из ФБР и у меня для тебя важная посылка.

— Господи. А номер?

— Спросил у портье, — ответил я. — С безопасностью в городе дела обстоят не лучшим образом. Должен тебя предупредить, что если «Аль-Каида» решит уничтожить Сберегательный банк Торнтона, у них это вполне может получиться.

Она даже не улыбнулась.

— Мне что, не стоило приезжать? — спросил я. — Просто я думал, что кое-кто оставил мне записку.

— Извини, — ответила она и отошла в сторону.

Я прошел мимо нее в комнату.

В гостиничных номерах, принадлежащих другим, возникает странное чувство. Если ты не сам обживал это временное пристанище, оно кажется еще более безликим и казенным. В чужом номере ощущаешь себя одиноко и бесприютно. По крайней мере, сейчас я себя чувствовал именно так.

— Нина, с тобой все в порядке?

— Все отлично, — ответила она, хотя ее тон говорил об обратном. — Сегодня первый день за долгое время, который я провела во внешнем мире. Я просто не понимала, насколько привыкла к тому, как жили мы с тобой.

На столе стоял кофейник. Я налил себе чашку и уселся на предмет, который, с точки зрения неизвестного дизайнера, должен был, судя по всему, исполнять роль стула.

— И это все?

Она села на кровать, скрестив ноги.

— Возможно.

Кофе оказался не самый лучший, но я пил его как ни в чем не бывало. Нина не отрываясь смотрела в зеркало над столом.

— Расскажи, — попросил я. — Расскажи, зачем ты здесь.

— Это моя работа.

— Нет, — сказал я. — Да, это так, но ты здесь не поэтому. Монро знал, что ты поедешь с ним. Почему?

Она улыбнулась, глядя на руки:

— Я все время забываю, что ты совсем неглуп.

— Я тоже. В этом отношении очень легко ошибиться.

Она посмотрела на меня, закатила глаза и на мгновение стала прежней. Затем ее лицо снова потемнело. Нина медленно откинулась назад, легла на кровать и уставилась в потолок.

Я еще несколько минут продолжал прихлебывать кофе, пока она наконец не заговорила.

— Когда я была еще девочкой, — сказала она, — мне встретилась одна женщина.

Нина выросла в Джейнсвилле, штат Висконсин. Она была единственным ребенком в семье, и родители вполне ладили как друг с другом, так и с ней.

Как ни странно, умная и занимавшаяся спортом девочка практически не имела друзей. После школы она не ехала домой на автобусе вместе с другими детьми, а шла пешком туда, где работал ее отец, и ждала его на скамейке у входа. Потом он вез ее домой, рассказывая, как провел день, или, что бывало не слишком часто, но оттого лишь лучше запоминалось, мрачно молчал.

Когда ей исполнилось тринадцать, она наконец стала несколько более общительной, но в течение ряда лет каждый день заканчивался для нее именно таким образом. Дорога пешком из школы, а затем пара часов на скамейке, когда она либо делала домашнее задание, либо просто смотрела по сторонам. Ей это нравилось, и она соглашалась на предложение посидеть в вестибюле, лишь если погода была по-настоящему холодной или сырой (а в Джейнсвилле хватало и сырости, и холодов).

Район отнюдь не считался самым спокойным, но скамейка была видна из окна отцовского кабинета, к тому же за девочкой присматривал охранник у входа. Возможно, сейчас подобного никто бы не позволил, но тогда это вполне устраивало всех.

Через дорогу среди кирпичных параллелепипедов сохранилось единственное здание Викторианской эпохи. На первом этаже располагался бар, который посещала самая разношерстная публика.

Нине очень интересно было разглядывать его посетителей. Бизнесмены в строгих костюмах приходили словно на деловую встречу, но сидели в одиночестве у окна и быстро уходили. Старики в теплых пальто, с седой щетиной на подбородке двигались медленно и задумчиво и оставались там очень надолго. Кроме того, бар посещало множество тех, кого нельзя было отнести ни к старикам, ни к бизнесменам, и трудно было понять, чем эти люди занимаются в остальное время. Возможно, спят или зарабатывают себе на очередную кружку пива.

И конечно, там бывали и женщины. Вскоре Нина начала узнавать одну из них.

Незнакомка привлекла внимание одиннадцатилетней девочки тем, что выглядела моложе и привлекательнее остальных посетительниц бара, большинство из которых, честно говоря, казались просто уродинами. У этой же были густые каштановые волосы, и одевалась она в обтягивающие джинсы и свитер без рукавов.

Во второй или третий раз женщина заметила Нину и подмигнула ей. Мужчины тоже иногда бросали взгляды на сидящую на скамейке девочку, и тогда Нина краснела от смущения. Ей это не нравилось. Но когда ей подмигнула женщина — она просто почувствовала себя чуть более взрослой.

Они ни разу не разговаривали. Женщина никогда не переходила через дорогу и даже не махала ей рукой. Однако их взгляды пересекались раз двадцать или тридцать за последующие два года.

За это время она сильно постарела. Каждый раз, видя ее, Нина замечала необратимые перемены. Женщина прибавила в весе фунтов тридцать. Волосы стали светлыми, потом рыжими, потом опять светлыми, а потом снова обрели некое подобие каштанового цвета, но выглядели намного хуже, чем прежде.

Единственным, что не менялось, была ее походка — она подходила к бару так, словно оказывалась здесь впервые, но слышала много хорошего об этом заведении и была уверена, что неплохо проведет время. Походка оставалась той же, даже когда стало заметно, что женщина слегка пошатывается, еще только входя в бар.

К тому времени у Нины уже больше не было особого желания ее видеть. Ей казалось, будто она наблюдает за чужой жизнью, снятой на пленку в ускоренном режиме, словно один шаг этой женщины соответствовал тысяче обычных. Однако незнакомка все равно то и дело подмигивала ей, словно говоря: «Привет, я тебя вижу, и ты меня видишь, вот и прекрасно».

Тем временем в городе начали находить трупы.

Три тела за два года. Потом четвертое и пятое. Мертвых мужчин находили в припаркованных машинах с огнестрельными ранами. Мужчин, которые проводили вечер в поисках дешевых и легких развлечений, а на следующее утро расставались с собственным бумажником и жизнью.

За три недели до того, как Нине исполнилось тринадцать, по подозрению в убийствах была арестована женщина. Когда Нина увидела сюжет в новостях, сидя вместе с родителями в четверг вечером, у нее отвалилась челюсть.

Это была та самая женщина.

Женщина, которая ей подмигивала.

Эта история получила немалую известность, став прелюдией к истории Эйлин Уорнос, несколько лет спустя прославившейся как убийца мужчин во Флориде. Убийцу из Джейнсвилла назвали Черной Вдовой, хотя она не была ни черной, ни вдовой, ни пауком. Как выяснилось, в детстве она подвергалась унижениям со стороны как минимум двоих членов семьи. В последние годы мужчины передавали ее друг другу на вечеринках, пока она не теряла сознание, а потом продолжали заниматься этим дальше. Вряд ли стоило сомневаться, на что она была готова всего лишь за выпивку или даже за обещание таковой. Однако ничто из вышеупомянутого не послужило смягчающим обстоятельством, а только подтверждало ее вину.

Женщина заявила, что она невиновна, и Нина ей поверила. Нина не раз видела, как она идет по улице летним вечером своей обычной пружинистой походкой. Человек, который так ходил, не мог совершить подобного. Кто-то где-то говорил неправду.

Потом стало казаться, что виновна все же она, — по крайней мере, ее адвокат готов был это признать. Да, его клиентка носила оружие. Но всегда исключительно с целью самообороны. А в ситуациях, в которых она оказывалась, потерпевшие просто не оставляли ей иного выхода.

В это Нина тоже не поверила. К тому времени она жадно следила за всем, что имело отношение к данному делу. Она изучала газеты и журналы в поисках дополнительной информации, не отрываясь смотрела новости по телевидению. Едва услышав любой разговор на эту тему, в школе или на улице, она замедляла шаг, ловя каждое слово и словно губка поглощая все доступные сведения.

Месяц спустя произошел очередной эпизод, после которого дело начало походить на мыльную оперу. Женщина отказалась от своих показаний. Она снова утверждала, что полностью невиновна и никогда не видела никого из этих мужчин. Ее адвокат тоже пытался ее изнасиловать, заявила она. И судья. И вообще все пытались ее оттрахать, в прямом и переносном смысле. Каждый мужчина и каждая женщина тоже.

«Только не я, — думала Нина. — Только не я».

— Но потом...

Нина замолчала.

Я тоже молчал, как и в течение всего ее рассказа. Когда она продолжила, голос ее звучал хрипло:

— Потом я увидела пятисекундный видеофрагмент, как она выходит из здания суда и ей помогают сесть в машину.

Шел дождь, и мокрые волосы прилипли к ее лицу. Она снова потеряла в весе, но казалось, будто она потеряла разум. Она посмотрела над крышей патрульной машины прямо в камеру, и ее взгляд не оставлял сомнений.

— Сомнений в чем?

— Что это сделала она. Я уже тогда поняла, что все-таки это она их убила. Достаточно было взглянуть ей в глаза, чтобы стало ясно: это она была с ними и она их застрелила. Но вместе с тем я понимала, что она невиновна. Я знала, что, с одной стороны, она сделала это, а с другой — нет. И я пыталась понять, как так может быть. И как могло случиться так, что она больше не подмигивает.

Я на мгновение задумался.

— И что с ней стало?

— Ей дали пять лет, и восемь месяцев спустя она покончила с собой. Взяла ложку, отломила конец и воткнула себе в горло, после того как выключили свет. Говорили, что ей потребовалось часа три, чтобы умереть.

Минут пять Нина молчала. Потом я понял, что ритм ее дыхания изменился. Она заснула.

Какое-то время я смотрел на нее, затем открыл свой ноутбук и воткнул кабель в телефонную розетку. Днем у меня не было никакой возможности проверить почту, чтобы узнать, не ответил ли мне что-нибудь мой таинственный корреспондент.

Почта загружалась медленно. Пока я ждал, в голове бродили мысли об отце. Сообщения из ниоткуда напомнили мне о единственной фразе в его последней записке, оставленной внутри кресла в доме родителей в Монтане.

Когда человек умирает, после него всегда остается нечто, доказывающее, что он когда-то был жив. Банки с консервами, которые не нравятся больше никому. Неотправленная поздравительная открытка в пыльном, пожелтевшем целлофане, с выцветшей наклейкой, на которой еще видна удивительно низкая по нынешним временам цена.

Мои родители оставили немало подобного после себя, и в числе прочего я обнаружил, что меня и моего брата Пола неофициально усыновили во младенчестве, после стычки с моим настоящим отцом. Два года спустя мои родители бросили Пола на улице в Сан-Франциско, решив, что нас двоих будет лучше разлучить, и не зная, каким еще образом это можно сделать.

Организация, к которой принадлежал мой настоящий родитель, продолжала действовать тридцать лет спустя. Человек, которого я называл своим отцом, был риелтором. Он сумел выяснить, что роскошный жилой комплекс в горах около Йеллоустоуна принадлежит этим людям.

Они убили и его, и мать.

Группировка была небольшая и умело скрывалась, но при этом обладала деньгами и властью. Сейчас я знал, что они называют себя «соломенные люди». Детектив по имени Джон Зандт рассказал мне, что, по его мнению, «соломенные люди» существовали в Америке еще три с лишним тысячи лет назад, обогатившись на добыче меди в регионе Великих озер. Он утверждал, что там поселилось некое сообщество мужчин и женщин из различных частей мира, объединившееся в ненависти к набирающей силу мировой цивилизации. Более того, он считал, что они имеют непосредственное отношение к исчезновению первых поселенцев на Роаноке и древним индейским легендам о жестоких племенах бородачей, пытавшихся защитить землю, которую они считали своей.

Впрочем, я не был уверен в том, насколько Зандт тогда пребывал в здравом уме. Во мне он тоже начал сомневаться — из-за того, что я дважды не смог застрелить человека, убившего его дочь. Этим человеком был мой брат Пол.

Хотя, полагаю, собственная жизнь всегда кажется куда более сложной, чем чужая.

Наконец компьютер пискнул. Пришло сообщение. Я открыл его и прочитал:

Уорд.
Это Карл Унгер. Бобби умер? Что за ЧЕРТ?
Я наткнулся на нечто странное, и оно, похоже, связано с делом, по которому Бобби звонил мне год назад. Ваше имя он тогда тоже упоминал. Это важно.
Позвоните немедленно. 07589576543.
К.

Я дважды перечитал сообщение и задумался. Имени адресата я не помнил, но это ни о чем не говорило.

Прошло несколько лет с тех пор, как я работал на ЦРУ, и вряд ли они рассылали всем новости о том, кто на ком женился и на каком месте сейчас местная софтбольная команда. К тому же у меня плохая память на имена. Для меня имя всегда кажется не имеющим прямого отношения к человеку, словно любимый пиджак, который он чаще всего надевает. Судя по письму, я должен был его знать. Однако, возможно, я знал его лишь весьма отдаленно: из текста следовало, что с Бобби он был знаком намного лучше. Особенно в этом убеждала третья фраза. Бобби Найгарда не так-то легко было убить, и мне самому было трудно поверить, что его нет в живых.

Я проверил адресную книгу Бобби, но там не обнаружилось никого по фамилии Унгер. Что опять-таки ничего не доказывало — моей фамилии там не было тоже.

Бобби был профессионалом, специализировавшимся на мониторинге компьютеров и Интернета. Кто знает, какие у него имелись способы для того, чтобы скрыть свою личную жизнь от других? Я не смог найти никаких писем от Унгера, за исключением последних, — ни по его адресу, ни по тому же имени с другого адреса. Например, с выглядящего намного официальнее домена .gov. И опять-таки это ничего не значило. Бобби, судя по всему, регулярно архивировал и очищал свой почтовый ящик. Самые ранние письма были датированы за месяц до того, как наши жизни снова пересеклись; меньше чем через неделю его уже не было в живых.

Я знал, что в те последние несколько дней Бобби звонил некоторым людям, пытаясь проверить следы, на которые мы с ним наткнулись. Быть может, Унгеру тоже. Стоило ли рисковать? И ради чего?

Если еще раз перечитать письмо с точки зрения оптимиста, вполне можно было поверить, что у этого Унгера есть какая-то полезная информация. Но «оптимист» — вовсе не то слово, которое напечатано на моей визитной карточке.

— Скажи, Бобби, — спросил я, — такой человек на самом деле есть?

Ответа не последовало. Я уже раньше пытался задавать ему вопросы, и он ни разу мне не ответил. Вот ведь упрямец. А когда был жив — у него всегда в запасе имелись советы на все случаи жизни.

Я снова открыл письмо и переписал номер к себе в мобильник. Унгеру я звонить не собирался — по крайней мере пока. Сперва следовало спросить Нину, что она по этому поводу думает. Если наши жизни оказались крепко связаны, а я на это надеялся, слово оставалось за ней.

Я проснулся от громкого стука. Кто-то со всей силы колотил в дверь. На какое-то страшное мгновение мне показалось, что это Пол, который каким-то образом выследил нас в Виргинии. Но он не стал бы стучать, тем более столь энергично.

Я с трудом оторвал тело от спинки кресла. В комнате было темно, если не считать проникавшего сквозь занавески света с автостоянки. Я посмотрел на кровать, но Нины там не было. На часах — начало двенадцатого. Мне казалось, будто сейчас намного позже. Например, послезавтра.

Поднявшись на ноги, я увидел, что дверь в ванную закрыта и из-под нее сочится свет. Я подошел и встал за дверью.

— Нина?

— Одну минуту. Кто там стучит?

— Весьма настойчивый официант.

— Ты что, заказывал ужин?

— Нет, просто пошутил. Не обращай внимания.

В дверь снова заколотили. Пошатываясь, я подошел и заглянул в глазок, слишком поздно вспомнив все виденные мной фильмы, в которых в подобной ситуации кто-то получает пулю в глаз. К счастью, я узнал лицо по ту сторону, хотя и искаженное линзой.

— Это Монро, — сказал я, пытаясь окончательно прийти в себя. — И непохоже, что он собирается уходить.

— Господи. Впусти его.

Я распахнул дверь, в которую тот только что собирался ударить еще раз.

— Мы не глухие, — сказал я.

Он направился мимо меня прямо в комнату.

— Что вы здесь делаете? — пробормотал он, хотя и без особого удивления.

— Я свободно прохожу сквозь стены самых роскошных номеров, — сообщил я. — Посмотрите у себя под кроватью, в вашем номере есть еще один я.

— Черт побери, вот только закончим расследование, и я вас непременно арестую.

— Принято к сведению.

Нина вышла из ванной. Я думал, что она принимает душ или вроде того, но она была полностью одета и выглядела намного собраннее, чем мне казалось. У нее всегда так получается.

— В чем дело? — спросила она. — Что-то выяснили в баре?

Монро схватил с кровати пальто Нины и подал ей.

— Кое-что посерьезнее. Обнаружился еще один труп.

ГЛАВА 8

Часы показывали лишь начало девятого, но вечеринка была в самом разгаре. Все было просто здорово, к концу подходила первая, в каком-то смысле самая лучшая часть мероприятия. Взрослые оставались дома, впрочем Люксы всегда считались весьма приятными хозяевами. Обычно они выходили из задней двери, минут пятнадцать душевно общались со всеми, а потом уходили к себе, задернув занавески. Пока никто не устраивал пожара, они никому не мешали.

Тем временем бассейн был полон орущих парней и смеющихся девчонок, и народ танцевал под музыку какого-то типа, который смешивал мелодии на своем плеере и воспроизводил их через стоявшую возле пивного крана акустическую систему. Такое попурри многим могло бы досадить, но Брэду нравилось подобное сочетание индейских мелодий и кантри, и он мысленно желал парню всего наилучшего.

Брэд сидел в шезлонге под большим старым деревом в центре лужайки, и ему было хорошо во всех отношениях. Поначалу, правда, девчонка, с которой он спал несколько ночей назад, увидев Брэда и Карен вместе, как-то странно на них посмотрела. Но похоже, она успела нанюхаться порошка, и ей уже было чересчур весело для того, чтобы ее волновали такие проблемы.

Карен стояла возле бассейна, беседуя с подругами, которых Брэд не знал. С матерью она уже поговорила, и было решено, что за поправку ее носа родители заплатят, но сами выберут подходящего хирурга. Большинство подруг миссис Люкс в той или иной степени подвергались пластическим операциям, и она весьма неплохо разбиралась в этом вопросе, хотя, как ни странно, сама никогда не ложилась под скальпель.

Когда Карен рассказала об этом Брэду, он в первый момент ощутил легкое сожаление, как будто у него что-то отобрали. Однако две секунды спустя понял, что ему пришлось бы взять на себя ответственность и немалые расходы, а без того и без другого он вполне может обойтись.

Учитывая, что Ли вернул большую часть денег своей команде, финансовое положение Брэда намного улучшилось. Само собой, сейчас он снова находился почти на нуле, но зато на нем были новые шорты «Спатула», рубашка «Пингвин» и трусы «Кельвин Кляйн», а дома его полка пополнилась новыми компакт-дисками и видеоиграми. Он даже купил себе компьютер «Аймак», чтобы... впрочем, не важно, все равно пригодится, да и магазин был совсем рядом.

Карен повернулась, чтобы помахать Брэду рукой, и в лучах вечернего солнца блеснуло подаренное им ожерелье. Он надеялся, что чуть позже увидит, как покачивается маленькая подвеска с буквой «К».

Брэд пил пиво, слушая музыку и радуясь, что может побыть один. У него имелась куча всевозможных друзей, но иногда такие мгновения казались ему самыми лучшими.

Порой бывает, что тебе просто никто больше не нужен.

Спустя час или два он сидел по другую сторону бассейна в окружении небольшой толпы и с Карен на коленях. К вечеринке она сделала себе стрижку, и ее волосы блестели в электрическом свете. Они просто болтали на общие темы и слушали какого-то чувака, который рассказывал, что дядя собирается дать ему денег для создания интернет-проекта по воспитанию молодежи. Брэд думал, что это, в общем-то, не такая уж и плохая идея и о чем-то таком можно было бы поразмышлять и самому. Он честно пытался думать несколько минут, лаская шею Карен, но в голову так ничего и не приходило. Может быть, потом.

Теперь он уже не так налегал на пиво, поскольку принял одну из новых таблеток, у которых не было названия: такие красные пилюли с буквой «А» — может быть, они и назывались просто «А». От них основательно ударяло в голову, но взгляд оставался ясным. По крайней мере, края предметов виделись четко, если только не слишком быстро двигать головой. И еще казалось, будто по всему проскакивают искры. Висевшие на деревьях китайские фонарики напоминали сказочные волшебные огни. Сегодня многие пребывали под воздействием А-таблеток, оказавшихся весьма популярными. Хорошая новость для Ли, и хорошая новость для Брэда. Хорошая новость для всех.

Еще через несколько минут Брэду надоело слушать чувака с его интернет-проектами. Парень с музыкой то ли отрубился, то ли нашел себе подружку, но где-то играла негромкая плавная мелодия. Брэду она казалась знакомой, хотя он не был точно уверен. Люксы-старшие уже приходили и снова ушли, и вечеринка достигла той стадии, когда казалось, будто она будет длиться вечно. Самая лучшая ее часть, намного лучше, чем в начале или в середине. Брэд подумал, что, возможно, стоило бы встать и поискать какую-нибудь еду, когда вдруг увидел на другой стороне бассейна того, кого увидеть вовсе не ожидал.

Это был Ли. Брэд даже не знал, что он здесь. Ли редко бывал на вечеринках. Он всегда был очень серьезным парнем, и даже сейчас он говорил по телефону. Вокруг все смеялись и веселились от души, но Ли был мрачен и хмур, словно обсуждал биржевую сделку. Покупай дешево! Продавай дорого! В самом деле, странный тип.

Пока Брэд смотрел на него, Ли закончил разговор и несколько мгновений стоял, уставившись куда-то вдаль. Потом медленно повернул голову, словно кого-то искал. Из-за таблеток его движение показалось Брэду движением робота. Ли увидел Брэда и кивнул.

Брэд улыбнулся и кивнул в ответ. Ли был его друг.

Ли покачал головой, давая понять, что предыдущий жест не был простым приветствием, и недвусмысленно поднял палец.

Он искал именно Брэда.

— Сейчас вернусь, малышка. — Брэд поцеловал Карен в шею. — Надо поговорить с Ли.

Она спрыгнула с его колен, и он направился через толпу туда, где стоял Ли. Нога, на которой сидела Карен, затекла, и Брэд слегка хромал, обходя бассейн.

— Привет, — сказал он. — Неплохая тусовка, а?

— Ты здорово набрался?

Брэд моргнул. Разговор явно предстоял серьезный.

— Все в порядке, — ответил он. — Пара кружек пива.

— Хорошо, — кивнул Ли. — Мне нужно, чтобы ты поехал со мной.

— Ладно. Хочешь купить гамбургеров?

— Нет. Пит и Стив здесь?

— Стив — нет. Он... я не знаю, где он. Но Соня где-то тут. Кажется, я его видел.

— Я пройдусь вдоль бассейна, а ты загляни в дом. Посмотрим, удастся ли его найти. Встретимся в моей машине. И пойди умойся.

— Что случилось?

— Нам нужно кое-что сделать.

— Угу, понимаю, но что именно?

— Брэд, давай иди.

Ли направился сквозь толпу танцующих. Брэд тряхнул головой, чтобы слегка прочистить мозги, и обнаружил, что чувствует себя вполне сносно. Он двинулся вдоль края бассейна, поглядывая по сторонам в поисках Пита и Стива, хотя был почти уверен, что Стива вообще нет на вечеринке. Пару раз он бросил взгляд в ту сторону, где оставил Карен, надеясь дать ей знак, но так и не увидел ее.

В доме было практически пусто и даже тише, чем станет через несколько часов, когда народ успокоится и будет склонен принять горизонтальное положение. Не обнаружив никаких следов ни Пита, ни Стива, он нашел дорогу к входной двери, ошибившись лишь однажды. Умыться он забыл, но чувствовал себя прекрасно.

На дорожке было полно автомобилей, включая новенький, цвета электрик «БМВ» Карен, и бродили небольшие компании молодежи. Найдя машину Ли, Брэд остановился рядом. Подождав несколько минут, он достал сигарету, но обнаружил, что забыл зажигалку возле бассейна. Черт, вот незадача.

— Не это ли ищешь?

Повернувшись, он увидел неожиданно оказавшуюся рядом Карен, протягивавшую ему зажигалку.

Он улыбнулся:

— Мой ангел милосердия. Или огня. Но в любом случае — ангел.

— Ты очень здорово говоришь. Так что случилось? Готовишься к карьере служащего парковки?

— Просто жду Ли.

Как по команде, послышался звук шагов по гравию, и, повернувшись, он увидел приближающегося к ним Худека.

— Идет, — сказал он Брэду. — Привет, Карен. Отличная вечеринка.

— Спасибо. — Карен потянулась. — Делаем все, что можем. Так куда это вы намылились, мальчики?

— Просто прокатимся немного, — сказал Ли. — Купим чего-нибудь перекусить.

— Тут и без того еды хватает. В одном только соусе гуакамоле младенца утопить можно.

— Знаю, уже попробовал. Но у меня специфические вкусы. Кстати, тебе кто-то машет.

Обернувшись, Карен увидела работающий на холостом ходу «порше» у входной двери. Рядом стояли двое, всем своим видом показывая, что они не хотят уходить, не попрощавшись, но им действительно пора уезжать. Карен прищурилась, пытаясь понять, кто это.

— Верно, это Сара и Рэнди. Им нужно уехать пораньше. Что ж, как говорится, долг зовет. Езжай осторожнее, — сказала она.

— Как всегда, — ответил Ли. — Ты же сама знаешь.

Карен слегка смущенно улыбнулась, наклонилась и поцеловала Брэда в щеку.

— Увидимся, — сказала она и побежала к дому, разводя на ходу руки, чтобы обнять гостей на прощание.

Они подождали еще пару минут, пока не появился Соня Пит. Вид у него был довольно нетрезвый, хотя и в меньшей степени, чем можно было бы ожидать. В руках он держал большой пакет чипсов, которые старательно жевал.

— Чего стряслось, парни?

— Надо немного поработать. Поедешь с нами?

— Без вопросов, чувак. Работа для меня — закон. Сам знаешь.

— Мой человек. — Худек нажал на кнопку на брелке, и машина тихо пискнула, отпирая дверцы. — Брэд, садись вперед ко мне.

Включив на полную громкость радио, Ли выехал за ворота, а затем по извилистой дороге через ранчо, мимо других ворот, к главному въезду в жилой комплекс Фэйркрофт. Охранники помахали им вслед, даже не удостоив взглядом. Суть охраняемых комплексов заключается в том, чтобы останавливать тех, кто в них въезжает, а не тех, кто выезжает, тем более что никто в машине Ли даже отдаленно не напоминал негра.

Уверенно проехав по главной улице Санта-Барбары, Ли через десять минут свернул на шоссе 192, направляясь на север. Брэд смотрел на проносящиеся мимо огни фар, фонари и дорожные знаки. По радио слышалась песня, которая была ему знакома, но он не помнил названия. Куда больше его сейчас интересовало, что мог означать обмен фразами: «Езжай осторожнее» — «Ты сама знаешь» — между Карен и Ли. Если он вообще что-то означал. И еще — зачем они едут куда-то на север?

— Эй, сделай погромче, — попросил Пит. — Это круто!

Худек прибавил громкость на задних динамиках, но уменьшил на передних.

— Ли, что случилось? — наконец спросил Брэд. — Куда мы едем?

— Эрнандес звонил, — тихо ответил Ли. — Есть срочная работа, а его люди сейчас заняты. Ему нужна пара ребят в помощь.

— И это должны быть мы? Ты что, шутишь? Ли, да ведь в последний раз, когда я видел этого недоноска, он мне дал пистолетом по башке!

Ли кивнул, глядя в зеркало заднего вида.

— Я понимаю, о чем ты. Но это хороший знак, Брэд. Это очень важно.

— С каких это пор мы нанялись ему в услужение? Типа, вскочили и побежали, мол, сделай то, сделай это?

— Мы не можем подвести в первый же раз, когда нас попросили об услуге. Так что мы сделаем что нужно, потом поедем купим приличных гамбургеров, вернемся на вечеринку и оторвемся по полной. Согласен?

Пит что-то рассеянно напевал в такт музыке на заднем сиденье. Брэд покачал головой, но это вовсе не означало отрицания. Он достал сигарету и закурил.

— Эй, чувак...

— Ли, пошел ты к черту. Люк открыт, и мы едем. Я чертовски хочу курить и буду курить.

Худек улыбнулся:

— Да все отлично, приятель, сходи с ума как хочешь. Мне просто нужен твой ответ — да или нет.

— Да, черт бы тебя побрал. Хотя, честно говоря, не знаю.

Худек подмигнул ему и резко свернул к обочине. Брэд поначалу перепугался, но потом понял, что у поворота стоит Эрнандес с сумкой через плечо.

— Ух ты, — сказал Пит с набитым чипсами ртом. — А он тут чего делает?

Эрнандес подошел к машине и посмотрел на заднее сиденье.

— Где еще один?

Худек не торопился отвечать. Сейчас он полностью контролировал ситуацию и при желании мог бы просто уехать, оставив этого придурка торчать на дороге.

Он выключил музыку.

— Серьезно, — продолжал настаивать Пит, — на хрена мы связываемся с этой сволочью?

— Мы должны ему помочь, — сказал Ли. — Отвезти его туда, куда он попросит. Лады?

— Ну, наверное, — с сомнением пробормотал Пит.

— Вот и отлично. — Худек посмотрел на Эрнандеса и улыбнулся. — Будешь садиться или как?

Под руководством Эрнандеса Ли поехал в сторону холмов, мимо полей для гольфа и ранчо. Эту территорию он знал не слишком хорошо, поскольку ни разу не бывал здесь прежде. Они проехали через Санта-Инес, а затем направились дальше.

— Мы что, собираемся ехать до самой Невады? — Единственное, что спросил Пит.

Все остальное время они с Брэдом молча сидели сзади.

Наконец Эрнандес показал на поворот налево, где не было никаких указателей. Ли углубился на несколько миль в поросшую редким лесом местность. Какое-то время спустя они поднялись на холм, а затем начали медленно спускаться. Еще через восемьсот ярдов дорога вывела их на большую, усыпанную гравием и песком площадку, окруженную почти сливавшимися с сумерками деревьями. Вокруг не было ни души.

— Здесь?

Эрнандес кивнул.

— Когда они должны появиться? И кто они?

— Такие же, как вы, — ответил тот. — Беспокоиться не о чем.

— Тогда зачем потребовалась наша помощь?

На другой стороне площадки вспыхнули фары. Брэд почувствовал, как у него забилось сердце. Что касается Ли, то он чувствовал себя в машине с наркотиками вполне уверенно. Когда тебе привозят сумки с деньгами — это уж точно шаг в нужном направлении.

— Это они?

— Да. — Эрнандес открыл дверцу со своей стороны. — Ты, Пит, или как там тебя, останешься в машине.

— Это еще почему?

Ли посмотрел на Эрнандеса:

— В чем дело?

Казалось странным, что он разговаривает с этим человеком как с равным себе. Странно, но не так уж и плохо.

— Вы двое не теряли духа тогда, на парковке. А этого размазню я помню лишь с заклеенным липкой лентой ртом.

— Вас было трое, а нас двое, — напомнил Пит. Голос его звучал рассерженно, что бывало довольно редко. — А теперь хотите один на один?

«Господи, ну и дурак же ты, Пит, — думал Брэд. В свете фар стоящего поодаль автомобиля появились три тени. — Меня вполне устроило бы оставаться в машине».

— Нет уж, спасибо, — сказал Эрнандес. Он повернулся к Питу и неприятно улыбнулся. — Интересно, какие у меня были бы шансы с таким, как ты?

Пит замолчал.

— Спрячься за руль, — приказал Ли. — Просто на всякий случай.

Эрнандес кивнул, открыл сумку, достал оттуда пистолет и протянул Худеку.

Брэд покачал головой:

— Зачем это нам, если мы собираемся просто...

— Брэд, заткнись.

Ли сунул пистолет сзади за пояс. Эрнандес потрогал рукой поясницу, словно проверяя, что оружие на месте. Что ж, значит, можно идти.

Трое вышли из машины. Пит перебрался на сиденье водителя.

— Поосторожнее там, — сказал он.

Эрнандес пошел первым. Ли шел чуть сзади и справа, Брэд слева.

— Привет, Эмилио! — крикнул один из стоявших у другой машины. — Кто с тобой?

— Друзья, — ответил Эрнандес. — Все в порядке.

Брэд шарил глазами по погруженным в тень лицам. Один из парней был, вероятно, его возраста и, похоже, из того же окружения. Остальные двое выглядели старше. У одного была выбрита голова. В их поведении чувствовалось нечто странное. Почему они стоят там? Обычно подобные дела совершались всегда одним и тем же образом. Ты подходишь к ним, они подходят к тебе, вы встречаетесь посередине и обмениваетесь сумками; если хотите, быстро перекуриваете или перекидываетесь парой натянутых шуток, а потом расходитесь.

Почему они не идут навстречу?

Ли думал о том же самом, но, возможно, эти люди хотели показать свое превосходство, продемонстрировать, что главные здесь они. Ли полагал, что такого им никто не позволит, и оказался прав. Эрнандес остановился. Они с Брэдом тоже.

— Ладно, ребята, — сказал Эрнандес. — Вы что, застряли там или как?

Никто из них ничего не ответил, и вдруг Ли словно ударило обухом по голове.

Ни у кого из троих не было в руках сумки.

— Эрнандес... — начал он.

И тут они начали стрелять.

Без всякого предупреждения, без единого слова. Просто неожиданно выбросили вперед руки и начали выпускать пулю за пулей. Бах, бах, бах.

Ли споткнулся, пытаясь достать сзади оружие. Эрнандес оказался намного проворнее. Пистолет уже был у него в руках, и он бежал вправо, к деревьям, стреляя на ходу в сторону второй машины.

Ли увидел застывшего на мгновение Брэда и вспомнил, что у парня нет пистолета. Брэд, похоже, сперва пытался сообразить, что, черт побери, происходит, а потом бросился к левой стороне площадки.

Ли рванул пистолет, но тот застрял. Рванул еще раз, выдернул и начал стрелять.

Двое парней прыгнули сзади в машину. Третий пальнул в Эрнандеса, но промахнулся.

Ли дважды выстрелил в него, но оба раза мимо.

Затем парень развернулся и выстрелил в Брэда, который не представлял для них никакой опасности и оказался здесь лишь потому, что так велел ему Ли.

Худек увидел, как Брэд вздрогнул, споткнулся, налетел на дерево и во весь рост растянулся на земле.

Затем машина пронеслась мимо него, обдав каменной крошкой. Раздался еще один выстрел, и Ли выругался, почувствовав, как пуля просвистела рядом с его головой.

Все продолжалось секунд сорок пять, не больше. И закончилось.

Худек некоторое время стоял, чувствуя, как мир переворачивается вверх ногами.

— О черт, Брэд...

Он подбежал к краю площадки, где лицом вниз лежал Брэд, и, к своему удивлению, обнаружил, что его друг все еще шевелится и на нем нет крови. Брэд перевернулся на спину и уставился на Ли. На лице его отражалось множество чувств, но только не боль.

Худек схватил его за плечи:

— Черт, я думал, они в тебя попали. Я думал, тебе конец.

Брэд сел, покачал головой:

— Я тоже. Хотя на самом деле просто споткнулся. О большой камень. Просто споткнулся.

— Похоже, он спас тебе жизнь. Господи...

— Угу. Мне попался счастливый камень.

Они посмотрели друг на друга широко раскрытыми глазами и рассмеялись, хотя этот смех трудно было назвать естественным.

В тридцати ярдах от них послышался голос Эрнандеса:

— Он ранен?

— Нет! — крикнул в ответ Ли. Адреналин все еще продолжал действовать, не хуже дозы чистого кокаина. — Но что тут все-таки произошло, черт возьми?

— Не знаю, — пробормотал Эрнандес. — Но нам нужно уезжать. Немедленно.

Он быстро пошел к машине Ли.

— Нужно позвонить в несколько мест.

Схватившись за протянутую руку Худека, Брэд с трудом поднялся на ноги. Большая часть его разума до сих пор пребывала в мире, существовавшем минуту назад. Очевидно, за это время случилось нечто очень нехорошее, но он чувствовал себя так, будто почти все последние события прошли мимо него. Он был даже слегка удивлен, что до сих пор жив.

— Пошли, — сказал Ли. — Надо убираться отсюда.

Ли знал: все то, что они только что пережили, крайне важно для него самого. Эрнандес явно намеревался жестоко отомстить тем парням. А Ли Худек должен быть вместе с ним. С этого момента он уже не был всего лишь одним из мальчишек, приносивших деньги.

Он схватил Брэда за плечо и потащил за собой.

Брэд с трудом передвигал ноги, но ему не в меньшей степени хотелось очутиться где-нибудь в другом месте. Он изо всех сил старался как можно быстрее оказаться в машине. Он думал о том, что было бы неплохо, если бы действие таблеток хоть ненадолго прекратилось, дав ему привести мысли в порядок, когда вдруг заметил, что Эрнандес остановился в нескольких ярдах от машины Ли.

— Что? — спросил Брэд, поворачивая голову к машине.

На сиденье водителя сидело какое-то существо.

Нечто ужасное вышло из ночного леса и уселось в их машину. Оно выглядело жутко и уродливо, но при этом не шевелилось.

Это был Соня Пит.

— О господи, — прошептал Брэд.

Он посмотрел на Ли, но тот не отводил взгляда от Пита. Брэд усилием воли заставил себя еще раз посмотреть туда.

— О нет.

Ниже плеч все было нормально. Это был все тот же Пит. Он сидел выпрямившись, все так же с пакетом чипсов в руках. Но одна из пуль, предназначавшихся Эрнандесу, Ли или Брэду, пролетела мимо, словно перелетная птица, и нашла место, где приземлиться. Пуля примерно на четверть снесла Соне голову, войдя с правой стороны, пробив челюсть, а затем мозг и выйдя сверху с другой стороны сквозь дыру с рваными краями. Уцелевший глаз был открыт. Остатки носа снесло вбок.

Брэду сперва показалось, что левый глаз просто блестит от оставшейся в нем влаги, но затем он понял, что глаз пытается пошевелиться.

А потом у Пита отвалилась челюсть и на штанах расплылось темное пятно. Пита не стало.

ГЛАВА 9

— У нас нет выбора, — сказал Эрнандес. — Послушай меня.

Брэд сидел на земле, обхватив руками колени. Он курил уже третью подряд сигарету, а значит разговор продолжался как минимум минут десять. Брэд понимал, что должен слушать, но не хотел принимать в разговоре никакого активного участия. Когда он пытался думать, ему казалось, будто он идет по горячим углям, которые тянутся до бесконечности во все стороны. Вот только почему-то от них исходил смертельный холод.

Ли покачал головой:

— Я ходил вместе с ним в школу. Наверное, все-таки можно как-то по-другому?

Позиция Эрнандеса была проста. Тело должно исчезнуть. Оставлять его здесь нельзя. От него нужно избавиться. Если его найдут, тут сразу будет полно полицейских. Парень из богатой семьи с разнесенной башкой — не тот случай, который можно спустить на тормозах. Все следы случившегося следовало уничтожить.

Ли умудрялся вести себя столь невозмутимо, что Брэду это казалось просто невероятным. Конечно, голос его иногда срывался, и он то и дело потирал пальцем губу, стараясь лишний раз не смотреть на переднее сиденье машины. Однако он выдвинул идею оставить тело Пита в таком месте, где его могли бы принять за жертву нападения из проезжающего мимо автомобиля, или вооруженного ограбления, или вроде того. Он пытался настаивать, но у Эрнандеса на этот счет имелось свое мнение.

— Послушай меня, Ли, — снова сказал Эрнандес.

Голос его звучал тихо, и Худек понял, что тот впервые назвал его по имени, а не просто «парень» или «эй, ты».

— У нас больше нет времени. Мы за городом, но кто-то все равно мог услышать выстрелы. И потому нам придется действовать быстро и прямо сейчас.

Ли немного подумал и кивнул.

— Хорошо, — согласился он. — Давай.

Открыв дверцу со стороны водителя, они вытащили тело Пита наружу. Сперва они старались аккуратно его поддерживать, но потом остатки головы наклонились вбок, и на руку Брэда потекла какая-то склизкая масса. Он судорожно отдернул руку почти одновременно с Ли, и тело упало на гравий. Ли снял футболку и вытер сиденье, в то время как Брэд и Эрнандес взяли труп за ноги и поволокли к задней части машины — медленно, чтобы голова не подпрыгивала на камнях. Они открыли багажник, Эрнандес достал оттуда пляжное полотенце и замотал им голову и шею Пита, а потом они подняли тело и сложили его так, чтобы оно поместилось внутрь, что оказалось нелегко. Багажник закрыли.

После того как тела стало не видно, Брэд почувствовал себя несколько лучше. Он стоял и смотрел, как Эрнандес обходит вокруг машины, тщательно собирая кусочки гравия со следами крови и складывая их в пакет из-под чипсов.

Потом все сели в машину и поехали назад тем же путем, а затем свернули налево, еще дальше в холмы. Заповедник был закрыт и в любом случае вряд ли мог служить подходящим местом, но они нашли подъездную дорогу и некоторое время ехали по ней. Остановившись, извлекли Пита из багажника и примерно полмили несли вдоль тропы. Пит при жизни был довольно крупным, а после смерти стал очень тяжелым. Тяжелым, неповоротливым и к тому же до сих пор теплым, а его большие руки, казалось, состояли из одних пальцев. К тому времени, когда они свернули с тропы в лес, спина у Брэда болела так, словно кто-то вогнал ему гвоздь в основание позвоночника.

Наконец Ли сказал, что они зашли достаточно далеко, и все остановились, положив труп возле дерева.

Лопаты в машине, естественно, не оказалось, и пришлось воспользоваться собственными руками и домкратом. Потрудиться пришлось изрядно, несмотря на то что земля была не слишком твердой и копали все вместе. Они подтащили Пита к яме, но он там не помещался, пришлось снова его вытащить и рыть дальше. В конце концов им удалось уложить тело в яму.

Возник спор насчет того, оставить ли полотенце. Худек считал, что это вполне безопасно, Эрнандес же сказал, что Ли должен отнести его куда-нибудь и сжечь. Брэд хотел, чтобы полотенце оставалось на месте, чтобы снова не пришлось смотреть на обезображенного Пита. От подобных мыслей ему было не по себе, и Пит его наверняка бы не одобрил. В конце концов Ли победил. Это было дешевое полотенце, которое можно купить где угодно. Брэд был только рад.

Никто точно не знал, остаются ли на теле отпечатки пальцев. Решили, что, скорее всего, нет, но Ли на всякий случай обтер тело своей окровавленной футболкой, а потом бросил ее в яму. Затем после недолгого раздумья перевернул тело и связал футболкой руки, чтобы запутать дело на случай, если его когда-нибудь найдут. Засыпав труп землей, они разошлись в разные стороны и нашли самые тяжелые бревна, какие только могли унести. Свалили их в беспорядке на могилу, потом Ли отошел на десять ярдов и оглянулся, и, хотя понять что-либо было трудно из-за темноты, он решил, что все в порядке. Разбросав вокруг остатки земли, он немного постоял, глядя на дело их рук, и лишь покачал головой.

Не говоря ни слова, они вернулись к машине.

Ли не включал фары, пока они снова не оказались возле цивилизации. Въехав в город, он остановился, чтобы высадить Эрнандеса в указанном им месте.

Эрнандес шагнул на тротуар и обернулся.

— Собираюсь кое-кому позвонить, — сказал он. — Тому человеку, с которым ты уже знаком. Я дам тебе знать, что делать дальше. Сегодня же.

Ли молча кивнул, глядя прямо перед собой. Эрнандес захлопнул дверцу и быстро ушел.

Худек вдавил педаль газа и на скорости в сто миль промчался через Вентуру и Окснард. Потом резко сбросил скорость и свернул направо, в сторону пляжа.

Они остановились и вышли, все так же молча. Никто не знал, что сказать, кроме тупых односложных слов, которые никому ничем не могли помочь. Ли взял с собой пакет из-под чипсов и, пока они поднимались на дюны, медленно разбрасывал вокруг его содержимое, чтобы ветер унес все как можно дальше. Когда они добрались до берега, пакет был уже пуст, но Ли вошел с ним прямо в воду, сполоснул изнутри, а потом разорвал на мелкие кусочки и бросил в море. Ветер подхватил их и унес, словно пятнышки лунного света.

Ли вернулся туда, где на песке стоял, пошатываясь, Брэд, и некоторое время они молча смотрели друг на друга.

— Соня Пит, — сказал Ли.

Брэд лишь покачал головой:

— Хреново, Ли. Чертовски хреново.

Они пошли через дюны назад.

Худек нашел в багажнике старый свитер, надел его и повел машину в город. Остановившись у первого же «Старбакса», они взяли себе по кофе с молоком и выпили его, пока ехали к закусочной «Фрисби» на Холача-авеню. Там купили три больших пакета гамбургеров, пугаясь яркого света и странных звуков, издаваемых кассой, и удивляясь тому, как другие могут просто стоять вокруг, разговаривая, смеясь и спрашивая соус барбекю, словно ничего особенного не случилось. На негнущихся ногах они вернулись к машине.

Проехав через город, остановились у ворот ранчо Фэйркрофт.

— Веди себя хорошо, — тихо сказал Ли.

Брэд слабо улыбнулся, глядя в никуда.

К машине подошел охранник — тот самый, с которым Ли разговаривал, когда первый раз приехал на вечеринку. Они обменялись короткими дружелюбными репликами. Ли предложил ему гамбургер, и тот едва не согласился, но потом, видимо, вспомнил, что он на диете, или ему нельзя ничего брать у других, или, может быть, он только что съел пиццу у себя в будке, так что лишь махнул рукой, пропуская их.

Ли поехал по дороге мимо ворот усадеб.

— Останови, — попросил Брэд, когда они проехали несколько сотен ярдов.

Худек съехал на обочину. Брэд вышел, и его вырвало. Рвота пахла пивом и кислой кровью, протухшей водой и лесной пылью.

Он вернулся, и Ли поехал дальше.

Когда они свернули на подъездную дорогу у дома Люксов, там все еще стояло множество машин. Ли остановился и выключил двигатель. Сняв руки с руля, он несколько раз сжал и разжал кулаки.

— Ладно, — сказал он. — А теперь придется пойти на тусовку. Немного развлечься.

— Ты шутишь.

— Вовсе нет. Нам нужно быть здесь, понимаешь?

Брэд понял. Взяв гамбургеры, они вышли из машины и направились к бассейну. Там еще оставалось человек тридцать, вечеринка продолжалась, и парень с плеером появился снова, но теперь все было по-другому. Музыка казалась примитивной и несвоевременной. Увидев пакеты из «Фрисби», к ним подошли несколько ребят.

— Никто не видел Пита? — небрежно спросил Ли. — Он вроде заказывал гамбургер. А может быть, даже два.

Все рассмеялись и сказали, что нет, давно его не видели, а кто-то заметил, что, может быть, он вообще отправился на какую-то другую тусовку.

Да, подумал Брэд, именно так. Совсем на другую. Он был рад, что его уже вырвало раньше.

Неожиданно чья-то ладонь коснулась его руки, и он увидел рядом Карен.

— Я думала, я тебя потеряла, — сказала она.

— Ни в коем случае, — улыбнулся он и протянул ей пакетик жареной картошки.

Полтора часа спустя Худек остановился возле дома, где жили его родители. Бросив взгляд на окна, он подумал, что делать дальше.

Он уже побывал на круглосуточной мойке, даже на двух — сперва там, где его знали, а потом проехал два десятка кварталов до другой, где никто его не знал. Естественно, оба раза он мыл машину лишь снаружи и первой мойкой воспользовался лишь потому, что никого из его знакомых на работе не оказалось, так что для них он был всего лишь еще одним молодым парнем в неплохой машине.

Кузов был в полном порядке, чего нельзя было сказать о других деталях. Например, сиденье водителя и верхняя часть дверцы. На первый взгляд они выглядели вполне приемлемо, но Ли знал, что это не так.

Какое-то время спустя машину можно было продать, но не сразу, и его искренне удивляло, насколько все меняется, когда знаешь, что один из твоих лучших друзей умер прямо на том месте, где сейчас сидишь ты сам.

Он мог окончательно привести машину в порядок утром, но обнаружил, что ему хочется покончить с этим прямо сегодня. Хотелось завтра встать с мыслью, что события вчерашнего дня остались в прошлом. Конечно, такого никогда не случится. Ему все равно будет не хватать Пита. Но по крайней мере, можно хотя бы делать вид, что ни о чем не имеешь ни малейшего понятия.

А для этого нужно сделать кое-что еще.

Проверить, что в протекторах шин не осталось камешков или грязи, которые могли бы привести на ту проклятую площадку или на дорогу, по которой они ехали туда, где похоронили Пита.

Тщательно очистить кузов от следов гравия и крови. Обмотать голову полотенцем казалось неплохой идеей, но когда они вытаскивали труп из машины, оно уже успело почти полностью намокнуть. Нужно содрать и заменить обивку.

И еще — почистить переднее сиденье и весь салон машины. Как следует. Уроки наполовину просмотренного сериала «Судебные детективы» не прошли даром для Ли, хотя он никогда не предполагал, что это может ему когда-нибудь понадобиться. Гараж в его доме как нельзя лучше подходил для подобной работы. Там было хорошее, яркое освещение. Но сперва он решил заглянуть к родителям — если, конечно, кто-то из них дома.

Для этого у него имелись две причины. У отца в гараже хранилось кое-что из того, что могло бы облегчить ему задачу: чистящие средства, растворители, инструменты. Автомобиль Худека-старшего всегда выглядел как с иголочки. Вторая причина заключалась в том, что Ли просто казалось неплохой мыслью там появиться.

«Да, я видел его в тот вечер. Нет, он был совершенно спокоен, а почему вы спрашиваете? О нет, это невозможно. Извините, но это абсолютно невозможно».

Свет в спальне родителей был выключен, зато в кабинете отца наблюдались признаки жизни. Заперев машину, Ли тихо вошел в дом. Заглянув в кабинет, он увидел, что компьютер включен, но отца поблизости нет. Он прошел в кухню. Задняя дверь была открыта.

В кресле возле бассейна кто-то сидел.

Ли вышел наружу.

— Папа?

Сидящий повернул голову, и Ли увидел, что это действительно отец, в одиночестве куривший сигару.

— Привет, сын, — мягко сказал он. — Что ты тут делаешь?

— Проезжал мимо, решил заглянуть, если вы еще не спите.

— Очень мило с твоей стороны. Хочешь выпить?

— Конечно. Пиво вполне подойдет. Хотя лучше легкого.

— Ну да, ты же был сегодня на вечеринке.

— Ага. У Люксов.

— Приятный дом.

Ли пожал плечами:

— Угу. Хотя мне показалось, что они слишком уж пускают пыль в глаза.

Райан Худек улыбнулся и пошел в кухню за пивом. Проходя мимо Ли, он похлопал его по плечу.

Именно в это мгновение Ли был как никогда близок к тому, чтобы обо всем рассказать. Но порыв тут же прошел и больше не возвращался. Он полчаса посидел вместе с отцом, а потом извинился и сказал, что ему пора. Отец кивнул, не вставая с кресла. Проходя через дом, Ли заглянул в гараж и взял то, что было ему нужно, разложив остальное так, чтобы никто не заметил, что что-то исчезло.

Потом он поехал домой, поставил машину в гараж, а пистолет Эрнандеса засунул под груду всякого барахла в одном из ящиков.

Он чувствовал себя смертельно уставшим, но нужно было оставаться бдительным и внимательным, и сейчас, как никогда, он нуждался в кофеине. Ожидая, пока закипит кофе, он пытался думать о Пите, но понял, что лучше не стоит. Пит мертв, и точка. В конце концов, никто не заставлял его что-либо делать против собственного желания.

Занимаясь чисткой автомобиля, Ли то и дело бросал взгляд на телефон. Прошло уже три часа, но Эрнандес до сих пор не позвонил.

ГЛАВА 10

Не знаю, как описать эту местность. Северо-западную оконечность Рейнорского леса вряд ли можно было назвать зеленым массивом, но и с открытым пространством она имела мало общего. Вокруг простирались бескрайние акры земли, поросшие редкими деревьями и кустами и пересеченные мелкими ручейками, словно старческое лицо морщинами. В полумиле отсюда находился небольшой городок, но ничто не говорило о его существовании. Чувствовать себя здесь как дома могли разве что насекомые, птицы и мелкая пушистая живность, которая на них охотилась. Нечто подобное, под названием Пустошь, я когда-то видел в Нью-Джерси. Не знаю, как называли эту территорию местные жители, но мне она казалась безымянной, особенно в холодном сером лунном свете.

Выйдя из отеля следом за Монро и Ниной на автостоянку, я сел сзади в их машину. Последовала оживленная дискуссия, но Монро хотел ехать как можно быстрее и, видимо, решил не спорить. Он на большой скорости пересек город, и мы ехали еще минут десять, пока не увидели у обочины машину местной полиции с включенной мигалкой. Монро пристроился за ней и поехал следом по дороге, которая, казалось, вела в никуда, но в конце концов превратилась в длинную прямую. Наконец впереди затормозили. Чуть дальше стояли еще два автомобиля и полицейский грузовик.

Из машины вышли двое полицейских, один в форме, другой в штатском. Второй напоминал того, которого я уже видел в отеле вместе с Монро и Ниной.

— Кто это? — спросил он, когда мы подошли к ним.

— Коллега, — ответила Нина. — А что, есть проблемы?

— Нет, мэм. Позвоните мамочке, пусть отвезет нас на пикник.

— Хватит, Рейдел, — сказал Монро. — Проводите нас на место.

Полицейский по имени Рейдел посмотрел на меня. Я — на него. Потом он повернулся и пошел вдоль обочины. Мы за ним.

Пройдя несколько сотен ярдов, мы увидели вдали вспышки и мерцание фонаря. Земля становилась все более влажной. Дорога внезапно превратилась в полосу препятствий, заросшую папоротником и покрытую лужами глубиной по щиколотку.

— Так кто его нашел? — спросила Нина. — Не могу себе представить, чтобы кому-то хватило безрассудства забраться в такую глушь.

— Местный старик, собиравший древесину. Насколько я знаю, он вырезает из опавших веток змей, а потом продает их на рынке. Собственно, тело он нашел еще рано утром, но у него не все в порядке с головой, так что он перепугался и не сразу поверил в то, что увидел. Лишь через несколько часов он решился позвонить. Теперь он, кажется, успокоился.

— Кому может понадобиться деревянная змея? — спросил я.

— Понятия не имею, сэр.

Чуть дальше была натянута лента, огораживавшая место происшествия. По другую ее сторону протекал неглубокий ручей шириной фута в три, хотя из-за росшего по обеим сторонам тростника трудно было отличить воду от болотистой почвы. Ручей изгибался влево и вправо, образуя нечто вроде островка ярдов сорок в поперечнике. На дальней его стороне что-то виднелось, но центр всеобщего внимания находился несколько ближе. Небольшая группа людей стояла вокруг чего-то, лежащего на земле. Большой прожектор на стойке отбрасывал белый свет на их головы и плечи.

Рейдел прошел под лентой и повел нас к переброшенным над водой двум широким доскам.

— По одному, — сказал он.

Мы перешли через импровизированный мостик, который основательно прогибался посередине, и непохоже было, что он выдержит до утра. Еще несколько шагов по грязи — и земля стала более твердой.

Когда мы подошли, собравшиеся на месте происшествия отступили назад. Уже не оставалось сомнений, что нас ожидает не слишком приятная картина. В неподвижном воздухе отчетливо ощущался специфический запах.

— Вы вовремя, — сказал один из техников. — Мы как раз собирались его перевернуть.

Встав рядом, он посветил на землю фонарем, отчего на ней появились новые тени.

Монро увидел труп первым.

— Господи, — тихо проговорил он.

На земле на правом боку лежал мужчина, подвернув под себя одну руку. Казалось, будто он упал с высоты. На нем были голубые джинсы и темно-зеленая рубашка в клетку, и то и другое покрыто неровными пятнами. Голова странно вывернута, словно он пытался увидеть между деревьями луну, глаза открыты. На вид ему было лет тридцать пять, хотя в отношении трупов это не всегда легко определить. Иногда смерть не только искажает черты, но и прибавляет или отнимает несколько лет. К тому же какой-то зверек, судя по всему, уже успел поживиться частью его щеки.

Из-за резкого света вся картина больше напоминала бесстрастную фотографию, если бы не запах, не оставлявший сомнений в реальности происходящего. Однако Монро больше интересовало то, что виднелось ниже левого рукава рубашки. Он был закатан выше локтя, и видно было, что на руке отсутствует большая часть мышц. Не из-за разложения, но оттого, что кто-то срезал большие куски плоти, обнажив руку до кости. Стоило лишь это увидеть, как становилось ясно, что тело тоже потеряло в объеме. Судя по обвисшей одежде и темным влажным пятнам, можно было предположить, что с остальным туловищем произошло то же, что и с рукой. К этому, конечно, могли приложить лапу звери, но зачем им было залезать под одежду и при этом оставить почти нетронутым лицо?

Я отвернулся, к некоторой своей радости обнаружив, что я не первый. Нина смотрела на дальнюю сторону острова.

— Что там?

— Пойдем посмотрим.

Рейдел повел нас по неровной почве. Сперва трудно было понять, что это за предмет, выхватываемый из темноты светом луны, но когда мы подошли ближе, все стало ясно.

То, что я заметил, когда мы только что пришли сюда, оказалось белой рубашкой. Чистая и не очень большая, она была наброшена на три приподнятые ветки куста, из-за чего создавалось ощущение, будто она висит на веревке. Куст находился рядом с одним из пяти росших на острове деревьев.

Нина, Монро и Рейдел несколько секунд стояли и смотрели на нее, а потом почти одновременно что-то пробормотали.

Возможно, рубашка производила еще большее впечатление, чем труп. Я подумал, что, может быть, старик, вырезавший змей, сначала заметил именно ее и именно она в первую очередь его напугала.

С того места, где лежал труп, послышался приглушенный возглас, и один из техников выругался. Подняв голову, он крикнул:

— Идите сюда, посмотрите!

Мы послушно побрели назад к телу, которое теперь лежало на спине.

Стала видна правая рука, точно в таком же состоянии, как и левая. Рукав закатан, мышцы практически отсутствуют. Однако имелась и весьма существенная разница.

Не было кисти.

— Ну что ж, — помолчав, тихо сказал Рейдел. — Теперь мы можем считать, что имеем дело с серийным убийцей?

— Как минимум четыре-пять дней, — сказал коронер, глядя, как тело грузят на носилки.

Из-за того что он намазал себе под носом каким-то снадобьем, чтобы отбить запах, казалось, будто он страдает сильнейшим насморком.

— Может быть, даже неделя, хотя, из-за того что не хватает части мышц и органов, трудно сказать наверняка. В лаборатории, надеюсь, станет яснее, но с точностью до часа время смерти определить невозможно в любом случае. Да и вообще, тут не слишком хорошее место для того, чтобы умирать.

Он был прав. Хотя небо уже начинало светлеть, здесь не очень-то приятно было находиться. Прошло четыре долгих часа с тех пор, как мы покинули отель, но спать не хотелось, зато у меня заканчивались сигареты. Я старался молчать и не попадаться лишний раз на глаза, чтобы никто не вспомнил, что я тут, и не отправил меня в постель.

Я смотрел, как останки осторожно переносят через узкий мостик. Остров сразу же показался совсем другим, словно кто-то выключил неслышимую звуковую дорожку.

Мертвые тела таят в себе некое мрачное очарование, напоминая нам о бренности всего сущего. Мы наблюдаем всевозможные проявления реальной жизни: реки, зверей, деревья, солнце, — но то, что составляет для нас наиболее существенную разницу, ту, которая имеет место между любимым человеком и мертвым телом, для нас неосязаемо и неощутимо. Оно открывает нам путь в некую абстрактную вселенную, и мы начинаем понимать, что не будь в этом мире трупов, в нем не было бы и вирусов, радиоволн или кварков. И в очередной раз осознаем, насколько мы беспомощны в человеческом мире. Все наши ритуалы и боги — всего лишь попытка облечь в нечто вещественное бесконечную пустоту, недоступную пониманию.

Я подумал о том, кем был этот мертвец и для кого ему предстояло стать самой невосполнимой утратой. Во всяком случае, не для меня.

Но на какое-то мгновение я почувствовал себя отвергнутым и одиноким. Сколь бы долгий путь я ни проделал по этой планете, я нигде не смог бы встретить ожидающих меня родителей. Бобби никогда больше не купит мне пива.

За прошедший год я, похоже, так и не смог примириться ни с той ни с другой потерей. Иногда я забывал об этом на несколько часов или даже дней, но стоило вновь вспомнить о тех, кого больше не было со мной, все возвращалось на круги своя.

Я никогда не смог бы подумать: «Что ж, их больше нет, они умерли. Ну и ладно. Ничего не поделаешь».

Возможно, смерть тех, кого любишь, навсегда остается чем-то непостижимым. И не думать о них ты не сможешь никогда.

Закурив одну из оставшихся сигарет, я прислушался к разговорам.

Монро все еще записывал что-то себе в блокнот.

— Вы уверены, что часть мышц была срезана с тела еще до того, как его бросили здесь?

— Да. Возможно, оно и после слегка пострадало, — например, на лице определенно имеются следы зубов какого-то зверька, но большая часть плоти была срезана, — ответил коронер. — Похоже, большим ножом типа разделочного. На плечевой кости есть следы разруба. И на берцовой кости царапины. Вероятно, мы увидим намного больше после того, как снимем одежду. Кто-то явно орудовал тяжелым и острым инструментом, вероятно тем же самым, с помощью которого отрубили кисть.

Нина кивнула:

— Удивительно, что за столь долгое время звери не повредили тело сильнее.

— За сколь долгое?

— От пяти до семи дней. Как вы только что сказали.

— Ах вот вы о чем, — улыбнулся он, подняв палец. — Я говорил о другом. О том, что столько времени прошло с момента смерти, но это вовсе не значит, что все это время он пролежал в этом гиблом месте. Я бы сказал, что тут он провел самое большее сутки.

Нина молча взглянула на него. Этот взгляд был мне хорошо знаком, и он означал: «Рассказывайте все, что знаете, и не вынуждайте меня спрашивать — иначе пожалеете».

У коронера на пальце было обручальное кольцо, и он тоже хорошо знал, что означает подобный взгляд.

— Мышцы на спине практически не повреждены, — сказал он. — Далее, есть признаки того, что тело довольно долго пролежало на спине, судя по скоплению крови в спине и остатках ягодиц и икр, в то время как...

— Оно было найдено лежащим на боку.

— Именно. Но где-то в другом месте, непосредственно после смерти, оно лежало на спине.

— Вопрос в том — где? — сказал Рейдел. — Как я понимаю, у вас на этот счет нет никаких соображений?

Коронер покачал головой:

— Посмотрим, что удастся выяснить судмедэкспертам. Но я бы не стал на многое рассчитывать. Хотелось бы надеяться, что на теле окажутся какие-то следы с того места, где оно лежало, — пыль, мусор, земля. Но если труп лежал там голым, тогда большая часть следов была уничтожена или стерта, когда на него снова надевали одежду.

Монро кивнул.

— То есть мышцы могли срезать затем, чтобы попытаться скрыть прежнее местонахождение тела.

— Возможно.

— Ну не знаю, — ответил я, снова глядя в дальний конец острова.

Меня вдруг осенила неожиданная мысль.

— Что, Хопкинс?

— Что вы думаете о той рубашке?

— Понятия не имею. Вероятно, она вообще ни при чем.

— Очень даже при чем, — возразил я. — Труп, рубашка — и больше ничего на многие мили вокруг? Я бы сказал, что между ними имеется вполне очевидная связь.

— Скорее всего, те, кто притащил тело, просто бросили рубашку тут, уходя, — предположил Рейдел. — Из чего можно попытаться сделать вывод, в какую сторону они ушли.

— Вряд ли, — сказал я. — Зачем ее выбрасывать? Она чистая. На ней ни крови, ничего. Как будто ее достали прямо из пакета.

Нина смотрела на меня.

— И что ты думаешь?

— Идем посмотрим.

Я пошел вперед. Мгновение поколебавшись, остальные последовали за мной.

Когда я добрался до места, техник как раз закончил фотографировать и уже собирался снять улику с куста.

— Погодите минуту. — Я жестом показал Нине, чтобы она встала позади рубашки. — Заметила что-нибудь?

Она покачала головой.

— Не на самой рубашке. Встань параллельно ей и посмотри прямо вперед. И скажи, что ты видишь.

Слегка переместившись в сторону, она посмотрела вперед.

— Прожектор.

— Верно. Другими словами, то место, где лежал труп. Рубашку повесили здесь специально, — подытожил я. — И это что-то должно означать. Это улика.

Все трое переглянулись.

— Что ж, может быть, — кивнула Нина.

Однако Монро, похоже, мои слова все же не убедили.

— Но как это соотносится с тем, что тело изуродовали ради того, чтобы скрыть, где оно до этого находилось?

Я пожал плечами:

— Может быть, и никак. Но если кто-то взял на себя труд повесить там рубашку, значит они хотели на что-то намекнуть. Создать некую картину, сцену. Может быть, даже воссоздать. Должны же быть какие-то причины для того, чтобы притащить сюда труп. До этого он находился там, где его можно было спокойно разделывать, не привлекая ничьего внимания. Иными словами — где-то в надежном месте. Но потом почему-то решили перенести труп туда, где кто-то обязательно его найдет. Так что местонахождение тела играет важную роль. Возможно, часть плоти срезали просто для того, чтобы уменьшить вес трупа.

Трое хмуро смотрели на меня, словно выстроившиеся в ряд вопросительные знаки.

— Похоже, ребята, вы основательно устали, — сказал я. — Чем легче тело, тем проще его нести. Кому-то было нужно, чтобы труп оказался именно здесь. Но они знали, что дотащить его сюда не хватит сил. Тогда и срезали с тела столько плоти, сколько смогли, не нарушая общей целостности.

— Значит, этот кто-то знал, что не сможет перетащить труп на такое расстояние, и попытался облегчить себе задачу, — кивнул Рейдел.

Помолчав, он добавил:

— Возможно, это женщина.

— Ну да, — согласился я. — Хотя...

Монро с любопытством смотрел на меня. Нина уставилась в землю. Рейдел странно улыбался.

— Что? — спросил я.

Высадив нас возле отеля, Монро и Рейдел поехали прямо в морг, чтобы узнать результаты предварительного обследования трупа.

Начинало светать.

— Извини, — сказал я. — Я не знал, что вмешиваюсь в чужой спор.

Нина покачала головой.

— Это была хорошая мысль, — сказала она. — Думаю, на Чарльза она произвела впечатление.

— Но ничто не доказывает, что это женщина, — возразил я. — Если бы мне пришлось тащить туда эту тушу, мне бы тоже хотелось, чтобы она была как можно легче. Мужик-то явно не маленький. Впрочем, даже мертвый лилипут далеко не легкий.

— Это ты по собственному опыту?

— Нет, — ответил я. — Кажется, так говорил Конфуций или кто-то еще. Слушай, давай сходим выпьем кофе?

— Уорд, еще пяти утра нет.

— У тебя пистолет с собой?

— Конечно.

— У меня тоже. Так что нас обязательно обслужат. У них нет выбора.

Мы вошли в отель, я нашел кого-то из обслуги и пытался их очаровывать до тех пор, пока они не согласились найти для нас кофе, лишь бы я оставил их в покое.

Холл представлял собой помещение L-образной формы, и мы прошли с чашками в руках в самый дальний его конец. Вероятно, лучше было бы вернуться к себе в номер, но в мертвецах есть нечто такое, после чего хочется какое-то время оставаться в открытом помещении. Мы сидели и пили кофе под отдаленный шум пылесоса.

Несколько минут спустя у Нины пискнул пейджер. Она посмотрела на экран.

— Получен анализ крови первого убитого, — сказала она. — Есть следы снотворного, типа рогипнола. Что означает наличие умысла.

— Да, — согласился я. — Но это вовсе не доказывает, что его собирались убивать. Стала бы женщина давать снотворное мужчине, к которому пришла на свидание?

— Нет, если рассчитывала заняться с ним сексом.

Я рассказал Нине об электронном письме от некоего Карла Унгера, заявлявшего, что он был знаком с Бобби и что ему нужно срочно со мной поговорить. Нина ненадолго задумалась.

— Позвони ему, — посоветовала она.

Я кивнул, и некоторое время мы сидели молча.

— Я кое-что проверила, — наконец сказала Нина. — За последние десять лет в этом округе не было ни одного убийства. Ни одного. А теперь — два трупа за неделю, рядом с одним и тем же маленьким городком.

— Похоже, они перешли дорогу кому-то очень серьезному.

— Угу.

Мы продолжали сидеть, допивая стынущий кофе, а за окнами постепенно становилось все светлее.

ГЛАВА 11

Тем временем человек, у которого уже не оставалось больше сомнений, что он направляется именно туда, куда нужно, все еще находился в пути.

Накануне вечером Джим Уэстлейк добрался до Питерсберга, места, которое было указано в инструкциях, полученных им в Ки-Уэсте. Поставив машину на автостоянке возле супермаркета «Пабликс» на окраине города, он вышел и прогуливался вокруг ровно до пяти часов. Затем нажал на телефоне кнопку с цифрой «1», запрограммированную на вызов определенного номера. Кому принадлежит этот номер, он не знал. Будь он моложе и технически грамотнее или сумей он найти такого и заплатить ему, возможно, он смог бы это выяснить. Впрочем, не вполне ясно, чем это могло бы помочь, так что он по этому поводу не особо беспокоился.

После третьего сигнала на звонок ответили.

— Это я, — сказал Джим. — Я на месте.

— Хорошо, хорошо, — ответил голос, похожий на голос старшего из двоих, которые приходили к нему в Ки-Уэсте.

Прозорливец. Ну конечно. Всегда он, и только он.

— И что теперь? Дашь мне адрес?

— Тебе придется найти его самому.

Джим мрачно усмехнулся:

— Ты бывал в Питерсберге? Это, конечно, не Нью-Йорк, но и не деревня. Если хочешь, чтобы все прошло как надо, говори по делу, а не болтай чушь.

— Ну что ж, — сказал голос. — Я слегка ввел тебя в заблуждение. Тебе придется еще немного проехать.

— И куда же?

Не колеблясь, голос в телефоне назвал другой город. Джим молчал.

— Джеймс, ты там?

— Да, — ответил Джим. — И пошел ты к черту.

— Примерно это я и ожидал услышать. Вот почему ты торчишь там, где сейчас, а не там, где ты должен быть.

Джим посмотрел на свою левую руку. Она слегка дрожала, и он сжал ее в кулак.

— Туда я не поеду, — сказал он.

— Поедешь, — ответил голос. — Тебе придется, и не только потому, что я так велел. Я знал, что если скажу тебе правду там, в Ки-Уэсте, то ты откажешься. И это было бы ошибкой, поскольку, если ты этого не сделаешь — тебе конец. Когда-то ты оставил после себя след, и как оказалось, его не так давно обнаружили. Тебе придется исправить свой промах, и пока ты будешь там, заодно поработаешь и на нас. Это очень важная работа, лично для меня, и ты просто обязан с ней справиться.

Джим бросил взгляд на другую сторону парковки. Супермаркет сверкал в лучах солнца. В двери входили и выходили целые семьи, толкая перед собой пустые или полные тележки. Добытчики еды. Охотники торговых рядов, собиратели низкокалорийной пищи в вакуумных упаковках.

— Ладно, — сказал он. — Но сейчас я хотел бы услышать от тебя правду.

— Жди там, где находишься, — ответил голос. — Дальнейшую информацию получишь позже. А потом — делай, что скажут. Это очень важно для меня, для нас, но ставка в этой игре — твоя жизнь, а не моя.

Телефон замолчал.

Джим несколько минут стоял возле фургона, пока не услышал раздавшийся из телефона странный звук. После короткой паузы звук повторился. Надпись предлагала нажать определенную кнопку, что он и сделал.

На экране появилось изображение женского лица. Нажав по запросу другую кнопку, он увидел еще одну маленькую фотографию другой женщины. Под каждой фотографией шел текст, один и тот же: «Убей их».

Затерянный во времени. Затерянный в числах. Затерянный в происходящем.

Джима вновь привел в себя громкий рев. Он понял, что неизвестно сколько времени простоял, прислонившись к фургону. Просто стоял посреди парковки, ничего не соображая и тупо глядя на мобильный телефон.

— Он меня стукнул, мама, он меня стукнул!

Джим повернул голову. Напротив возле багажника спортивного автомобиля стояли два маленьких мальчика лет семи, но уже довольно крепкие. Багажник был широко распахнут, словно пасть, полная пакетов с ярко раскрашенными упаковками, похожими на еду, которой вполне хватило бы небольшой африканской стране на целый месяц. Мальчишек оставили возле машины, пока их мать катила тележку обратно к находившейся в полусотне ярдов стойке.

Глупо. Действительно глупо.

Мальчик, которого ударили, отчаянно ревел, покраснев от натуги. Второй сосредоточенно наблюдал за ним, словно оценивая результат. Ты бьешь — он плачет. Как интересно.

Снова садясь в кабину фургона и включая двигатель, Джим подумал, что, с точки зрения постороннего, поведение ударившего кажется куда менее раздражающим, чем поведение пострадавшего, который продолжал реветь: «Он меня стукнул, он меня стукнул!» Да, конечно, первый мальчик — та еще сволочь, и да, он первым начал, и да, бить других плохо. Но почему-то именно к орущему мальчишке хочется подойти и самому как следует его стукнуть. Хочется наказать его за лицемерие, за то, что он пытается воспользоваться собственной слабостью, чтобы привлечь чужую силу. Главное его желание — чтобы пришел кто-то взрослый и надавал тумаков тому, кто его ударил. Он хочет, чтобы кто-то другой совершил насилие, не совершая его при этом сам, чтобы получить преимущество, не неся никакой ответственности за свои действия. Такой ребенок — из тех, кто, став взрослым, готов засудить соседа за то, что споткнулся у него на дорожке, после того как весь вечер ел хот-доги и пил пиво этого соседа.

Джим опустил стекло. Мать мальчишек была все еще в сорока ярдах от него, возвращаясь назад.

— Эй, парень, — позвал Джим.

Оба повернулись и уставились на него. Джим обратился к плачущему:

— Или ударь его в ответ, или заткнись, черт бы тебя побрал.

Мальчик заморгал, продолжая всхлипывать.

— Понял? Прекрати скулить.

Всхлипывания смолкли. Мальчик быстро кивнул. Лицо его побелело.

— Вот и хорошо. Продолжай в том же духе. Или я вернусь и доберусь до тебя.

Джим закрыл окно и выехал со стоянки, потом из города, а затем — на шоссе.

Он ехал всю ночь, прямо на запад, оставаясь в Виргинии, но держась второстепенных дорог, как только Питерсберг оказался позади. Он ехал к месту своего назначения. Теперь у него действительно не оставалось выбора.

Он ехал домой.

ЧАСТЬ ВТОРАЯ

МНОГИЕ

Место, где происходит событие, неминуемо оказывает на него влияние, благотворное или дурное.

Дэвид М. Смит.
Моральные аспекты места действия

ГЛАВА 12

Оз Тернер набрал в грудь воздуха и медленно выдохнул, шевеля губами, словно усталый конь. Было без пятнадцати одиннадцать утра понедельника, холодного и дождливого, как обычно в сентябре. Он терпеть не мог сентябри. Понедельники тоже — неделя только начинается, но, кажется, уже подходит к концу, да и на работе еще толком нечего делать. Спешить было совершенно некуда, и очередное утро могло смело считаться пропавшим впустую.

Сидя за столом у окна, он с завистью бросил взгляд на главную улицу Линкольна, по которой шла пара местных жителей, низко наклонив голову. Они скрылись внутри универмага «Джейнс», и улица снова опустела.

Добро пожаловать, скука, старая подруга.

Встав, он шаркающей походкой направился в маленькую кухню мимо двух пустых столов. В редакции редко бывало двое сотрудников одновременно, а присутствие всех троих означало, что началась война, прилетели инопланетяне или открылась окружная ярмарка.

Ожидая, пока закипит вода, Оз бросил в чашку четыре ложки кофе и три сахара. Последняя бывшая жена постоянно досаждала ему упреками, что он чересчур много пьет кофе, и он до сих пор радовался, что этой идиотской проблемы более не существует. Супруга и в самом деле была основательной занудой. В постели с ней, конечно, можно было неплохо развлечься, но теперь, когда она демонстрировала свои способности кому-то другому (и это продолжалось уже три года, причем в течение первого из них она все еще оставалась замужем за Озом), удовольствие от подобных воспоминаний оказывалось весьма сомнительным.

Оз давно решил, что все женщины делятся на покорных скромниц, которые всегда хранят тебе верность и от которых ты порой ходишь на сторону, и на дерзких соблазнительниц, первыми уходящих на сторону, причем быстро и далеко. Он пробовал иметь дело и с теми и с другими — собственно говоря, был в свое время женат на таких, — и в обоих случаях ничего хорошего не вышло. Он надеялся, что, возможно, существует и некий промежуточный вариант, но ему, пожалуй, уже слишком поздно что-то искать.

В течение пяти минут Тернер смотрел на свое отражение в чайнике — по крайней мере, он полагал, что это именно он, хотя борода и волосы выглядели однообразно седыми и чересчур густыми на средний вкус, — прежде чем понял, что вода закипела.

Вернувшись за стол, он некоторое время с неудовольствием смотрел на экран, держа чашку у живота. За утро к статье добавилось пятьсот новых слов, но ему они не нравились. Итак, башня в Ньюпорте, штат Род-Айленд, выглядела удивительно похожей на древнескандинавские постройки. И что с того? Тема давно уже устарела.

С точки зрения Оза, общество состояло из тупых и ограниченных личностей, не говоря уж о сильных мира сего. Именно таким являлось его отношение к жизни. Но при этом он был еще и профессионалом. Нельзя просто повторять одно и то же снова и снова. Даже если никто не читает его рубрику (что вполне вероятно) или просто просматривает ее, считая все это шуткой (а он был уверен, что некоторые действительно так считают), нужно было делать все как следует.

Иначе — какой во всем этом смысл?

Он выделил кусок текста и стер его. Следующие полчаса прошли без особых усилий.

———

Услышав на улице хлопок дверцы, Оз поднял взгляд.

На улице рядом с магазином «Джейнс» появился автомобиль. Он привлекал внимание тем, что был припаркован капотом вперед — чересчур сложный маневр для большинства местных жителей, к тому же машина была взята напрокат, большая и черная, с номерами Колорадо. Перед ней стоял человек выше среднего роста, широкоплечий, с очень коротко подстриженными темными волосами и суровым, не слишком чисто выбритым лицом. Он смотрел прямо на окна «Линкольнского вестника».

Потом повел глазами по сторонам вдоль улицы, и в его взгляде почувствовалось нечто профессиональное.

Оз наклонился вперед, заинтригованно наблюдая за незнакомцем, который чем-то напомнил ему Терминатора. Нет, он отнюдь не был столь широкоплеч или накачан, как Арни в те времена, не был он и затянут с головы до ног в черную кожу. Если бы кто-то такой появился в округе Уэбстер, штат Массачусетс, о нем сейчас уже говорили бы в новостях. Новости передавались из небольшой студии соседнего городка. Час в неделю. Тернер вел там передачу «О-Зона Оза» в мертвое время от полуночи до часа ночи, аудиторию которой составляла жалкая горстка страдающих бессонницей.

На самом деле незнакомец был худ и подтянут, и сходство заключалось лишь в том, как он стоял, не обращая внимания на дождь, будто ни погода, ни, вероятно, многое другое никоим образом его не касается.

«Что ж, можете считать меня Вудвордом, — подумал Оз, — или Бернстайном, но этот тип явно остановился здесь не для того, чтобы перевести дух».

Тернер повернулся, чтобы взять цифровой фотоаппарат. Потребовалось полминуты, чтобы найти его под грудой бумаг, но когда Оз вновь посмотрел в окно — на улице уже никого не было.

— Вот черт, — пробормотал он, быстро бросив взгляд направо и налево.

Видимо, в конце концов зашел в магазин купить сигарет или содовой. Обычный проезжий, каких много. Линкольн мог спать спокойно. Никакого повода для волнений.

И тут кто-то постучал в дверь.

Причем громко.

Оз повернулся в кресле, чувствуя, как по спине бегут мурашки. Этого не могло быть. По крайней мере, не должно было быть.

Снова раздался стук, три раза.

Оз медленно встал и отошел на несколько шагов назад, откуда хорошо видна дверь «Вестника». Верхняя ее половина была закрыта матовым стеклом.

Сквозь него виднелся размытый силуэт.

Оз подождал, не постучит ли незнакомец еще. Потом понял, что в офисе светлее, чем на лестнице, и если он видит кого-то за дверью, тот наверняка может видеть и его самого. Нет никакого смысла стучать, если знаешь, что тебя уже услышали.

Оз расправил плечи — что почти ничего не меняло, но позволяло ему чувствовать себя более уверенно, — подошел к двери и открыл ее.

На пороге стоял человек с улицы.

По его длинному плащу стекали капли дождя. Он стоял, слегка расставив ноги, почти не шевелясь, но отчего-то казалось, что он готов мгновенно сорваться с места. Незнакомец посмотрел на Оза пронизывающим взглядом зеленых глаз.

— Вы Освальд К. Тернер?

— Как вы сюда попали?

— Вошел в дверь и поднялся по лестнице.

— Просто открыли входную дверь, да?

— Именно так.

— Нет. Она заперта, уважаемый.

— Я не заметил.

— Не... ладно. Как пожелаете.

Данный факт не относился к числу тех, которым Оз готов был придавать хоть какое-то значение. Чем дольше он стоял перед незнакомцем, тем больше был уверен, что это полицейский. Или солдат. Или самый настоящий человек в черном. Кто-то весьма серьезный, это уж наверняка.

— Я могу войти?

Оз подумал, что тот удивительно вежлив, учитывая, что незнакомец производил впечатление человека, который мог войти везде, где только захотел бы.

— Смотря что вам на самом деле нужно, — осторожно ответил он.

Незнакомец достал из кармана листок бумаги и показал его Озу. Это была страница из «Вестника» трехнедельной давности. Статья была подписана Освальдом К. Тернером и называлась «Когда к этому отнесутся серьезно?».

— Я бы хотел поговорить с вами на эту тему, — сказал он. — Я хочу, чтобы вы показали мне то место.

— Прямо сейчас? Идет дождь.

— Я знаю.

— Моя машина в ремонте, — упорствовал Оз.

— Зато моя — нет.

— Там нужно довольно далеко идти пешком, даже когда доберешься. Вверх по склону. И там частные владения, а хозяин меня, мягко говоря, недолюбливает.

Незнакомец ничего не ответил, лишь слегка наклонил голову, продолжая смотреть на него. Оз понял. Им придется поехать туда, поехать прямо сейчас, поехать, даже если начнется наводнение, или снегопад, или с неба посыплются коровы.

— Вы... от кого-то или как?

— Я? — Человек улыбнулся с таким видом, будто делать это ему приходилось крайне редко. — Нет. Я просто очень люблю читать.

— А имя у вас есть?

Незнакомец несколько мгновений холодно смотрел на него, словно принимая решение.

— Меня зовут Джон Зандт.

Зандт вел машину молча, лишь изредка спрашивая, в какую сторону ехать. Оз тоже молчал, упражняясь в наблюдательности. На заднем сиденье были разбросаны карты и книги. Счетчик общего пробега показывал шесть с половиной тысяч миль, текущего — шесть тысяч двести. Возможно, в прокатной конторе просто забыли сбросить счетчик, передавая автомобиль Зандту или кому-то из предыдущих клиентов, но Оз в этом сомневался. В салоне слегка пахло сигаретным дымом, но во всем остальном машина была новенькой. Оз подумал, что Зандт, вероятно, путешествует уже довольно долго или же достаточно быстро ездит, а может быть, и то и другое вместе.

Тернер направил его по шоссе номер 112, а затем направо, на 51С, или дорогу у старого пруда, как ее называли. Не вполне понятно почему — дорога действительно огибала справа озерцо, но вокруг хватало водоемов, и неясно, почему именно этот был сочтен достойным упоминания. Оз заметил, что Зандт бросил взгляд на пруд, проезжая мимо, и предположил, что тот думает о том же самом. Он понятия не имел, что на самом деле Зандт заметил сходство между этим прудом и небольшим озером в Вермонте, возле которого стоял чуть больше года назад, и теперь пытался вспомнить свою тогдашнюю жизнь, но никак не мог.

Еще через пятнадцать миль Оз снова показал направо, и они свернули на неровную однополосную дорогу вокруг национального парка «Робертсон». Огромная территория почти в тысячу акров. Холмы и деревья. Деревья и холмы. Люди сюда заходили лишь изредка.

В конце дороги виднелись ворота.

— Здесь придется остановиться, — сказал Оз. — А дальше — идти пешком, как я и говорил. Несколько миль.

Зандт кивнул, выключил двигатель и, выйдя из машины, жестом предложил Озу последовать его примеру. Запер дверцу и подождал, пока Тернер пойдет впереди.

Через несколько сотен ярдов Оз начал нервничать, понимая, что они приближаются к воротам Фрэнка Притчарда. Ферма Притчарда с трех сторон примыкала к парку. Попасть туда, куда они направлялись, было намного проще, если пересечь владения Фрэнка, нырнуть в лес, а в конце снова выйти на частную территорию. Проблема заключалась в самом Фрэнке, которого местное историческое наследие не слишком волновало. В последний раз, увидев пробирающегося через его владения Оза, он не оставляющим сомнений тоном пригрозил уничтожить эту проклятую штуку, недвусмысленно покачивая ружьем.

Беспрепятственно свернув с дороги, они углубились в лес, где Тернер вскоре перестал чувствовать себя ведущим. Ему время от времени приходилось показывать направление, но его спутник шагал в полтора раза быстрее, преодолевая возвышенности и ручьи так, словно это была ровная местность, в то время как Оз давно успел вспотеть и запыхаться.

— Погодите немного, — тяжело дыша, сказал он в спину Зандту. — Лишние двадцать минут ничего не изменят.

Зандт остановился, обернулся, посмотрел на Оза и слегка замедлил шаг.

Они двигались примерно на северо-восток, в сторону холмов.

— Вот черт, — сказал какое-то время спустя Оз, показывая вперед. — Этот подонок починил изгородь.

Он немного постоял, наклонившись вперед и упираясь ладонями в колени. Отчасти он даже ощущал некоторое облегчение. То место, куда они направлялись, теперь находилось по другую сторону новой изгороди из колючей проволоки, высотой в восемь футов. Это означало, что дальше они пройти не смогут. Игра окончена. Приятно было с вами познакомиться, мистер чудак.

Зандт подошел к преграде, окинул ее взглядом, затем достал из кармана плаща небольшой инструмент. Меньше чем за минуту он прорезал в изгороди пятифутовую вертикальную щель.

— Здорово, — пробормотал Оз, но тот уже пролезал сквозь изгородь.

Тернер последовал за ним. Что ему еще оставалось?

После того как они снова оказались на земле Притчарда, до цели оставалось уже недалеко. Ярдов триста вдоль гребня, потом крутой поворот налево и через небольшой холм. Склон с другой стороны был довольно крутым, и спускаться приходилось осторожно. Снова оказавшись на ровной земле, они увидели ярдах в шести впереди другую похожую возвышенность. Вокруг росли деревья и спутанные кусты. Оз повел Зандта в правую сторону от холма, а затем остановился.

— Ну вот, — с некоторой гордостью произнес он. — Вот он, ваш погреб.

Он хотел сказать что-то еще, но Зандт поднял руку, и Оз замолчал. Зандт подошел ближе. На первый взгляд здесь не было чего-то необычного и легко было просто пройти мимо, ничего не заметив, как делали многие в течение долгих лет.

Среди корней и беспорядочно разбросанных каменных обломков в склоне холма скрывалось небольшое прямоугольное углубление с земляным полом. Слегка наклонные стены были сложены из камней примерно три фута высотой и один шириной на расстоянии в два с небольшим фута друг от друга. Поперек лежал плоский камень, образуя перемычку. Выше была земля.

Зандт присел и заглянул в углубление, проведя пальцами по сочленениям между камнями. Потом встал, окинул взглядом холм и, достав из кармана фотоаппарат, сделал несколько снимков, после чего немного прошел вдоль подножия холма, оценивая расположение «двери» относительно склона.

Затем, не отводя взгляда от таинственной находки, вернулся к тому месту, где его ждал Оз.

— Ну что ж, — сказал он. — А теперь рассказывайте.

В 1869 году житель усадьбы в окрестностях Линкольна — в то время небольшой и ничем не примечательной деревушки — собирал хворост в лесу, когда вдруг наткнулся на нечто странное, а именно на каменное сооружение, напоминавшее очень маленькую дверь. На следующий день вместе с сыном они расчистили кусты и убрали несколько больших камней, которые, похоже, перекрывали вход в находившийся за дверью туннель.

Сына послали внутрь со свечой, и он обнаружил, что туннель уходит вглубь холма примерно на восемь футов, после чего расширяется в просторное куполообразное помещение диаметром и высотой в три с небольшим метра. В тот же вечер сын, хорошо умевший рисовать, изобразил увиденное.

На следующий день отец отправился туда сам, с некоторым трудом преодолев узкий туннель. Он пробыл внутри сорок минут, а когда появился снова, сообщил сыну, что вход следует снова заложить камнями, по его словам, для того, чтобы туда случайно не попали дети или скотина, хотя ни тех ни других в этой местности не наблюдалось. Кроме того, он настоял, чтобы об их находке никто больше не узнал. Сын описал случившееся в личном дневнике, который был обнаружен сто с лишним лет спустя в архивах небольшого музея Линкольна вместе с рисунком.

Местная диковинка, ничего больше. Вероятнее всего, заброшенный погреб, построенный в давние голодные годы для хранения овощей.

Однако 1 февраля 1876 года «Бостонский журнал» сообщил об обнаружении другой подземной камеры к югу от Детхэма. В течение последующих пяти десятилетий сотни подобных камер были найдены по всей Новой Англии —

в Массачусетсе, Вермонте, Нью-Гемпшире и Коннектикуте. Как правило, но не всегда, они располагались на склонах холмов и имели две разновидности: простые закрытые ходы, часто с использованием естественных трещин в камнях; и более сложные, напоминавшие ульи сооружения, подобно камере возле Линкольна, с выложенными камнем стенами и куполообразным потолком. И те и другие были обычно засыпаны снаружи и внутри землей, сливаясь со склоном или гребнем.

Потребовалось не так уж много времени, чтобы некоторые заметили сходство этих сооружений с каменными камерами, существовавшими в Европе задолго до открытия Америки. Однако большинство археологов однозначно утверждали, что это всего лишь погреба, построенные первыми колонистами-поселенцами, позже перебравшимися в другие места или умершими. Некоторые пещеры (к примеру, в самом Детхэме) снова затерялись, и о необычном феномене вскоре забыли.

Однако в 1960-х годах энтузиасты-любители вновь начали обнаруживать таинственные камеры, и этой темой снова пришлось заняться профессионалам, которые привели в свою поддержку множество утомительных аргументов, включавших в себя и отсутствие в данной местности каких-либо артефактов доколумбовой эпохи, и то обстоятельство, что распределение найденных сооружений в основном соответствует расположению известных колониальных поселений в Новой Англии и что исторические сведения подтверждают существование каменных погребов. А теперь оставьте профессионалов в покое и дайте им заниматься своим делом.

Однако любители в ответ замечали, что ориентация некоторых камер каким-то образом связана с астрономией. Например, в одной из пещер, на территории поселения Гангивамп в Коннектикуте, имелся туннель, удивительно похожий на точно такой же внутри доисторического мегалита Нью-Грейндж в Ирландии.

Случайность, ответили археологи.

Однако радиоуглеродный анализ образцов из камеры в округе Уиндхэм, штат Вермонт, относит ее примерно к 1405 году, утверждали любители.

Радиоуглеродная датировка крайне неточна, насмехались над ними археологи.

За исключением тех случаев, когда она подтверждает ваши собственные слова, возражали любители. И даже если большинство этих камер — действительно всего лишь погреба, то некоторые из них чересчур велики для подобной цели, продолжали настаивать энтузиасты, уже начиная не на шутку раздражаться.

Не важно, отвечали археологи, заткнув пальцами уши, идите прочь.

— Что-то мне подсказывает, что вы все это уже знаете, — пробормотал Оз, заканчивая свой рассказ. — Для начала как минимум половину можно было прочитать в той статье в «Вестнике».

Ему стало не по себе под пристальным взглядом Зандта, и впервые в жизни ему по-настоящему захотелось замолчать. Все слышали поговорку о том, что взгляд ветерана Вьетнама пронзает на тысячу ярдов. Взгляд же этого человека, похоже, проникал на расстояние, вдесятеро большее, — ощущение не из приятных, особенно если учесть, что он вонзался прямо в мозг.

— Что там внутри?

Оз рассмеялся:

— Ну да, как же. Думаете, я там был?

— Насколько мне известно, вы писали об этом месте трижды. И ни разу не побывали внутри?

— Посмотрите на вход, — сказал Оз. — Один из вопросов, который возникает каждый раз, — почему вход обычно слишком мал для того, чтобы туда легко можно было проникнуть. А теперь посмотрите на меня. Как у вас с глазомером? Вам кажется, я туда пролезу? Даже если бы там не было чертовой кучи камней?

Несколько мгновений стояла тишина, а потом Озу оставалось лишь хмуро наблюдать, как Зандт снимает плащ.

Прошло около получаса. К тому времени, когда Зандту пришлось наполовину влезть в дыру, чтобы вытащить из нее очередной камень, дождь почти прошел, превратившись в туманную дымку. Оз делал то, что было ему сказано: брал глыбы и складывал их в аккуратную кучку в стороне. Потом отдававшийся эхом звук дыхания Зандта слегка изменился, и Джон медленно выбрался наружу, таща с собой валун намного более крупный и плоский, чем остальные.

— Путь открыт, — сказал он, глядя на Оза.

— Знаете, не то чтобы мне не хотелось туда лезть... — начал Оз.

На самом деле сейчас, когда путь был свободен, некоторое желание у него все-таки было.

— Но я уже староват для таких дел, слишком неповоротлив и страдаю клаустрофобией. Полтора года назад я забирался в одну из таких дыр в Вермонте, и хотя вход туда был намного шире, мне все равно казалось, будто меня похоронили заживо.

Зандт слегка улыбнулся, но это была не насмешка, а скорее удовлетворение оттого, что услышанное весьма близко к истине.

А потом он скрылся в дыре, откуда сперва торчали наружу лишь ноги, а вскоре исчезли и они.

Оз сел на груду камней и стал ждать.

Через десять минут он наклонился и заглянул в туннель. В нескольких ярдах впереди мелькнул яркий свет мощного фонаря. Зандт явно подготовился, в этом не было никаких сомнений.

Оз опять сел на камни. Дождь пошел снова. Тернер пожалел, что не может сейчас выпить кофе, но все же он испытывал необычное возбуждение. Всего лишь несколько часов назад он сидел за столом, обычным утром обычного понедельника, искренне желая, чтобы хоть что-нибудь произошло. Ну что ж, кое-что действительно произошло. Он уже бывал в этом месте раз пятнадцать или двадцать за многие годы и не раз сидел там же, где и сейчас, думая о том, для чего могло быть предназначено это сооружение. А теперь кто-то находился там, внутри, и вполне мог это выяснить.

Еще через пятнадцать минут Тернер услышал, что Зандт возвращается. Он появился, держа в руках несколько маленьких пластиковых пакетов. В каждом что-то лежало, но Оз не мог разглядеть, что именно. Джон поднялся на ноги, стряхнул с себя большую часть грязи и, подобрав плащ, разложил пакеты по карманам.

— Что там? Что вы видели? Похоже на рисунок?

— Рисунок очень хороший.

— Так что вы...

Внезапно послышались громкий щелчок и чей-то крик. Повернувшись, Оз увидел Фрэнка Притчарда, который быстро шагал к ним с ружьем в руках.

— Вот черт. Плохо дело, — сказал Оз. — Его-то как раз сейчас меньше всего хотелось бы видеть.

Зандт наблюдал за приближающимся фермером, вытирая грязь с ладоней. Вскоре можно было разобрать, что именно кричит Притчард. Как обычно, он был слегка пьян и решительно настроен против того, чтобы какие-то чертовы ублюдки шатались по его земле, когда им вздумается. У него есть ружье, и, черт побери, сейчас он им точно воспользуется, и никакой гребаный суд его не обвинит.

Он остановился и направил на них ружье.

— Послушай, — испуганно сказал Оз. — Фрэнк...

Притчард яростно водил стволом из стороны в сторону. Если бы он сейчас нажал на спуск, то наверняка снес бы кому-то из них голову.

— Мы заняты, — спокойно проговорил Зандт.

Старик заткнулся, словно захлопнувшаяся раковина. Мгновение спустя Оз понял, что Зандт тоже держит в руке оружие — пистолет, появившийся словно из ниоткуда и направленный Притчарду прямо в голову. И рука Зандта отнюдь не дрожала.

— Как я понимаю, мы ступили на вашу территорию, — негромко продолжал Зандт. — И этот факт вас весьма огорчает. Но сейчас вы уйдете и оставите нас в покое. А если вы снова увидите здесь мистера Тернера, то просто отвернетесь и пройдете мимо. Устроит вас такой вариант?

— Это моя земля, — удивительно четко произнес Притчард.

— Мы знаем. Мы не причиним ей никакого вреда.

Старик, похоже, слегка обмяк, а потом внезапно повернулся и пошел прочь. Пройдя несколько ярдов, он обернулся.

— Это очень нехорошее место, — сказал он. — Послушайте меня.

— Да, — ответил Зандт. — Мы знаем.

Притчард выругался себе под нос и ушел.

Пока Оз смотрел ему вслед, Зандт наклонился к куче камней и начал переносить их обратно к входу в туннель.

Через десять минут никто уже не смог бы снова туда забраться. На этот раз большой плоский валун лег последним. Увидев, что он преграждает вход, можно было решить, что так и было задумано.

Джон встал.

— Никогда и нигде не упоминайте, где в точности расположено это место, понятно? Ни в газете, ни на вашем сайте, ни в этой дурацкой радиопередаче.

— Но почему? Теперь, когда вы там побывали...

Оз быстро умолк, увидев взгляд Зандта.

— Ладно, — сказал он.

Джон достал из кармана фотоаппарат и протянул ему.

— Здесь пятнадцать снимков того, что внутри. Остальное — материалы подобного рода, включая внутренность камеры в Детхэме.

— Что? Не может быть. Ее следы были потеряны...

— Я снова ее нашел. Выложите фотографии себе на сайт, чтобы я мог получить их, если потребуется.

— Но... зачем вы это делаете?

— Люди должны знать. Но сюда вы пришли один, и внутрь лазали тоже один. Ясно?

— Да я уже сейчас начинаю забывать о вашем существовании. Буду этому только рад, можете мне поверить.

Зандт улыбнулся, и на этот раз его улыбка выглядела почти настоящей. Потом он повернулся и пошел прочь.

Когда Тернер снова добрался до ворот, черного автомобиля уже не было и дождь начал заполнять следы его колес. К счастью, всего лишь через пять минут после того, как Оз выбрался на дорогу у старого пруда, по ней проехала другая машина.

К несчастью, в ней сидела его бывшая жена.

ГЛАВА 13

Утром события начали стремительно развиваться. Около восьми нас разбудил Рейдел, сообщив, что местный полицейский выяснил кое-что по поводу Ларри Уидмара. Его видели разговаривавшим с женщиной в баре у дороги в Оуэнсвилл в тот вечер, когда он исчез. Нина уточнила подробности и договорилась встретиться с ним там через сорок минут.

Пока она принимала душ, я позвонил по номеру, который оставил в своем письме Унгер, после того как проверил в одном из темных уголков Интернета, что номер зарегистрирован на имя К. Унгера без указания адреса. Что ж, учитывая его предполагаемое место службы, в этом не было ничего удивительного. Мне не слишком хотелось звонить с собственного телефона, но выбор был невелик. Звонок из номера, вестибюля или телефонной будки определил бы мое местонахождение еще точнее, чем отслеживание звонка по сотовому. Разве что позаимствовать телефон у кого-нибудь постороннего, с его согласия или без, но при этом я лишь переложил бы возможные последствия на плечи ни в чем не повинного прохожего — что не соответствовало даже моим, основательно потрепанным, моральным принципам.

В конце концов я просто позвонил ему. Но он не ответил. Включился автоответчик, сообщив, что я звоню по номеру Карла Унгера и могу оставить сообщение. Голос был незнакомым, но это меня вовсе не удивило. Я сказал, кто я и что он может мне перезвонить.

Потом мы вышли из отеля, сели в мою взятую напрокат машину и поехали в бар.

Рейдел был уже там. Он стоял рядом с какой-то женщиной посреди холодной, пустой, окутанной туманом автостоянки. Бар находился возле дороги примерно в полумиле от города и представлял собой плоское продолговатое сооружение, слегка напоминавшее лодку, — хотя ближайший океан находился в сутках езды отсюда. Бар назывался «Мэйфлауэр».

Рейдел представил женщину, сказав, что ее зовут Хейзел, и объяснил, что они ждут на стоянке, поскольку управляющий еще не приехал и заведение закрыто.

— Итак, Хейзел, — сказала Нина, показывая свое удостоверение, — не могли бы вы рассказать мне то же самое, что уже рассказывали этому детективу?

Женщина выглядела лет на тридцать с небольшим, у нее был вид заядлой курильщицы, а взгляд, казалось, мог обратить собеседника в камень. Голос ее звучал так, словно им можно было обрабатывать неровные поверхности. Создавалось впечатление, что ее невозмутимости хватает лишь на несколько минут.

— Тот тип на фотографии, что мне показывали, — он тут бывает иногда, но не часто. Да, в среду вечером он здесь был, довольно поздно, и я помню, что именно в среду, потому что мне полагался выходной, но Гретхен не явилась, ничего не сказав, уже не в первый раз, но как же — она ведь с Ллойдом трахается, а значит, для него дороже золота.

— Ллойд — это управляющий, — пояснил Рейдел. — С ним мы еще не говорили. Его не было здесь ни вчера, ни в среду.

— Угу, точно, — кивнула Хейзел. — Слишком занят был своей шлюшкой. Знаете, а ведь он женат. Трое детей. И чертовски симпатичных.

— Так что там насчет среды? — напомнила Нина.

Хейзел пожала плечами:

— Я с ним не разговаривала, и вообще я его толком не знаю, а копу я только сказала, что он тут был и я видела, как он беседовал с какой-то цыпочкой с короткой стрижкой, которая тут иногда бывает и пьет одну водку. Мне лично всегда казалось, что она из розовых, но кто ее, черт возьми, знает?

— Вы можете подробнее описать эту женщину?

— Вашего роста, фунтов на сорок тяжелее, рожа такая, что целоваться с ней мне бы не хотелось.

— Как вы думаете, кто-то другой из персонала может знать, кто она?

— Может быть, Донна. Но ее не будет до четверга.

Мы повернулись, услышав шум подъезжающего автомобиля. Красный грузовик остановился прямо напротив здания.

— Или вот он, — добавила Хейзел, еще плотнее складывая руки на груди. — Если, конечно, сегодня у него мозги на месте.

Из грузовика вышел человек лет пятидесяти, худой, с сединой на макушке. Он явно пытался выглядеть черно-бурым лисом, но куда больше походил на седеющего хорька с рыжим оттенком.

— Что тут происходит?

— Полиция, — сказал Рейдел. — Мы здесь по поводу одного из ваших клиентов по имени Лоренс Уидмар.

Ллойд немедленно насторожился:

— Того самого, которого убили?

Хейзел уставилась на него:

— Убили?

— Да, — кивнула Нина. — Это тот самый, которого нашли в Рейнорском лесу. Разве полицейский вам не сказал?

— Нет. Он просто спросил, не знаком ли мне... Я не знала... — Она достала пачку сигарет и начала шарить в поисках зажигалки. Я протянул ей огонь. — Господи, спасибо.

— Я бы не назвал его завсегдатаем, — сказал управляющий, явно стараясь дистанцироваться от происходящего. — Он бывал здесь раз, может быть, два в месяц. Много не пил, обычно просто сидел в кабинке и читал книгу. Иногда с кем-нибудь разговаривал.

— С женщинами?

— Угу.

— Хейзел говорит, что он с кем-то беседовал в среду.

Ллойд посмотрел на Хейзел.

— Вы ее знаете, — сказала она. — Толстомордая, с короткими волосами. Мне почему-то казалось, что она лесбиянка.

— Она действительно лесбиянка, Хейзел. Я тебе об этом говорил. Это Диана Лоутон. Он с ней разговаривал?

— Совершенно верно.

— Значит, зря терял время, — сказал управляющий, явно сбитый с толку. — Видать, некоторые мужики и в самом деле тупые.

Хейзел посмотрела на него так, что от взгляда могла бы оплавиться краска.

— У вас есть в баре телефонная книга, сэр? — спросила Нина.

Управляющий направился к двери, Нина и Рейдел за ним. Я остался ждать их на парковке вместе с официанткой.

Она приняла мое предложение выкурить еще сигарету, явно не торопясь внутрь.

— Думаете, это кто-то из Торнтона?

— Или рядом. Эта женщина, Лоутон... как по-вашему, могла она это сделать?

Она нахмурилась, удивленная моим вопросом:

— Ну... нет, конечно нет. Хотя на самом деле я ничего не знаю об убийцах. В них ведь есть... что-то такое. Вы это тоже чувствуете?

— Не совсем, — ответил я.

— Но все-таки? Вы знакомы с убийцами?

— Кое с кем — да.

— И какие они?

— Такие же, как вы или я. Но они убивают людей.

— Но... как они могут?

— Вот так, — ответил я. — Так уж получается.

— В свое время у меня был приятель, — помолчав, сказала она. — И мне казалось, что однажды он может кого-то убить. Просто было в нем что-то такое, во внешности или во взгляде, не знаю. Но насколько мне известно, он никогда никому не причинил вреда. В конце концов мы разошлись, а однажды ночью он пришел ко мне и уселся у меня во дворе. Не кричал, ничего, просто сидел. Я думала, что это окажется та самая ночь, но потом он просто ушел.

— И что случилось потом?

— Ничего. Я больше его не видела. Пару лет спустя он погиб в автокатастрофе. — Она пожала плечами. — Не знаю, зачем я вам об этом рассказываю.

Из бара снова вышли Нина и Рейдел. Нина на секунду остановилась рядом с Хейзел и поблагодарила ее за потраченное время.

— Буду весьма признательна, если вы не станете никому больше об этом говорить, — сказала она. — На данном этапе все, чего мы хотим, — исключить мисс Лоутон из числа подозреваемых.

— Как пожелаете, — ответила Хейзел, растаптывая окурок. — Спасибо за сигарету, — добавила она, обращаясь ко мне, и направилась к бару.

— Что, уже подружились? — спросила Нина.

— Ты же меня знаешь, — ответил я. — Порой мне тяжело удержаться.

Диана Лоутон жила в небольшом доме примерно в миле от «Мэйфлауэра», уже в самом Торнтоне. Когда мы туда добрались, было двадцать минут десятого, но, судя по стоявшему на дорожке малолитражному автомобилю, она была еще дома. Это подтверждала и доносившаяся из открытого окна кухни музыка — легкая, в стиле барокко, в которую изящно вплеталась мелодия гобоя. Вероятнее всего, Бах, и, скорее всего, уже этого хватало, чтобы соседи поглядывали на нее искоса. Во дворах соседних домов были разбросаны детские игрушки.

Нина постучала, и ей почти сразу же открыла женщина, вполне соответствовавшая данному нам описанию.

— Мисс Лоутон?

Женщина посмотрела на нас и кивнула.

Ей было около тридцати. От внимательного взгляда не могли укрыться синяки под глазами и привычно опущенные уголки губ.

— Да, — ответила она. — А вы?

Нина показала свое удостоверение.

— Вы не возражаете, если мы войдем?

— Я собираюсь на работу.

— Это должно занять не более пяти минут.

— Должно?

Нина пристально посмотрела на нее:

— Мэм, как написано в удостоверении, я из ФБР. И дерзкие ответы мы терпим лишь в телесериалах, для большего драматического эффекта. Но не в реальной жизни.

Лоутон отошла в сторону, пропуская нас.

Кухня выглядела вполне уютно. Стены увешаны макраме, а горшки, стоящие на полках, казалось, были изготовлены либо энтузиастом-любителем, либо в порядке трудотерапии в заведении с высокими стенами.

Взяв со стола пульт, хозяйка выключила музыку.

— Так в чем дело?

Нина показала ей фотографию:

— Вы узнаете этого человека?

Лоутон натянуто улыбнулась:

— Его зовут Ларри. Меня вовсе не удивит, если он женат.

— Был. Но теперь он мертв.

Мисс Лоутон уставилась на нее:

— В самом деле?

— Вы ничего не слышали о трупе, найденном в Рейнорском лесу?

— Нет. Меня все выходные не было в городе. Что случилось?

— Именно это мы и пытаемся выяснить, — вступил в разговор Рейдел. — Кое-кто из «Мэйфлауэра» утверждает, что вы разговаривали с ним в среду вечером.

— Здешний народ и впрямь проявляет живой интерес к чужим делам. Да, правда, мы немного поговорили. Он подошел и сел рядом со мной.

— Вы ушли вместе?

— Нет.

— Из-за, так сказать... несовместимости?

Мисс Лоутон вздохнула:

— Я работаю в женском приюте в Драйфорде, детектив, лишь потому, что женщины порой нуждаются в убежище. Я не местная, и я ношу короткую стрижку, потому что терпеть не могу, когда волосы падают на глаза, а еще потому, что мне это просто нравится. Возможно, я и делаю что-то не так, но я вовсе не лесбиянка. Вас это устраивает?

— Это никоим образом нас не касается, — сказала Нина, яростно глядя на Рейдела, — и лично я не стала бы вас ни в чем винить, даже если бы было иначе.

— Я не ушла из бара вместе с ним, потому что не в моем обычае знакомства на одну ночь. Будь по-другому, я бы не раз выходила оттуда под руку с мужчинами и люди прекрасно бы знали, в чем заключаются мои интересы. А ко всему прочему, он оказался порядочной сволочью.

— В каком смысле?

— Он подошел ко мне, купил мне выпить, а потом все остальное время смотрел через мое плечо на кого-то другого. Наконец он сказал, что приятно провел время, все так же не глядя на меня, а потом просто встал и пошел к ней.

Представляете? Довольно грустная история, вам не кажется? Мужчина заговаривает с женщиной, а потом считает ее полной тупицей и запросто меняет на другую?

— Это была бы грустная история, — сказал я, — если бы на самом деле все это не означало совсем иное. Женатые мужчины, таскающиеся по барам, не ищут общества приятных собеседниц. Он просто заметил более легкую цель, вот и все. Так или иначе, закончилось это для него весьма печально, так что, можно считать, вы выиграли.

Она моргнула, глядя на меня.

— Как выглядела та другая женщина? — спросила Нина.

— У нее были длинные волосы, — пробормотала Лоутон, словно это могло объяснить все мерзости этого мира. — Стройная, красивая, с длинными волосами, ярко-рыжая. Настоящий огненный шар.

Рейдел оторвался от блокнота:

— Прошу прощения?

— К тому же еще и пьяная, — добавила Лоутон, не пытаясь скрыть неприязнь. — Так что, возможно, вы правы. Подозреваю, что с ней ему было бы намного проще. Как два пальца.

— Мэм, — решительно вмешался Рейдел, — вы сказали, что у нее были рыжие волосы?

— Да.

— Вы не знаете, как ее зовут?

— Нет. Но я уже видела ее там раньше. Несколько раз. Обычно она сидит где-нибудь сзади и напивается весь вечер.

— Возраст?

Женщина пожала плечами:

— Не знаю. Лет двадцать пять?

— Вы видели, как она уходила в среду вечером?

— Да, конечно, — ответила Лоутон, словно считая нас всех невероятными тупицами. — Она ушла вместе с очередным любовником. Полагаю, именно это вы имели в виду?

На мгновение воцарилась тишина, а затем Рейдел быстро вышел из дома.

Нина наскоро попрощалась и поспешила за ним. Я — следом. Рейдел уже стоял возле машины, разговаривая по телефону.

— Что такое? — спросил я.

Вид у Нины был очень сосредоточенный.

— Будь так добр, — попросила она. — Вернись в бар и узнай, не помнит ли та официантка кого-то похожего на эту женщину, в тот вечер или в любой другой. Как только выяснишь — позвони мне.

— Рейдел о чем-то догадывается?

— Нет, — ответила она. — По крайней мере, надеюсь, что нет. Но если я быстро не решу этот вопрос, то пойдут слухи и чья-то жизнь может превратиться в кошмар.

Рейдел закрыл свой телефон.

— Я звонил Монро, — сказал он. — Он нас там встретит.

Потом они сели в машину Рейдела и укатили.

Я поехал назад в бар и вошел в его холодное и темное нутро, украшенное сетками, вероятно исходя из предположения, что «Мэйфлауэр» играл ключевую роль в американской рыболовной промышленности. Зал был длинным и узким, что очень удобно для тех, кто хочет выпить, не привлекая внимания общественности.

Хейзел бесцельно убирала бар или, по крайней мере, размазывала грязь по полу.

— Здравствуйте еще раз, — сказала она. — Если вы ищете Ллойда, то он разговаривает по телефону в задней комнате. Надо полагать, по вопросам национальной безопасности.

— Собственно, я хотел кое о чем спросить вас.

— Спрашивайте.

— Если я скажу: «Стройная, красивая, рыжая» — это вызовет у вас какие-то ассоциации?

Она кивнула:

— Конечно. У нас бывает одна такая.

— Приятная личность?

— Не очень. Скорее из тех, кто никого не замечает вокруг.

— Она была здесь в прошлую среду?

Хейзел на мгновение задумалась.

— Возможно. Да, кажется, была. Хотя уже ближе к закрытию. Я тогда еще задержалась. Впрочем, на сто процентов уверена быть не могу.

— Вы, случайно, не знаете, как ее зовут?

— Боюсь, что нет. Иногда можно подслушать, как люди называют друг друга по имени, типа «привет, меня зовут Билл», и все такое, словно это как-то меняет тот факт, что они пьют в одиночку, но тем, кто действительно хочет общения, лучше пойти в какой-нибудь бар в городе.

— А этот ваш придурок может знать?

Она улыбнулась:

— Может. Порой он не прочь приударить за кем-нибудь, особенно если она симпатичная. И они отвечают ему взаимностью. Так что пойдите спросите.

Пройдя по коридору, я нашел открытую дверь, за которой располагался небольшой кабинет. Управляющий сидел в кресле, закинув ноги на стол, и разговаривал с кем-то по телефону, то и дело неприятно ухмыляясь. Увидев меня, он нахмурился и прикрыл трубку рукой.

— Что вам еще нужно?

— Ваша клиентка. Рыжая, симпатичная. Имя?

Он назвал мне пару вариантов, выразив сомнение в ее сексуальных предпочтениях, а потом заявил, что он занят, и что бар еще закрыт, и вообще было бы неплохо, если бы я оставил его в покое.

— С удовольствием, — ответил я. — Кстати, женщинам вовсе не обязательно быть лесбиянками, чтобы сказать вам «нет». А если даже и так, то они заслуживают вашего уважения.

Он уставился на меня так, словно я неожиданно заговорил на суахили с жутким акцентом.

— Впрочем, не важно, — сказал я. — Всего доброго.

Вернувшись на парковку, я позвонил Нине.

— И?.. — спросила она.

— Постоянная клиентка, которая держится обычно в тени. Хейзел точно не уверена, была ли она в баре в среду вечером.

— Ты узнал, как ее зовут? — В голосе Нины чувствовалось напряжение.

— Только имя, и то управляющий его точно не знает, — доложил я. — Судя по всему, он пытался раз или два ее округлить, но ничего у него не вышло.

— И как же ее имя, Уорд?

— Он считает, что то ли Джули, то ли Джулия.

В трубке молчали.

— Нина? Учти, что этот тип — полный идиот.

— Я позвоню тебе позже, — сказала она и отключилась.

В течение следующих четырех часов я оставался в полном неведении. Припарковавшись в исторической части города, я пытался убить время за завтраком и несколькими чашками кофе. В местной газете уже появилась заметка о Ларри Уидмаре, где приукрашивались подробности того, в каком состоянии обнаружили его тело, и превозносились его достижения как местного бизнесмена. Для того чтобы туда попало хоть что-то о трупе, обнаруженном накануне, было еще слишком рано. Слишком рано и... может быть, кое-что еще.

Две женщины, с которыми мы беседовали этим утром, понятия не имели, кто именно был найден голым в местном лесу день назад. Ладно, Диана Лоутон не особо интересовалась жизнью города — но те, кто работает в барах, обычно хорошо осведомлены о том, что происходит вокруг. Как заметила сегодня рано утром Нина, в здешнем морге лежало уже два трупа; но, глядя на идущих мимо людей, я вовсе не ощущал того, что город потрясен до глубины души.

Я попытался позвонить Нине. Она не отвечала. Номеров Монро или Рейдела у меня не было, и в любом случае я сомневался, что они станут со мной разговаривать. Тупо прокручивая взад и вперед свой крошечный список сохраненных номеров, я наткнулся на номер Джона Зандта и остановился. Мы с Ниной пытались звонить ему в течение последних пяти месяцев, но ни разу не получили ответа. Телефон звонил, но никто не отвечал. Можно было оставить сообщение, но он никогда не перезванивал. Я вспомнил об Унгере, и у меня возникла странная мысль — может, стоит каким-то образом упомянуть его имя Зандту, чтобы проверить, не встречалось ли оно ему прежде? В последний раз, когда я видел Джона, было ясно, что сколь бы безумно ни звучали его слова, но он проделал немалую работу, расследуя дело «соломенных людей». В общем, я мог хотя бы рассчитывать, что если со мной что-то случится, то имя Унгера будет известно кому-то еще.

Я послал Джону короткое текстовое сообщение. Две минуты спустя телефон пискнул, сообщая, что оно доставлено, но никакой дальнейшей реакции не последовало.

— Чего еще ждать? Пошел ты к черту, — пробормотал я, удивив официантку.

Встав, я пошел выпить кофе куда-нибудь в другое место.

Сидя на скамейке напротив небольшого парка, я подумывал, не вернуться ли в отель, когда зазвонил мой телефон. Это оказалась не Нина и не Зандт.

— Слушаю, — сказал я, выпрямляясь.

— Это Уорд Хопкинс?

— Да, это я.

— Говорит Карл Унгер. Прежде всего — мне очень жаль было узнать про Бобби. Он был хорошим парнем. Как это случилось?

— Его убили.

— Понятно, — ровным голосом ответил он. — Что ж, поговорим подробнее при встрече. Где вы?

— Вы сами знаете.

— У меня нет координат вашего телефона, Уорд. Я спрашиваю вас потому, что хочу с вами поговорить и не хочу делать это по телефону.

— Почему?

— Странно слышать подобный вопрос от того, кто профессионально занимается мониторингом средств связи. Я всего лишь пытаюсь выбрать подходящее место для встречи.

— Как насчет Гринсборо? — спросил я. — Северная Каролина.

— Хорошо, — тотчас же согласился он. — Сегодня вечером получится? Я могу быть там около семи.

— Позвоните мне, когда там будете. Кстати, какого цвета у вас сейчас волосы? Кажется, они уже начинали седеть.

— Мистер Хопкинс, — терпеливо ответил он, — мы с вами никогда не встречались. Я пришел в контору через год после вашего ухода. Единственное, откуда я о вас знаю, — от Бобби, ясно? Если найду — вставлю в петлицу розовую гвоздику. Если нет — просто встану и буду махать рукой.

Я отключился, чувствуя себя полным дураком. Если этот тип собирался меня убить, то он вполне мог добиться своего, исходя из того, что мне было на данный момент известно.

Я выбрал Гринсборо отчасти из-за того, что туда легко было добраться самолетом, но главным образом потому, что этот город находился в другом штате. Я надеялся уловить в его голосе нечто такое, из чего можно было бы понять, что он знает, где я нахожусь, а значит, определил местоположение моего телефона. Однако ничего подобного я не услышал. Более того, от Торнтона до Гринсборо было почти два часа езды, что само по себе не слишком радовало.

Снова восстановив в памяти весь разговор, я понял, что ему известно о том, когда я работал в ЦРУ и кем. А также —

что он может пристрелить меня в Гринсборо с такой же легкостью, как и где-либо еще.

Я нажал кнопку, перезванивая на его номер.

— Алло, — ответил он. — Что случилось?

— Планы меняются, — сказал я. — Мне намного проще добраться до города под названием Оуэнсвилл. Пара часов езды к северо-востоку от Гринсборо, в Виргинии. Сможете?

— Без проблем. Только тогда договоримся на полдевятого или девять.

Я немного посидел, глядя через улицу и надеясь, что не совершаю громадной ошибки.

Телефон запиликал снова. Звонила Нина. Голос ее почти невозможно было узнать.

ГЛАВА 14

— Меньше чем через час она будет здесь, — сказала Нина, ведя меня по коридору небольшого полицейского участка Торнтона и на секунду остановившись перед закрытой дверью. — Полицейские подбирают понятых для опознания, но найти стольких людей с нужным цветом волос не так-то просто.

— Насколько я понимаю, одну из кандидаток мы уже видели, когда шли сюда, — усмехнулся я.

За бронированной стеклянной панелью сидела, опустив голову, женщина лет двадцати с небольшим.

— Та женщина в приемной старше ее на несколько десятилетий и на две с половиной сотни фунтов тяжелее. Никто в здравом уме не примет ее за ту, что сидит тут у вас. И уж никак не поверит, что она могла хоть чем-то очаровать Ларри Уидмара.

— Знаю.

— Диана Лоутон уж точно так не подумает.

— Конечно. И именно поэтому Джулия Гуликс очень скоро окажется под арестом.

Чуть дальше по коридору находилась дверь без опознавательных знаков. Нина открыла ее, и мы вошли в неярко освещенную комнату с большим односторонним зеркалом справа. У дальней стены стоял Рейдел. Они с Ниной начали о чем-то тихо совещаться.

Я внимательнее посмотрел на женщину, которой предстояло стать главной подозреваемой в деле о двойном убийстве. Она сидела за столом из металла и клееной фанеры, все так же опустив голову, и мне вдруг показалось, будто, глядя на исцарапанную поверхность стола, она постигает заключенный в нем смысл. Этот стол нес ей дурные вести. Само его присутствие говорило о том, что ты находишься там, где тебе никогда не хотелось бы оказаться. Даже в самом захудалом ресторане стол был бы накрыт клетчатой скатертью.

Несколько мгновений спустя она подняла взгляд. Первым, что бросалось в глаза, были ее волосы — длинные и волнистые. Цвет их казался необычным — естественно рыжий, но с темным оттенком, больше напоминающим не огонь, а поток венозной крови.

Чуть бледное, но приятное лицо, стройная фигура. Она была одета в строгий темный деловой костюм и вела себя сдержанно и спокойно, словно ее привлекали к ответственности за какое-то мошенничество в деловой сфере, а вовсе не за то, что я видел на пустоши прошлой ночью.

С другой стороны, как я уже говорил Хейзел, никогда не знаешь, чего можно ожидать от женщин.

— Адвоката нет? — спросил я.

Рейдел пожал плечами:

— Она говорит, что он ей не нужен.

— Не слишком-то она похожа на постоянную посетительницу баров.

— Да, — кивнула Нина. — И Марк Крегер говорит, что очень редко видел, чтобы она пила. Самое большее — два маленьких стаканчика за вечер, да и то второй не до конца.

— Старый трюк алкоголиков, — вмешался Рейдел. — На публике держатся, а когда приходят домой — вытаскивают бутылку из ящика с грязным бельем.

— Кто такой этот Крегер?

— Парень, вместе с которым они нашли тело в Рейнорском лесу.

— Он здесь?

Рейдел покачал головой.

— Значит, вы вполне уверены, что это сделала именно она, — сказал я. — И у нее не было сообщников? Которые могли бы помочь ей перетащить два тяжелых мужских тела на немалое расстояние?

— Это преступления из тех, которые совершаются одиночками, — ответил он. — Впрочем, спасибо за ваше мнение.

— У этой женщины самые ярко-рыжие волосы из всех, которые я видел, — заметил я. — Почти красные. Порой даже создается впечатление, будто у нее серьезная рана головы. Вам не кажется, что она могла бы приложить некоторые усилия к тому, чтобы смягчить столь бросающуюся в глаза черту?

— Нет, если убийство Уидмара было совершено в состоянии аффекта.

— Но ведь это не так. Анализ крови показывает наличие следов снотворного. Так что ни о каком минутном порыве не может быть и речи. И если труп в лесу, с которого срезали почти всю плоть, — тоже дело ее рук, то свои предположения можете выкинуть подальше. К тому же его убили раньше Уидмара.

— Кстати, — рассеянно сказал Рейдел, — кто вас уполномочил здесь присутствовать?

— Я, — ответила Нина.

— Посмотрим, как к этому отнесется Монро.

Нина отвернулась. Даже при слабом освещении было заметно, что вид у нее усталый и несчастный. Что-то явно было не так.

Монро появился двадцать минут спустя, жизнерадостный и готовый выступать перед телекамерами. Нина убедила его подождать, пока Диане Лоутон предъявят для опознания подозреваемую, и настояла на том, чтобы при этом не присутствовала пресса.

Лоутон пришлось ждать сорок минут, пока они обсуждали собранных в качестве понятых женщин. Лишь одна могла похвастаться по-настоящему рыжими волосами — крупная дама, которую я уже видел. Еще у двоих волосы были разных оттенков каштанового цвета, у остальных просто темно-коричневые, и ни у кого они не выглядели столь волнистыми, как у Джулии Гуликс. Нина стояла на своем. Компромисс был достигнут после того, как женщин попросили завязать волосы сзади.

— Можно подумать, что агент Бейнэм изо всех сил защищает свою клиентку, — сказал Рейдел, уже начавший по-настоящему злиться. — Я полагал, что наша задача — установить виновного. Или я чего-то не понимаю?

Монро вошел в комнату для допросов и посоветовал Гуликс, чтобы та прибегла к помощи адвоката. Она снова отказалась. Он объяснил, что это ее право, что подобное требование не является признанием вины и что без юридической помощи ее положение может намного осложниться. Она покачала головой, и я впервые услышал через интерком ее голос:

— Я не сделала ничего плохого. И я ведь даже не арестована.

Монро вернулся в соседнее помещение.

— Начинаем, — сказал он. — В любом случае возможность ей давали.

В комнату ввели еще пять женщин и выстроили в ряд. Гуликс оказалась второй слева. Стекло закрыли непрозрачным экраном.

Затем в смотровую пригласили Диану Лоутон. Монро объяснил ей ее роль и напомнил, что вовсе не обязательно кого-то выбрать. Но если она действительно решит сделать выбор, то должна быть в нем уверена. Она кивнула.

Рейдел наклонился и поднял экран.

Они сделали все, что могли. Освещение в комнате было приглушено, чтобы цвет волос женщин выделялся не слишком явно. К тому же из-за завязанных сзади волос большее внимание привлекали именно черты лица. Я точно знал, где стоит Гуликс, и все же мне потребовалось несколько мгновений, чтобы снова выделить ее из других.

Лоутон медленно повернула голову, обводя взглядом женщин слева направо и на несколько секунд останавливаясь на каждом лице. Потом посмотрела еще раз, справа налево.

Монро внимательно наблюдал за ней.

— Вы можете кого-то выбрать?

— Да, — ответила она.

— Насколько вы уверены?

— На сто процентов. Все-таки в среду я видела ее не в первый раз.

— Речь идет не просто о том, видели ли вы кого-то из них в «Мэйфлауэре», — твердо сказала Нина. — Ни в тот вечер, ни в какой-либо другой. Речь идет конкретно о том, кого вы видели с Лоренсом Уидмаром в прошлую среду и с кем, по-вашему, он ушел из бара.

— Я знаю, — ответила Лоутон. — Это она. Номер два.

Монро кивнул. Рейдел улыбнулся до ушей. Нина уставилась в пол.

Лоутон увели в другую комнату, чтобы подписать протокол. Полицейских из Оуэнсвилла попросили найти Марка Крегера и доставить его сюда для дальнейшего допроса по поводу его последнего свидания с Гуликс. Монро уехал за ордером на обыск квартиры и автомобиля Гуликс. Двоих местных полицейских отправили в «Мэйфлауэр», чтобы найти еще свидетелей, присутствовавших там в среду вечером.

Всем было приказано хранить полное молчание, и пока что это требование выполнялось. Однако вряд ли это могло продлиться долго — как только дело станет достоянием прессы, любые улики и доказательства потеряют всякий смысл. Похоже, в наше время журналисты и сидящая перед телевизорами публика считают себя самыми подкованными в юридических вопросах. Я наблюдал через стекло, как Джулию Гуликс арестовывают по подозрению в убийстве Лоренса Уидмара. Ей вновь предложили связаться с адвокатом, и она в очередной раз отказалась. Единственное, чего она потребовала, — стакан воды.

Рейдел сидел в одном конце стола, Нина в другом. Гуликс была бледна, но спокойна. Цвет лица мог объясняться освещением, но спокойствие, похоже, являлось ее обычным состоянием. Даже, скорее, хладнокровие.

— Вы понимаете, за что вы арестованы? — спросил Рейдел.

— У вас есть свидетель, который утверждает, что в среду вечером я была в баре с мужчиной.

— Мы полагаем, что поздно вечером вы встречались с мистером Уидмаром в баре «Мэйфлауэр». Какое-то время вы пили и разговаривали с ним. Наш свидетель утверждает, что вы ушли из бара вместе около одиннадцати.

— А потом?

— Прошу прощения?

— И что случилось потом?

— Это уже вы мне расскажете.

— Понятия не имею. Я никогда не была в этом баре. Я никогда не встречала этого человека при жизни. Ваш свидетель просто ошибается.

— Вы никогда не были в «Мэйфлауэре»?

— У меня нет привычки пить в одиночку в барах.

— Да или нет, мисс Гуликс?

— Нет.

— Вы действительно в этом уверены?

— Не понимаю, о чем вы говорите.

— Он говорит о том, — пояснила Нина, — что ваше имя мы узнали от управляющего. И это вовсе не тот человек, который вас опознал, но еще один свидетель, от которого мы получим официальные показания чуть позже. Если вы утверждаете, что никогда не были в «Мэйфлауэре», а двое независимых свидетелей заявляют об обратном, то вы лишь усугубляете этим свое положение. Признаться в том, что вы часто бываете в этом баре, вовсе не означает признания в чем-то еще. И вам же будет лучше, если вы станете избегать мелкой лжи как сейчас, так и после.

— Ладно, — медленно кивнула Гуликс. — Спасибо за пояснения, леди. Но тем не менее я никогда там не была.

— Вам стоит прислушиваться к тому, что говорит вам агент, — сказал Рейдел. — Можете считать, что она вас неофициально консультирует. После того как я увидел тело, я не столь склонен вам помогать.

— Я тоже его видела, — сказала Гуликс. — И мне еще до сих пор не объяснили, зачем мне потребовалось вести кого-то прямо к нему. А потом звонить в полицию и ждать, пока она приедет. Мне бы хотелось знать, почему, по-вашему, его убила именно я.

— Затем, чтобы попытаться сделать вид, будто вы ни при чем. Вы встретили Лоренса Уидмара в баре. В какой-то момент вы подмешали что-то ему в бокал, чтобы его одурманить. Вы вышли вместе и сели в вашу машину. Вы куда-то поехали, вероятно намного дальше, чем в Рейнорский лес. Затем вы убили его и стащили тело вниз по склону, где оно и было обнаружено. Ночью или на следующий день вы решили, что можно под видом романтической прогулки привести на место преступления своего друга и в итоге оказаться в роли случайного прохожего, нашедшего труп. В каком-то смысле умно, но в каком-то и довольно глупо.

— Верно, глупо, — произнесла Гуликс, удивленно уставившись на него. — Для этого нужно было обкуриться до беспамятства. Самая забавная история, какую я когда-либо слышала. И теперь на основании цвета моих волос вы собираетесь меня в этом обвинить?

— Пока нет, — ответил Рейдел, вставая. — У нас есть три дня. Если потребуется продление — мы его получим.

Гуликс повернулась к Нине:

— Но... у вас нет доказательств.

— Их мы тоже получим, — сказал Рейдел.

Он помолчал, пристально глядя на нее.

— А потом займемся трупом номер два.

Она едва заметно вздрогнула:

— Что?

— Второй мертвый мужчина. Судя по всему, вы не знали, что его мы тоже нашли.

— Не понимаю, о чем вы говорите.

— Это мы уже слышали, Джулия. Не беспокойтесь, я все объясню. Рано или поздно вы поймете, о чем я говорю и насколько это серьезно.

Неожиданно Джулия Гуликс показалась мне очень молодой, к тому же совершенно сбитой с толку, словно только сейчас до нее дошло, что этот день для нее так просто не закончится и что по крайней мере один из находящихся в комнате по-настоящему считает ее убийцей и не остановится ни перед чем, чтобы это доказать.

Она откинулась на спинку стула и скрестила на груди руки.

— А теперь я хотела бы поговорить с адвокатом, — сказала она.

Ее оставили в комнате, заперев дверь и поставив рядом полицейского. Рейдел уехал за адвокатом, заодно дав возможность Гуликс немного подумать в маленьком помещении с вгоняющим в депрессию столом.

Мы с Ниной вышли на улицу подышать свежим воздухом, и я закурил. Когда нельзя курить даже в полицейских участках, начинаешь понимать, что дух времени победил окончательно. Едва мы ступили на тротуар, зазвонил телефон Нины. Она некоторое время молча слушала.

— Они получили ордер, — сказала она, закончив разговор. — Еще немного — и квартиру Гуликс перевернут вверх дном.

— Хотелось бы надеяться, что ничего не найдут, — ответил я.

Нина покачала головой, но я не мог понять, что она имеет в виду. Было около шести часов.

— Мне скоро надо уехать, — сказал я. — Хочу спокойно добраться и найти какое-нибудь безопасное место, прежде чем там окажется Унгер.

— Я не смогу поехать с тобой.

— Знаю. На это я и не рассчитывал.

— Я хотела тебе помочь.

— Ты и так поможешь. Я буду слышать твой голос.

— Скажи мне, что будешь осторожен.

— Обязательно. Меня станут называть Осторожным Хопкинсом. Я буду воплощением осторожности. Робкие ночные лесные создания с большими глазами будут показывать на меня, хихикать и называть непочтительными словами, и все из-за моей чрезмерной предусмотрительности.

— Я серьезно, Уорд.

— Угу, — кивнул я. — Знаю.

— Дай мне знать перед встречей.

— Обязательно. — Я взял ее руку. — Не беспокойся за меня. Просто иди и занимайся своим делом.

— Как ты думаешь, это она?

— Нина, я не знаю. Это не моя работа. Я всего лишь штатский.

— Помнишь ту женщину, про которую я тебе рассказывала?

— А что с ней?

— Кажется, я заснула, не рассказав до конца. Через полтора года после того, как она убила себя ложкой, в пятидесяти милях от Джейнсвилла полиция задержала одного человека за езду в пьяном виде. Оказалось, что у него в багажнике наркотики и несколько пистолетов, завернутых в окровавленный плащ. Его арестовали и в конце концов посадили за убийство, совершенное в Северной Дакоте.

— И что?

— В итоге выяснилось, что он виновен и в смерти одного из тех мужчин в Джейнсвилле. Как оказалось — обычное убийство с целью ограбления. — Она натянуто улыбнулась. — Это сделала вовсе не она.

— Хорошо, допустим, именно этого одного она не убивала. Но ты ничего не знаешь об остальных.

— Не подтвердилось одно из предъявленных ей обвинений. Этого уже достаточно. Дело должно было быть...

— Да, Нина, но тогда было уже слишком поздно, и в этом виновата только она сама. Скажи мне, дорогая, почему ты здесь?

— Ты знаешь почему.

— Нет, на самом деле не знаю. Как мне кажется, ты выбрала себе профессию исключительно из-за той истории, и она до сих пор не оставляет тебя в покое. Монро об этом знает и тем не менее именно сейчас снова тебя вытащил? Почему?

— Чтобы то же самое не случилось с какой-нибудь другой женщиной.

— Возможно, — сказал я. — Или он просто хочет иметь женщину на борту, в качестве прикрытия, если вся эта история попадет в прессу.

Я бросил взгляд через улицу. Чуть дальше была припаркована машина, и возле нее крутились двое, явно походившие на репортеров. Еще через тридцать ярдов стоял белый фургон без окон, в котором вполне могла находиться скрытая телекамера или целая стая журналистов, готовых наброситься на добычу.

— Похоже, кто-то уже проболтался. Еще немного — и об этом станет известно от побережья до побережья.

— Тем более.

— Ладно. Я хочу лишь сказать — не лезь слишком глубоко.

— Ну да, конечно. Будь проще. Занимайся своим делом и не слишком беспокойся, если посадят не того.

— Я вовсе не то имел в виду, и ты это знаешь. Я просто хотел сказать, что в этом мире ничего уже не изменишь.

— Спасибо, Йода, — огрызнулась она. — Вот уж действительно порадовал. Так, может, и тебе стоит просто пожать плечами и забыть о том, что случилось с твоими родителями? Ведь все равно ничего уже не изменишь.

— Это совсем другое дело. Это были родные мне люди.

— Каждый кому-то родной, Уорд. Каждый, везде и во все времена. Дело вовсе не в кровных связях, да этого и не может быть. Иначе все мы — всего лишь «соломенные люди». Либо люди должны думать о других и относиться к ним так, как они того заслуживают, либо весь мир катится в пропасть.

— Ты права. — Я поднял руки. — Делай так, как считаешь нужным. В любом случае мои советы ничего не стоят. Я сообщу тебе, как у меня дела, хорошо? Позвоню, когда все закончится, и вернусь как можно быстрее в отель.

Она кивнула, но ничего не сказала. Я пошел прочь, чувствуя себя так, будто иду не в ту сторону.

Перед тем как свернуть за угол, я оглянулся. Нина все еще стояла на тротуаре рядом с полицейским участком. Мгновение спустя она помахала рукой, и что-то неярко блеснуло у нее на запястье. Я помахал в ответ.

Она неслышно произнесла два слова. Я пошевелил губами: да, буду.

А потом отправился на встречу с неизвестным.

ГЛАВА 15

У Брэда внутри все перевернулось, едва он увидел выходящую из дома миссис Люкс. Мать Карен обычно двигалась весьма неторопливо, и это являлось одной из ее характерных черт, так же как и то, что в отличие от родителей других его друзей она слегка страдала избыточным весом. Нет, конечно, толстой ее нельзя было назвать, и несколько лишних фунтов даже делали ее более представительной по сравнению с похожими на насекомых мученицами беговой дорожки. Она словно заявляла всем, что вполне довольна жизнью и не считает нужным ежедневно таскаться в тренажерный зал. Или, в ее случае, спускаться в одно из подвальных помещений своего собственного дома.

Однако сейчас она шла довольно быстро и к тому же достаточно целеустремленно. По выражению лица миссис Люкс он понял, что, возможно, в ее размеренную жизнь ворвалось нечто непредсказуемое.

Или, может быть, он просто чего-то подобного ждал.

Был пятый час, и Брэд сидел на улице возле бассейна. Карен методично плавала от одного его края до другого. Она только что проделала это в сороковой раз и уже начала уставать. В школе Карен была постоянным членом команды пловцов и до сих пор относилась к плаванию очень серьезно. Почему — Брэд не знал.

— Карен, — сказала ее мать, — там пришли из полиции.

У Брэда моментально скрутило желудок. Карен подплыла к бортику и изящным движением выбралась наружу.

Солнце отражалось в стекающих с ее тела каплях воды и покачивающемся на шее ожерелье.

— Копы? Что такое? — спросила она, беря полотенце.

— Не знаю, дорогая. Но они хотели бы поговорить с тобой.

Двое в штатском шли по траве в нескольких шагах позади нее.

— Что ж, ладно, — сказала Карен.

Детективы почти не отличались друг от друга, если не считать того, что у одного были усы, а у другого более бледная кожа, словно он изо всех сил пытался избегать солнечных лучей. Первый показал удостоверение.

— Детектив Касколи, — представился он. — Карен Люкс?

— Да.

Полицейский посмотрел на Брэда:

— А вы?

— Брэд Метцгер, — сказал он.

Голос его звучал как ни в чем не бывало.

— Так, посмотрим, — пробормотал детектив.

Он достал блокнот и, пролистав его, придержал пальцем страницу.

— А, вот и вы. Брэдли М. Вы тоже в нашем списке.

Миссис Люкс скрестила на груди руки:

— В чем, собственно, дело?

Полицейский проигнорировал вопрос, хотя и достаточно вежливо, учитывая размеры ее дома.

— Вы двое — друзья молодого человека по имени Питер Восс?

— Ну да, — ответила Карен. — Пит, конечно же. А что? С ним все в порядке?

— Этого мы не знаем, мисс Люкс, поскольку мы не знаем, где сейчас Питер. В субботу вечером он не вернулся домой. Судя по всему, он иногда остается ночевать у друзей, но он не вернулся и на следующий день. И не позвонил домой. Так что вчера вечером его родители обратились к нам.

— О господи, — проговорила миссис Люкс, поднося руку к горлу. — В самом деле?

— Когда вы в последний раз его видели?

— В субботу вечером, — сдавленно ответила Карен, не в силах скрыть потрясение. — Мы тут устраивали вечеринку, о чем, полагаю, вы знаете. Пит был здесь днем, но потом куда-то ушел.

— Вы не знаете куда?

Карен покачала головой и посмотрела на Брэда.

— Понятия не имею, — сказал он. — Сначала я его видел, а потом он куда-то пропал. Мы купили гамбургеров и пытались его искать на случай, если он захочет взять один себе, но, видимо, его уже не было.

— Мать Питера говорит, что его привез на вашу вечеринку некто по имени Энди.

— Да, — сказала Карен. — Они приехали вместе, верно. Но Энди оставался тут до самого конца. Как всегда.

— А потом он поехал домой?

— Он мало пьет, — быстро сказала Карен. — И вообще, кажется, за рулем была Моника. Да, точно. Я помню.

Полицейский посмотрел на нее:

— Верно.

Пока он что-то записывал себе в блокнот, заговорил второй детектив, в первый раз за все время.

— Мистер Метцгер, — сказал он, — некоторые из тех, с кем мы разговаривали, утверждают, что вы с Питером близкие друзья. Это правда?

— Ну да, — ответил Брэд. — То есть на самом деле Пит со всеми дружит. Но да, наверное, можно так сказать. Мы часто встречаемся.

— Вы не знаете, куда он пошел после вечеринки?

— Нет.

— И вы ничего о нем с тех пор не слышали?

— Нет. То есть я решил, что он смылся на какую-то другую вечеринку, вымотался, а потом весь следующий день проспал. Может, надо было ему позвонить, вечером или около того.

— Вы могли бы назвать его человеком, который регулярно напивается?

— Питер Восс — очень приятный молодой человек, — вставила миссис Люкс. — И всегда ведет себя крайне воспитанно.

— Мы пытаемся выяснить, — пояснил Касколи, — не могло ли с ним что-то случиться. Скажем, поехал с кем-то, кого не слишком хорошо знал, оказался не там, где надо, попал в какую-то неприятную ситуацию?

— Возможно, — заметил Брэд.

Все повернулись к нему.

— То есть я просто хотел сказать, Пит очень общительный парень. Он готов разговаривать с кем угодно. И это многим нравится. Но... знаете, он действительно мог заговорить не с тем, с кем стоило бы. Вполне могу себе представить.

— Вам известно, чтобы такое случалось с ним раньше?

— Нет, — ответил Брэд, чувствуя, как у него потеют ладони. Он скрестил руки на груди. — Нет. Я всего лишь хотел сказать, что такое возможно. Но он, скорее всего, просто где-то болтается.

— Будем надеяться, — сказал полицейский. — Поскольку иначе, боюсь, его мать сойдет с ума.

Он закрыл блокнот и убрал его в карман. Достав бумажник, протянул им обоим по визитной карточке.

— Если он даст о себе знать, позвоните мне, — сказал он. — Не важно, где он и что с ним. Нам достаточно будет сообщить его матери, что он жив.

Брэд и Карен одновременно кивнули. Миссис Люкс повела полицейских обратно к дому. Оба выглядели словно прислуга, которой полагалось нести ее вещи.

— Плохо дело, — сказала Карен. — Господи, надеюсь, с Питом все в порядке.

— Ничего с ним не случится, — ответил Брэд. — Ты же знаешь Соню.

— Наверное, мне стоит позвонить другим, узнать, может, кто-то его видел.

Она взяла со стола телефон, готовясь нажать клавишу.

— Как думаешь?

— Копы этим уже и так занимаются.

— Но мы можем организовать ребят на поиски. Проверить, не видел ли его кто, пройтись по домам, по магазинам. По тем местам, которые могут и не прийти копам в голову.

Брэд кивнул:

— Угу, неплохая мысль.

Карен уселась на траву, скрестив ноги, и начала звонить, уверенная, что Пита необходимо лишь разыскать и что именно она та девушка, которая знает, как это сделать.

Брэд ждал в течение двадцати мучительных минут. Когда она завершила шестой звонок, он сказал, что вспомнил о поручении, которое дал ему отец и что позвонит ей позже, узнать, как дела.

Он не успел еще дойти до дверей, как она уже разговаривала с кем-то другим.

— Нам конец.

— Вовсе нет.

— Нам конец, Ли. Полный.

— Да почему же конец, Брэд? Ответь. Расскажи подробно, как и почему нам конец.

Они стояли посреди кухни в доме Ли. Как обычно, здесь царила сверхъестественная чистота, словно в доме, выставленном в качестве образца. Брэд никогда не понимал, каким образом Ли умудряется поддерживать кухню в таком состоянии, даже учитывая тот факт, что он никогда не готовил. Повседневная жизнь все равно рано или поздно нарушает идеальный порядок, и в него незаметно вторгается хаос. Брэд лишь покачал головой.

— Нам конец, — тихо повторил он.

На улице стоял автомобиль Ли, который тоже выглядел словно образец идеальной чистоты.

— Парень пропал, — терпеливо сказал Ли. — Копы в таких случаях всегда беседуют с его друзьями. К тому же именно Карен устраивала вечеринку, где его видели в последний раз. Значит, они пришли и к ней. Все вполне предсказуемо. Вскоре копы наверняка решат, что его просто куда-то занесло и он скоро вернется, но пока им необходимо предпринять все положенные действия.

— Но он ведь не вернется, — сказал Брэд. — Понимаешь? Он никогда не вернется.

— Я знаю. Но пока его считают пропавшим — его просто нет. И ничего больше. Питу многого не надо, чтобы надраться, и копам наверняка уже об этом известно. Вот увидишь, они решат, что его просто переклинило. Скажем, возомнил себя профессионалом-сноубордистом и отправился в Колорадо. Или подцепил какую-нибудь девицу, которую никто не знает, и вернется, когда ему потребуются деньги. Им нужно создавать видимость деятельности, но скоро они потеряют к этому интерес. Копы — люди бедные, живут в маленьких домишках и терпеть не могут таких, как мы.

— Вот только, — сказал Брэд, — мама Пита к этому интереса не потеряет. Никогда.

Перед его мысленным взором тут же возникла Мария Восс, невысокая стройная женщина — рост и телосложение Пит унаследовал от отца — с длинными черными волосами и большими карими глазами. Внезапно он увидел, как ее глаза наполняются слезами. В реальности Брэд никогда не видел подобного, но точно знал, как это должно выглядеть. Лицо ее исказилось, и он почти слышал рвущийся изо рта крик.

— Ли, это действительно страшно.

— Ничего не изменилось, Брэд, послушай меня. Ничего не изменилось с того мгновения, как пуля угодила ему в голову.

Брэд содрогнулся:

— Господи, ну и жуть ты говоришь.

— Послушай меня. Тебе придется свыкнуться с тем, что произошло. Все это уже так или иначе случилось. Мы не можем вернуться назад во времени, так что остается лишь жить в том мире, который есть. Это не наша вина.

— Нет, как раз наша.

— Мы его не убивали.

— Мы взяли его с собой. Мы должны были, должны были...

— Что? Что мы должны были? Что мы могли сделать?

— Мы не должны были просто выбрасывать его, как мусор.

Худек решительно покачал головой, как человек, который верит в собственную правоту и не одобряет взглядов, отличных от его собственных.

— На этом настоял Эрнандес. Ничего другого не оставалось. Пит уже был мертв, и не имело никакого смысла отправляться на тот свет вместе с ним, а именно этим бы и закончилось.

— Эрнандес, да, конечно. Наш добрый приятель. Он еще не звонил? Что-нибудь слышно о тех наших так называемых друзьях?

— Нет. Но он позвонит.

— Ты грезишь, Ли. Теперь мы для них не более чем досадная проблема. Мы всего лишь балласт. Нам конец.

Худек взял его за плечи и посмотрел в глаза. Брэд увидел в его взгляде спокойствие и целеустремленность. Постепенно его дыхание начало выравниваться.

— Иди домой, — сказал Ли. — Отдохни. Отвлекись. Поиграй во что-нибудь. Займись чем угодно, но только успокойся.

Брэд отправился домой. Он попытался немного поиграть на приставке, но потом понял, что почти каждая из имеющихся у него игр включает в себя стрельбу по людям, а ему этого совсем не хотелось. Он попробовал автомобильный симулятор, но вся игра заключалась лишь в бесконечной езде по кругу, а у него и без того уже кружилась голова. В конце концов он лег на кровать. С нее хорошо были видны фотографии на стенах, сделанные за последние пять лет. Сперва они располагались аккуратно, а потом как попало, накладываясь одна на другую, в некоторых местах по четыре слоя. Вечеринки, крупные школьные события, просто дружеские фото. Приятные вечера, счастливые дни. Конечно, там был и Пит. Он и Брэд на заднем сиденье старой машины Ли. Они вместе с компанией друзей после удачного выступления школьной команды, обнимающие друг друга за плечи, с раскрытым в победном крике ртом.

Полтора года назад. Неужели это было так недавно?

Послышалась мелодия мобильника. Звонил Стив Веркайлен, тот самый парень, который лежал на парковке рядом с Питом, с замотанным липкой лентой ртом. Он тяжело дышал.

— Черт побери, чувак, ты слышал? Мне только что звонила мать Пита. И она явно не в себе.

— Слышал, — ровным голосом ответил Брэд. — Копы приходили к Карен. Ты не знаешь, где он мог бы быть?

— Понятия не имею. Ни малейшего. Я его уже несколько дней не видел. Собирался встретиться с ним на тусовке у Карен, но слегка заторчал и не добрался.

— Угу, он там и вправду был, — сказал Брэд, думая: пусть лучше у всех будет единодушное мнение. — А потом смылся. И никто ничего больше не знает.

— Странная история.

— Угу.

— Надо бы позвонить Ли, может, он что слышал.

— Я только что от него. Ты же знаешь Пита. Наверняка где-то болтается. Вероятно, просто потерял свой чертов телефон.

— Да. — Последовала пауза. — Кстати, мы собираемся на этой неделе брать товар? Если Пит не появится?

— Не знаю.

— Ладно, держи меня в курсе, хорошо? Мне нужны деньги.

Стив отключился, оставив Брэда наедине с мыслью о том, что же все-таки делать теперь на этой неделе с товаром. Эрнандес, похоже, залег на дно. Стив был не единственным, кто нуждался в деньгах. Но смогут ли они это сделать? Бизнес есть бизнес, несмотря ни на что?

Он немного полежал на спине, пытаясь думать, а потом решил, что больше не может смотреть на фотографии, и перевернулся на живот, закрыв глаза и вдыхая знакомый запах простыней.

Как сказал Ли, пока никто ничего не нашел, нет и преступления. Брэд попытался мысленно подбодрить себя, прижавшись лбом к подушке, и постепенно начал чувствовать себя все лучше. Снова перевернувшись на спину, он какое-то время смотрел в потолок, а потом сел.

Несмотря на усталость, встав, он почувствовал себя вполне отдохнувшим и даже немного голодным. Решил спуститься вниз и посмотреть, нет ли в буфете чипсов, которые, как правило, оказывались там всегда, появляясь словно из ниоткуда.

Оказавшись внизу, он понял, что дома никого нет. Когда он пришел, мать была, да и сестра тоже — в ее комнате слишком громко играла музыка. Войдя в кухню, он удивился непривычной чистоте. Обычно там царил некоторый беспорядок, составлявший для семьи Метцгер нечто вроде образа жизни. Сегодня же она казалась похожей на кухню Ли, такая же чистая, почти сверкающая, и ничего не было даже на кухонном столе, куда давно уже складывали вещи, которым в хозяйстве не находилось другого места.

Открыв буфет, где обычно лежали чипсы, он обнаружил, что там пусто. Не было даже пыли. Значит, вот куда они ушли — в супермаркет. Сделали весеннюю уборку, теперь пора пополнить запасы. Понятно. Он открыл другой буфет.

Там тоже было пусто. Быстро обшарив все шкафы, он обнаружил везде то же самое. Похоже, весенняя уборка оказалась весьма тщательной. Хотя ведь сейчас сентябрь. Значит, осенняя уборка.

Услышав какой-то звук, он повернулся. Звук трудно было описать — казалось, будто кто-то негромко чавкал. Похоже, он доносился со двора. Брэд подошел к окну и понял, что уже ночь. Видимо, он заснул, лежа наверху на кровати. Хотя... разве не было светло еще пять минут назад, когда он выглядывал за дверь, проверяя, на месте ли машина матери?

Брэд быстро подошел к входной двери. Там тоже было чисто. Очень чисто. Никаких журналов, газет, пультов от телевизора. И за дверью все еще был день. Во всем этом было нечто странное, но он так и не мог понять, что именно.

Он решил заняться другим — тем самым шорохом или чавканьем, которое раздавалось со двора. Звук был не слишком громким, но, похоже, не собирался умолкать.

Вернувшись в кухню, Брэд вышел через заднюю дверь во двор. Там было очень темно и холодно, но безветренно. Однако вокруг во множестве росли высокие деревья, до самой задней стены дома. Некоторые, казалось, даже пронзали крышу изнутри. Ему послышалось, что где-то неподалеку слышится шум ручья. В воздухе ощущался необычный запах — корица, сахар и что-то еще. Он пошел вперед среди деревьев, но ни шум воды, ни источник запаха не становились ближе. Однако кроты явно доставляли немало проблем. Куда бы он ни бросил взгляд, под землей тянулись ходы, словно сеть распухших вен. Они шевелились, издавая то самое чавканье. И казалось, что земля над ними становится прозрачной.

А под землей лежали люди — неподвижно, с закрытыми глазами, и у большинства не хватало какой-то части тела.

Запах усилился, и Брэд сперва понял, что в нем присутствует аромат яблок, а потом до него дошло, что так пахнет яблочный пирог. Если точнее — пирожок с яблоками из «Макдоналдса», который обычно сопровождается предупреждением, что внутри чертовски горячая начинка. Ни у кого из лежащих не было ничего ни в руках, ни во рту. Однако яблочный пирог явно находился где-то неподалеку.

Брэд вдруг понял, что запах может ощутить кто угодно, и внутри у него все похолодело. Если кто-то появится, они сразу поймут, что тут произошло.

Внезапно раздался стук по стеклу, и, обернувшись, он увидел, что мать с сестрой вернулись из магазина и стоят в кухне. Мать выгружала покупки, а сестра стучала в окно, пытаясь дать ему понять, что они вернулись с чипсами и ему незачем искать яблочный пирог и лучше будет, если он не станет этого делать. Он хотел сказать ей, что все в порядке и что пока пирог спрятан, ему ничто не угрожает и вообще никому тоже. Однако чем отчаяннее он пытался вернуться в кухню, тем меньше та казалась, а сестра стучала по стеклу все громче и громче, и звук этот уже напоминал не столько стук, сколько звон, походивший на знакомую мелодию. Запах яблок неожиданно усилился, становясь по-настоящему тошнотворным, а потом...

— Черт, — пробормотал он, рывком садясь на кровати.

Он заснул, лежа на боку, и стукнулся головой о стену. Брэд начал шарить вокруг, поняв, что звон издает его телефон. Наконец он нашел его на полу, куда тот скатился.

На экране была надпись: «Карен».

— Привет, — сказал он, пытаясь проснуться, хотя отчасти до сих пор находился в мире жутких грез.

Карен ничего не ответила. Похоже, она плакала.

— Что случилось, малышка? Какие проблемы?

Громкий всхлип. Слышно было, как она судорожно сглатывает.

— О господи, — сказала она. — Пита нашли.

ГЛАВА 16

Ли сидел на кушетке в гостиной дома родителей. Детективы сидели напротив. На фоне большого окна их фигуры напоминали силуэты. Ли это вполне устраивало — с обезличенными тенями общаться проще. Он уже понял, что тот, который с усами, — босс. Больше ничего знать не требовалось.

— Вы хотите, чтобы я остался?

Райан Худек стоял в дверях. На нем были твидовые брюки и бледно-голубая рубашка. К появлению в доме полицейских он отнесся совершенно невозмутимо. Когда ему сказали, что ищут его сына, он лишь спросил зачем и пропустил их в дом, предварительно проверив удостоверения.

Ли был рад, что отец дома. Сегодня он снова чувствовал себя маленьким мальчиком.

— Нет, спасибо, — ответил полицейский.

Отец едва заметно кивнул.

— Я буду рядом, — сказал он. — Если вы вдруг передумаете.

Усатый детектив посмотрел на свои руки, дожидаясь, пока шаги Райана Худека стихнут в коридоре. Послышался звук открывшейся и снова закрывшейся с тихим стуком двери во двор. Потом он поднял взгляд и посмотрел на Ли.

— Ну что ж, — выдохнул он. — Извини, что пришлось искать тебя у родителей, но, когда мы тебе звонили, тебя дома не оказалось.

— Ну да, — спокойно ответил Ли. — Я был здесь.

— Верно. И вполне понятно. Погиб твой друг, хороший друг, и тебе нужна поддержка друзей и родных.

Ли промолчал. Инстинкт подсказывал ему, что на фразы, не содержащие в себе вопроса, лучше не отвечать.

После короткой паузы детектив заговорил снова:

— Извини, что пришлось сообщить тебе дурную весть о Питере Воссе.

— Вам не за что извиняться, — возразил Ли. — Я узнал об этом полтора часа назад.

— Кто-то тебе позвонил? Кто?

— Несколько человек. Известие разошлось быстро, я до сих пор не могу в это поверить.

— Не помнишь, кто звонил первым?

Ли сделал вид, будто думает.

— Извините, нет. Слишком был потрясен.

— Неудивительно. Когда в последний раз ты видел Питера?

— Пита, — поправил Ли. — Никто не называл его Питером. Я видел его... кажется, в пятницу утром.

Детектив нахмурился:

— Ты не видел его на вечеринке у Люксов?

— Вряд ли. Я приехал туда довольно поздно, и, похоже, он к тому времени уже ушел.

— Значит, ты будешь удивлен, если мы скажем, что знаем кое-кого, кто видел, как ты разговаривал с Питером на вечеринке?

— Не слишком, но я такого не помню. Мы с Питом постоянно общались, и я... в общем, не отмечаю специально каждый такой случай. А что, кто-то про это говорил?

— Нет.

Ли пожал плечами:

— Тогда странно, что вы об этом спрашиваете.

— Значит, ты видел его в пятницу. При каких обстоятельствах?

— В торговом центре, около полудня. Мы купили по пакетику жареной картошки, а потом он ушел. Ему надо было с кем-то встретиться или вроде того. Во всяком случае, опаздывать ему, похоже, не хотелось.

Первая половина сказанного была правдой. Ли действительно видел Пита в торговом центре «Бель-Айл» утром в пятницу, но издали, и они не общались. Однако Пит был один, и никто не знал правды.

— Были ли у него какие-то странные мысли, когда вы разговаривали? Он не выглядел как-то необычно? Обеспокоенно, рассеянно?

— Вряд ли, то есть я хочу сказать, Пит всегда был немного не от мира сего. Мы малость поговорили насчет того, чтобы встретиться днем на вечеринке в субботу. Вечером он собирался куда-то еще, но не уточнял, куда именно.

В разговор вмешался второй детектив:

— Как ты думаешь, не может ли иметь какое-то отношение к случившемуся тот, с кем он собирался встретиться после тебя в пятницу?

Ли немного подумал.

— Возможно. Но он ничего мне про это не говорил.

— И потом ты ничего больше не слышал?

— Ничего.

— Мать Питера говорит, что в последнюю неделю у ее сына появилось необычно много денег. Он купил себе новую одежду, дорогие подарки ей и отцу. Ты что-нибудь об этом знаешь?

Ли покачал головой.

— Хороший у тебя дом в Саммер-Хиллз.

— Спасибо.

— И дорогой, похоже.

Ли пожал плечами: мол, если хотите задать вопрос, то задавайте прямо.

— Что было известно тому, кто тебе звонил? Тому, кто первый рассказал тебе про Питера? Кто бы это ни был.

— Подробностей никто не знал. Просто сказали, что Пит умер.

Усатый демонстративно заглянул в свой блокнот.

— Тело было найдено в горах Санта-Инес, недалеко от национального парка «Лос-Падрес», в нескольких сотнях ярдов от туристской тропы. Кто-то разнес ему полголовы и попытался закопать, но весьма неумело. Яма оказалась не слишком глубокой.

— Так всегда обычно бывает, — задумчиво сказал второй. — Этот народ по большей части чертовски ленив.

— Так или иначе, койоты его разнюхали, вытащили и основательно над ним потрудились. К счастью, какие-то ребята-велосипедисты довольно быстро его нашли, но зрелище было не из приятных.

— Угу, это точно, — заметил второй. — Жара, смерть и звери. Не лучшее сочетание.

— Вы вообще думаете, что говорите? — громко спросил Ли. — Этот парень был моим другом.

Усатый поднял взгляд:

— Гм... извини.

— Не извиняю. Имейте хоть какое-то уважение. Ко мне и к нему.

Полицейский посмотрел ему прямо в глаза. Ли ответил тем же.

— Прошу прощения за бестактность, — после долгой паузы сказал второй. — Профессиональное, знаешь ли.

— Только не пытайтесь разговаривать с его родителями так же, как со мной, — посоветовал Ли. — Иначе будете страдать всю оставшуюся жизнь.

На какое-то мгновение он начал сомневаться, действительно ли усатый тут главный. Вполне возможно, боссом был именно его бледный приятель.

— Мы там уже были. Но намек понят.

— Ладно, — спокойно проговорил усатый. — Если нам потребуется что-то еще, мы с тобой свяжемся. И если не трудно, посмотри у себя в телефоне, кто звонил тебе первым.

— Конечно.

Ли достал телефон, нажал несколько кнопок, с видом человека, которого совершенно не волнует, каким будет ответ.

— Ну да. Брэд, конечно.

— Брэдли Метцгер?

— Да. Ему позвонила Карен, и он сразу перезвонил мне.

— Потому что вы трое были друзьями? Близкими друзьями?

— Совершенно верно.

Полицейские встали, и Ли проводил их до дверей. Когда они уже выходили из дома, усатый обернулся:

— Да, кстати, еще одно. Питер обычно носил с собой мобильный телефон?

— Постоянно, — ответил Ли. — А что?

— Мы не смогли его найти, — ответил полицейский. — Ни на теле, ни рядом с ним, ни у него дома. Его мать пыталась на него звонить, и звонки проходят, так что, видимо, аккумулятор еще не разрядился. Он тебе не попадался — у тебя дома или еще где-нибудь? Он не мог его случайно оставить?

— Нет, — ответил Ли. — Телефон был у него, когда я видел его в последний раз в пятницу. В торговом центре.

— Что ж, телефон — штука скользкая. Мог где-нибудь вывалиться. Будем искать.

Ли смотрел, как они идут к машине. Когда они уехали, он продолжал стоять, глядя в никуда и думая: «Ты солгал полицейским. И мир теперь стал другим».

— Не такие уж они и грубые, — послышался голос.

Вздрогнув, Ли обернулся и увидел свою мать в серебристом халате, стоявшую прямо у него за спиной. Он даже не знал, что она дома.

На ней не было темных очков, и взгляд казался блуждающим, но сына она, судя по всему, видела.

— Ты очень хорошо себя вел, — сказала она. — Особенно когда говорил про уважение.

Она легко провела пальцем по его щеке, а затем удалилась к себе в комнату, чтобы погрузиться в мир грез.

———

— Это я.

— Привет, малышка. Как дела?

Карен вздохнула:

— Ну... ты же сам понимаешь.

— Угу. Ты где?

— У бассейна. Просто сижу. Если я в доме, мама постоянно спрашивает, как я себя чувствую, что, конечно, очень мило с ее стороны, но... в общем, понятно.

— Угу.

— Она потом собирается навестить маму Пита.

— Не знал, что они настолько хорошо знакомы.

— Ну, не думаю, что настолько уж хорошо, но, знаешь, все-таки Пит умер.

Брэд кивнул, хотя Карен и не могла этого видеть.

Пит действительно умер. Как ни странно, от осознания того, что теперь это стало известно всем, он почувствовал себя несколько легче. Если раньше все случившееся необходимо было скрывать любой ценой, в надежде, что рано или поздно оно изгладится из памяти, то теперь он четко и ясно осознавал необратимость произошедшего. То, что стало в конце концов известно, в точности соответствовало реальности. Факты встали на свои места, и теперь задача заключалась в том, чтобы не дать этим фактам обрушиться и раздавить его.

После беседы с полицейскими Ли позвонил Брэду и сообщил ему о том, что он им рассказал. Брэд передал ему вопрос Стива насчет товара, и Худек ответил, что пока не знает. Эрнандес все так же не отвечал на звонки. Ли сказал, что ему все это не слишком нравится, но, мол, посмотрим. Брэд был даже рад это услышать, поскольку ему лично сама мысль о том, чтобы сейчас заниматься торговлей наркотиками, казалась чудовищной.

— Ты еще там?

— Да, — ответил он. — Извини, просто задумался.

— Угу.

Карен немного помолчала, и Брэд решил, что она, возможно, намекает на то, что пора заканчивать. Однако она снова заговорила:

— Можно тебя кое о чем спросить?

— Конечно.

— Ты ведь ничего такого не знаешь?

Брэд открыл рот, но не смог произнести ни слова. Он кашлянул и попробовал еще раз:

— В каком смысле?

— Ну, просто ведь ты, Пит и Ли были очень близкими друзьями. Я просто думала, может, у Пита была какая-то тайна, что-то такое, о чем вы знали, но никому не должны были говорить?

— Нет, — облегченно вздохнул Брэд. — Да, мы были близкими друзьями. Очень близкими. Но никаких странностей я за Питом не замечал.

— Ладно, — ответила она.

Почему-то ее тон снова заставил его насторожиться. Ладно... что? Ладно, спасибо за информацию? Ладно, я тебе верю? Ладно, я на самом деле тебе не верю, но не буду к тебе сейчас приставать?

— Просто... — начала она.

— Просто что, малышка?

— Помнишь, тогда на вечеринке, когда вы с Ли поехали за гамбургерами? Я тогда еще встретила тебя перед домом, до того как ты уехал.

— Мой ангел огня. И что?

— Ну, я об этом почему-то вспомнила, и мне показалось, будто когда Ли вышел тебе навстречу, он сказал что-то вроде: «Он идет», или просто: «Идет», или как-то так?

— Не помню, — очень осторожно ответил Брэд.

— Я уверена, он точно что-то такое сказал. Потому что я помню, что, когда я пошла провожать Сару и Рэнди, вы еще там стояли. Как будто кого-то ждали.

— Да нет, — сказал Брэд.

Мгновение спустя его осенила спасительная мысль.

— Просто... помнишь, я тогда курил? А Ли не всегда любит, когда курят у него в машине. И я хотел докурить, прежде чем мы уедем.

— Ну тогда ладно, — ответила Карен.

Они еще немного поговорили, а потом, уже в самом конце, она вдруг спросила:

— Брэд?

— Да?

— Как думаешь, найдут тех, кто это сделал?

— Не знаю.

— Я знаю, — тихо сказала она. — Думаю, найдут.

Позвонив Брэду, Ли покинул дом родителей и какое-то время колесил по окрестностям, прежде чем направиться к себе. Войдя в дом, он приготовил кофе и сел с чашкой за безукоризненно чистый стол в кухне, с трудом удерживаясь от желания загнать машину в гараж и поискать в ней телефон Пита. Он знал, что его там нет. Он бы увидел его, когда мыл и чистил машину в ту ночь.

Но если предполагать, что коп не лгал ему, пытаясь сбить с толку, это казалось несколько странным. Телефон являлся неотъемлемой частью Пита. Будь это в его силах, он бы имплантировал его себе хирургическим путем. И той ночью телефон не мог не находиться при нем. Так куда же, черт побери, он делся?

Впрочем, не важно. Вероятнее всего, он выпал из кармана между площадкой, где произошла перестрелка, и тем местом, где они его закопали. Было темно, и они вполне могли не заметить. Да и какая разница. Даже если кто-то и найдет телефон, это никак не связывает их с тем, что тогда случилось.

Но все же...

Несколько мгновений он сидел, опустив голову. Этого могло не случиться. Все это с легкостью могло вообще не произойти, не стать реальностью.

Он ответил на звонок Эрнандеса. Хотя мог этого не делать.

Он сказал «да». Хотя мог сказать «нет».

Небольшая разница — и вместе с тем огромная.

Всего этого могло не произойти.

Он продолжал неподвижно сидеть минут десять. Потом вышел на улицу, загнал машину в гараж и обыскал ее.

Телефона не было.

Ли мыл руки в кухне, когда раздался звонок в дверь. Он решил, что это, вероятно, пришел Брэд, чтобы добавить ему лишних волнений, но, открыв, обнаружил на пороге человека намного старше.

— Мистер Рейнольдс? — удивился Худек, несколько озадаченный тем, что на дороге нет машины. — Что вы тут делаете?

Адвокат направился прямо мимо него в дом.

— Мне нужно, чтобы ты рассказал мне все то же самое, что и им.

— Кому?

— Полиции, Ли. Кому же еще?

— И зачем вам нужно это знать?

— Потому что теперь моя работа — оказывать тебе юридическую поддержку. Если это потребуется, чего, надеюсь, не случится.

— Вас нанял мой отец?

— Нет.

— Тогда кто...

— Расскажи мне все, Ли. Каждый вопрос, каждый ответ. Все подробности.

Ли пересказал ему содержание своей беседы с двумя детективами. Рейнольдс внимательно слушал. Когда Ли закончил, вид адвоката был весьма серьезный.

— Ты понимаешь, что теперь ты — соучастник убийства? За одно это вы с Метцгером можете получить немалый срок. Вы больше не подростки, как бы ни было трудно в это поверить. А если случившееся свяжут с вашим занятием и делом займется комиссия по контролю за наркотиками, то вам вполне может светить пожизненное.

— Но как об этом могут узнать?

— А что еще вы могли делать на заброшенной парковке, за много миль от города, в темноте? Зачем еще вам могло понадобиться прятать труп?

— Это был несчастный случай или вроде того. Мы просто испугались.

— Угу. А потом ты солгал офицеру полиции. И Брэдли тоже солгал. И ты уверен, что нет ни одного человека, который мог бы засвидетельствовать, что вы двое — вместе с Питером Воссом, естественно, — торговали наркотиками по всей Долине в течение последнего полугода?

Ли подумал о всех тех, кому передавал пакеты. Обо всех домах, где он бывал, о вечеринках, где он был желанным гостем, обо всех рукопожатиях, и бесплатном пиве, и веселых приветствиях: «Эй, чувак, рад тебя видеть», но вряд ли это будет хоть что-то значить, когда придет время и эти ребята, оказавшись лицом к лицу с копами в гостиной своих родителей, поймут, что упоминание имени Ли может избавить их от серьезных неприятностей.

— Значит, все пропало, — тихо сказал он.

— Почти, но не совсем, — ответил Рейнольдс. — Нужно ликвидировать все улики, и как можно быстрее. Ты это понимаешь? Ты понимаешь, насколько все это чертовски серьезно?

Ли кивнул. Он чувствовал, что страшно устал, и его тошнило. Да, он знал, что должен взять себя в руки, но сейчас ему казалось, будто он лежит лицом вниз на полу и никогда больше не встанет.

— Да, я понял.

— Пойдем со мной, — сказал Рейнольдс, открывая дверь.

Худек увидел появившийся на улице автомобиль — черный и с такими же черными окнами. Двигатель работал, но очень, очень тихо.

Ли запер за собой дверь и пошел по дорожке следом за адвокатом. Подойдя к машине, тот открыл дверцу, и Худек, нагнувшись, увидел внутри два ряда сидений, расположенных лицом друг к другу. Весь салон был выкрашен в черный цвет, и в нем пахло так, будто он состоял из бесплотных теней.

На сиденье, расположенном по ходу движения, сидел тот самый тип из заброшенного здания. Тот самый, которому он рассказывал про свой план. Тот, кого, честно говоря, Ли был бы рад никогда больше не встречать.

— Привет, Ли Гион, — сказал он. — Садись. Нам надо поговорить.

Ли поколебался, но понял, что выбора нет. Он сел в машину на сиденье напротив. Мистер Рейнольдс сел рядом. Дверца закрылась с мягким щелчком, и машина плавно отъехала от тротуара, словно подхваченная легким ветерком.

— Как дела, Ли? — спросил незнакомец.

— Нормально, — ответил Ли.

— Это хорошо. Не волнуешься?

— Есть немного на самом деле. Черт возьми, я уже три дня пытаюсь звонить Эрнандесу. Почему он не отвечает?

— Потому что он мертв.

Ли моргнул, чувствуя, как вся его злость мгновенно пропала.

— Он умер в тот же вечер, что и твой друг. Пошел искать ребят, которые пытались с вами расправиться, но не добрался. К счастью, мы спрятали его тело намного лучше, чем вы — тело мистера Восса. Единственное, чего мы не смогли сделать, — это выяснить местонахождение мобильного телефона мистера Восса, что, как я понимаю, не в меньшей степени интересует и полицию.

— Господи, — пробормотал Ли. Он даже не стал спрашивать, откуда тому все это известно. — Вот черт.

— Да, это серьезно, но вопрос вполне решаемый. Мы всегда должны смотреть в будущее. С потерей Эрнандеса у нас освобождается вакансия — и у тебя появляется возможность реализовать свой план насчет весенних каникул. План с большой буквы. Да здравствует План. Если, конечно, мы устраним возникшую проблему местного значения. И думаю, у нас это получится, с твоей помощью.

— Было бы неплохо, — сказал Худек. — Было бы... очень даже неплохо.

— Я тоже на это рассчитываю.

Незнакомец откинулся на спинку сиденья и посмотрел на Ли долгим взглядом, от которого тому стало несколько не по себе.

— Что? — спросил Ли.

На незнакомце была рубашка с открытым воротом, и на груди виднелся шрам, явно от пулевого ранения. И кажется, еще один, размером с десятицентовую монету, несколькими дюймами ниже.

— Ты до сих пор не помнишь, что мы уже встречались раньше?

— Нет. В самом деле не помню.

— Что ж, теперь мы вместе займемся настоящим делом. Так что давай представимся друг другу как положено.

Он протянул Худеку руку. С его запястья свисал медный браслет.

— Рад познакомиться с тобой, Ли. Меня зовут Пол.

ГЛАВА 17

Джим полагал, что сможет проехать мимо без каких-либо инцидентов. Ведь это было так давно, к тому же он безжалостно приучил себя к мысли, что на самом деле все случилось не с ним, а с кем-то другим. Однако незадолго до того, как проехать мимо своего старого дома, он вдруг понял, что едет все медленнее, словно у него иссякает энергия в батареях. Несколько раз он ненадолго останавливался у обочины, потом ехал дальше, без какой-либо определенной цели — через лес и снова назад в город, постепенно сужая круги.

Наконец он оказался на парковке возле закусочной «У Рене». Пустой желудок настойчиво напоминал о себе. С тех пор как Джим выехал из Ки-Уэста, он еще ни разу не ел. Но стоило только выйти из машины, голод тут же исчез. Со стороны кухни доносился запах кипящего масла. Джиму хотелось чего-нибудь съесть, но явно не того, что могли здесь предложить.

Он немного постоял, сунув руки в карманы, наслаждаясь прохладным воздухом и надеясь, что у него в голове хоть немного развеется туман, становившийся с каждым часом все гуще, подобно грозовой туче.

С тех пор как он забрал свой фургон, ситуация основательно осложнилась, а после Питерсберга стала во сто крат хуже. Ему начинало казаться, что события неумолимо приближаются к некоему роковому моменту. Подобного ощущения у него не было уже давно.

Что это в кармане?

Он вытащил таинственный предмет и нахмурился, увидев пачку сигарет.

На мгновение это показалось ему настолько странным, что он испугался, не взял ли по ошибке чье-то чужое пальто. Но он не мог представить, где подобное могло произойти, а быстрая проверка других карманов показала, что пальто все-таки его. Так откуда же взялись сигареты?

Джим не курил уже очень давно. Собственно, он не курил вообще никогда. Джеймс — да, курил, в отрочестве, а также все время, проведенное в других странах. В армии курили все. И когда он вернулся — тоже. В комнатах для преподавателей дымили не переставая. А потом — в тот, второй период. Но с тех пор — нет. Он бросил курить, когда добрался до Ки-Уэста, раз и навсегда отказавшись от привычки, словно отрубив себе палец. Постепенно приспособился к более спокойному и размеренному образу жизни Джима Уэстлейка. Но в какой-то момент в течение последних двух суток у него в кармане оказалась пачка «Мальборо».

Он убрал пачку назад в карман. Курить ему не хотелось, он вообще не курил. Но знал, что сигареты там.

На мгновение он вдруг ощутил усталость и злость на самого себя. Глупо было разделять две свои личности, можно подумать, что это хоть как-то уменьшало его вину. Это был не я, это всего лишь алкоголь. Ваша честь, мои гормоны вынудили меня это сделать. И вообще, я ужасно труслив, а трусливые не ходят с ножами.

Оттолкнувшись от фургона, Джим немного прошелся вокруг квартала. Он еще не был готов ехать дальше, по крайней мере прямо сейчас.

Сигареты были не первой неожиданностью. Утром он заметил, что в сумке под пассажирским сиденьем лежит маленькая кастрюля. Он не помнил, чтобы когда-либо ее покупал. Изначально ее в фургоне не было. К тому же она выглядела новой, а не потертой, как та, которая лежала в коробке из-под обуви.

Впрочем, в том не было ничего странного или магического. Очевидно, он просто купил ее, примерно так же, как люди порой обнаруживают, что доедают пакет чипсов, который не так давно закрыли и убрали назад в шкаф, даже не отдавая себе отчета в том, что вернулись за ним в кухню. Он предположил, что, вероятно, руки иногда делают кое-что сами, без участия разума. Возможно, если у него действительно имелось две личности, то это могло бы все объяснить. Душа и тело, объединенные общим врагом. И преступный разум.

Новую кастрюлю он выбросил. Две ему не нужны.

Вокруг квартала не было ничего интересного, и, обойдя его с трех сторон, Джим решил, что пора возвращаться в фургон и ехать. Он шел вдоль задней стены кафе, когда вдруг услышал какой-то звук, остановился и обернулся.

Он ничего не увидел, кроме обшарпанной темной стены заведения фастфуда, кирпичный прямоугольник с закрытыми на засов дверями и большими металлическими контейнерами для отбросов, пропитанными запахом давно не существующего мусора. Ограда из колючей проволоки высотой в восемь футов отделяла предприятие от соседнего магазина по продаже шин. Вдоль нее шла узкая дорожка, вероятно ведшая к какому-нибудь складскому помещению. Возможно, туда, где хранились булочки для гамбургеров.

Именно оттуда, казалось, доносился звук.

Джим снова его услышал. Похоже, какое-то небольшое животного билось о нижнюю часть ограды. Ему могло быть больно.

Джим любил животных. Он решил, что стоит пойти посмотреть.

Пройдя по тротуару вдоль нескольких футов обшарпанного кирпича, он шагнул на дорожку длиной футов в тридцать, заканчивавшуюся у скрытой в тени стены.

Да, там действительно что-то было — что-то небольшое, в самом конце. И оно колотилось об ограду.

Он прошел еще несколько шагов. Существо неистово билось, словно считая себя угодившим в ловушку, хотя на самом деле ему нужно было лишь развернуться в другую сторону и убежать.

Вид у него тоже был странный. Похоже, оно стояло на задних лапах и в нем было около трех с половиной футов роста.

Джим сделал последний шаг и наклонился, чтобы лучше разглядеть существо.

К нему повернулось бледное испачканное лицо.

Это был ребенок — девочка в маленьком темном пальтишке, с непокрытой головой, и волосы ее развевались на ветру, когда она металась вперед и назад, вверх и вниз. Девочка цеплялась за низ ограды обеими руками, тряся ее изо всех сил. Лицо было измазано в грязи.

Ограда тихо звенела, но девочка не издавала ни звука.

Джим, спотыкаясь, снова выбрался на тротуар. Некоторое время он стоял, судорожно глотая воздух. Ограда продолжала негромко позвякивать. И больше ничего. Больше ничего здесь не происходило.

Он быстро прошел вдоль оставшейся стороны квартала, пока снова не оказался возле фургона. Достав сигареты и обнаружившуюся в другом кармане одноразовую зажигалку, закурил. Снова.

После первых нескольких затяжек ему показалось, будто на него обрушилось тяжелое бревно, и это помогло заглушить запах жира, доносившийся из вентиляционных шахт, запах масла, в котором жарились мертвые, чтобы накормить умирающих. При мысли об этом он почувствовал тошноту. Сейчас все вызывало у него тошноту. Он ощутил себя старым и ненужным и вместе с тем — полным энергии. Его руки сводило судорогой от силы, которой он не знал применения.

ГЛАВА 18

В конце концов я выбрал заведение под названием «У Люси» на Юнион-стрит в Оуэнсвилле. Внешне оно выглядело столь же невыразительно, как и бар в аэропорту, но здесь можно было курить, так что выбора особого не было — либо тут, либо «У Денни».

Лишь устроившись в кабинке у стены, выходившей на перекресток, я понял, что именно здесь проводили свидания Гуликс и Крегер и именно здесь они были в тот вечер, когда отправились в лес неподалеку от Торнтона, чтобы найти там труп Лоренса Уидмара. Я подумал, не спросить ли о них бармена, воспользовавшись в качестве приметы потрясающе рыжими волосами Гуликс, но он мог принять меня за полицейского — не слишком удачное решение, если хочешь остаться незамеченным в баре. Клиентам такое не нравится. Для них это примерно то же, как если бы в углу стояла их собственная мамочка. Мамочка с пистолетом. Кому это надо?

Унгер позвонил, когда приземлился его самолет, и я сказал, куда ехать. Потом подождал пару часов, бездельничая и стараясь не слишком напиваться. После проведенной на пустоши ночи я чувствовал себя уставшим и ничего не соображающим, к тому же страдал от головной боли, какая обычно бывает, если ты слишком рано встал и знаешь, что лечь спать удастся еще не скоро.

Я проглотил таблетку аспирина, купленного в дежурной аптеке через улицу, и периодически посещал туалет, чтобы ополоснуть лицо холодной водой, но улучшение было лишь минимальным и кратковременным. В конечном счете я сдался, надеясь лишь, что моя жизнь не всегда будет состоять в том, чтобы сидеть в баре, чувствуя страшную усталость и думая, не идет ли сюда кто-нибудь, чтобы меня убить.

Я подумал о деле, которое пыталась расследовать Нина, но так и не пришел ни к какому выводу. Если убийца — Гуликс, то вся эта история перестанет нас касаться. Конечно, стечение обстоятельств выглядело слишком уж удачным — рыжие волосы, пара дней, и подозреваемая за решеткой, — но порой случается и такое. Восемьдесят пять процентов из всех раскрытых преступлений раскрываются в первые двое суток. Если времени проходит больше — воспоминания начинают стираться из памяти, люди начинают ошибаться, и новые темные дела занимают место старых.

Примерно в четверть девятого к противоположному углу подъехало такси. Я увидел, как пассажир расплатился с водителем и посмотрел через улицу в сторону бара. Он был невысок и не слишком атлетически сложен, но это наверняка был именно он. И действительно, выйдя из машины, человек направился прямо ко мне.

Войдя в бар, он небрежно огляделся по сторонам. Я был единственным, кто сидел в одиночестве, не проявляя интереса ни к матчу по телевизору, ни к противоположному полу. Так что догадаться было нетрудно. Он не стал доставать пистолет. Вместо этого подошел и остановился рядом со столиком, опустив руки.

— Уорд Хопкинс?

Мы обменялись рукопожатием. Его ладонь была горячей и влажной. Он сел напротив, неуклюже устраиваясь на банкетке. Черные редеющие волосы прилипли к черепу, костюм помят. На вид примерно моего возраста, может быть, на год или два старше. Черты лица удивительно живые для человека, имеющего полсотни фунтов лишнего веса. Я подождал, пока он привлечет внимание официантки и закажет пиво. Потом он снова посмотрел на меня и улыбнулся.

— Знаю, — сказал он. — С таким именем, как у меня, вы наверняка ожидали увидеть кого-нибудь вроде Дольфа Лунгрена. Не беспокойтесь. Я уже привык к легкому разочарованию.

— Вы неплохо выглядите, — ответил я. — И не позволяйте никому утверждать обратное.

Он рассмеялся.

— Мой дед отказался от приставки «штейн» в фамилии, когда они приехали сюда в тридцатых, — сказал он. — Отец постоянно говорил о том, чтобы ее восстановить, но, похоже, никак не подворачивался удачный момент. Что касается меня, то я Унгер с самого рождения, так что не важно. Но свою родословную знаю.

Принесли пиво. Унгер осушил половину кружки одним глотком.

— Вот теперь лучше. Терпеть не могу самолеты. Ладно, прежде всего — что, черт побери, случилось с Бобби? Я думал, он бессмертен.

Я не знал, с чего начать, и вообще не был к этому готов.

— Ситуация весьма странная, Карл.

— Знаю. Вы понятия не имеете, кто я такой, и при этом я являюсь сюда, обращаясь с именем вашего лучшего друга так, будто мы были любовниками. Полагаю, вы проверили мой телефонный номер и убедились, что я действительно тот, за кого себя выдаю, но вряд ли вы пошли дальше. Естественно, именно это я и предполагал. Должен сказать вам, что да, у меня при себе пистолет, поскольку точно так же я не имею никакого понятия о вас. Думаю, и у вас тоже. Но кто-то из нас должен начать первым. Если хотите, чтобы это был я, — прекрасно.

— Согласен.

— Отлично. Вот что мне известно. У нас в Лэнгли есть целый отдел, который занимается прочесыванием эфира, следя за возможными намеками на деятельность террористов. Ну, вы сами знаете. Несколько месяцев назад одна из сотрудниц от нечего делать начинает просматривать электронный спам. Так вот, помните, когда часть этого дерьма начала появляться со всякими непонятными словами в заголовке или тексте?

— Чтобы обмануть спам-фильтры.

— Верно — именно так все и считают. При загрузке спама со случайными словами фильтры, исходящие из статистических предположений, оказываются сбиты с толку, полагая, что это нормальное общение, — поскольку спам обычно содержит слова типа «секс», «виагра» или «кредит», но не слова типа «бизон», «клубника» или «пацан». Но вот в чем штука. Эта сотрудница, ее зовут Рамона, начинает сопоставлять вместе все примеры спама, какие только могла найти, буквально десятки миллионов, и проводить над ними статистический анализ. Ничего особенного она не ждет, просто убивает время.

— Могу себе представить, — сказал я. — Сам чем-то таким когда-то занимался.

— Первый проход ничего особо не дает — практически случайное распределение слов. Тогда она начинает разбивать их на составляющие, просто на всякий случай — на значащие единицы. Таким образом из «газонокосилки» получаются «газон» и «косилка», а из «цветопередачи» — «цвет» и «передача». И неожиданно начинает кое-что проявляться. — Он пристально посмотрел на меня. — Чаще всего встречаются слова «соломенные» и «люди».

Мою реакцию можно было бы прочитать темной ночью с другой стороны улицы. Я едва не выронил сигарету.

Он кивнул:

— Вот именно это я и имел в виду. Эти слова не единственные — среди других выделяются около полутора сотен, — но эти находятся на самой вершине.

— Так что...

Я не договорил. Я не мог даже представить себе, какие это может иметь последствия.

— Господи...

— Верно. Собственно, никто бы не обратил внимания на эти слова, если бы я не вспомнил, что Бобби несколько месяцев назад обращался ко мне с вопросом насчет фразы «соломенные люди», и я подумал: действительно странно. Мы скачали копии всех популярных программ рассылки и генераторов случайных слов, разобрали по частям их код, но так и не смогли выяснить причину, по которой эти слова могли появляться чаще любых других. Похоже, кто-то помещал их в текст с определенной целью. И тогда я серьезнее заинтересовался спамом. Большая его часть — полная чушь. Нигерийцы с их заявлениями: «У меня есть миллиард долларов, и я обращаюсь к вам с просьбой о помощи» — откровенный спам, рассчитанный на клинических идиотов. Продавцы виагры и акулы-ростовщики, которые рассылают миллионы писем, не заботясь даже о том, в каких странах живут адресаты, поскольку это ничего им не стоит. Но есть спам и другого рода, и один из примеров — тот, которого теперь вы уже нигде не увидите: «Голая Бритни Спирс!» Меня всегда удивляло — неужели хоть кто-то в мире этому верит? Неужели кто-то и впрямь считал, несмотря на то что в то время она была прославленной в мире девственницей, будто в Сети действительно существуют ее фотографии в обнаженном виде, всего за пять долларов девяносто девять центов? А если нет — тогда кому и зачем это было нужно? Так или иначе, мы с Рамоной отобрали из всего спама тот, который выглядел обычным образом, а не состоял из случайных слов, и начали тщательно его изучать. Собственно говоря, мы просто запихнули все эти данные в компьютер, чтобы посмотреть, что он сможет в них обнаружить.

— И что же?

— Сперва ничего. Перечень того, что беспринципные люди рассылают отчаявшимся. Средства для увеличения размеров члена. Фотографии женщин с невероятно большой грудью. Дипломы для тех, кто не умеет читать и писать. Секс, секс, секс. Но потом Рамоне пришла в голову мысль заказать машинное время на большом криптографическом компьютере и ввести данные туда. В течение нескольких дней никаких существенных результатов не было, и я уже начал думать, что «соломенные люди» — всего лишь случайное совпадение. Но три недели спустя мы кое-что нашли.

Он допил пиво почти до конца.

— Сообщение напоминало самый обычный спам с предложением лекарств без рецепта. Но... вы ведь знаете, что такое книжный код?

Я кивнул.

— Каждое слово или буква соответствуют слову или букве, стоящим на том же месте в какой-нибудь известной книге. Первое слово в первой строке может быть первым словом первой главы, третье слово в пятой строке будет третьим словом пятой главы, и так далее.

— Именно так, со множеством вариаций. Шифр сразу же раскрывается, как только становится известным, какая именно книга имеется в виду, но он прост в употреблении и достаточно надежен при отсутствии подсказки. Так вот, после того как весь спам был подвергнут стандартному криптографическому анализу и ничего особо примечательного не обнаружилось, он был обработан программой, которая ищет грамматические конструкции, основываясь на хранящихся в памяти компьютера нескольких сотнях тысяч книг. Однажды ночью я просматривал результаты и нашел единственную фразу, сразу же бросившуюся в глаза.

— И какую?

— «Завтра — не день „соломенных людей", но возрадуйтесь».

Я пожал плечами:

— Ладно, вы нашли в этой фразе «соломенных людей». Но я не вижу в ней никакого смысла.

— Его и не было бы. Если не знать, что этот спам был разослан лишь однажды, в один-единственный день, на миллионы адресов по всему миру. И было это поздним вечером десятого сентября две тысячи первого года.

Я уставился на него.

— Именно, — кивнул он. — Эти люди знали о том, что должно произойти. Они знали, что башни-близнецы должны рухнуть, и не пытались этому помешать. Они сообщили, что это сделали не они, но вполне одобряют данную акцию.

— Боже мой...

— Все считают, что спам — это просто спам, но одно письмо из миллиона таковым не является. Если ты знаешь, что твоя переписка может заинтересовать службы безопасности, то больше всего тебе хочется избежать именно ощущения ее секретности. И вместо того чтобы посылать сообщение конкретному человеку, ты посылаешь якобы бессмысленный текст большому количеству людей. От реального получателя или получателей требуется лишь, чтобы они, во-первых, присутствовали в списке рассылки спама и, во-вторых, знали код. Все остальные просто выкинут его в корзину. И даже если нам повезет и мы сумеем раскрыть код и понять суть сообщения, слишком сложно доказать, что это частная переписка, поскольку сообщение было разослано сразу многим. Хуже того, даже если мы обнаружим сообщение с текстом: «Убийство президента намечено на четыре часа в среду» — это ничем нам не поможет. Это никуда нас не приведет. Каким образом мы можем проверить миллионы адресов получателей письма, половина из которых — одноразовые ящики на хот-мейле? Невозможно найти того, кому действительно предназначалось письмо, кто являлся подлинным адресатом.

— То есть они могут посылать свои письма открыто кому угодно, и получатели при этом защищены и полностью анонимны.

— Совершенно верно. На самом деле это настоящий кошмар. Путь электронного письма по Сети проследить не так-то просто; самое большее, что мы можем, — это предполагать, что последние из них исходили из Южной Калифорнии, возможно, из Лос-Анджелеса или откуда-то из Долины. Именно тогда я и начал дергаться и стал пытаться связаться с Бобби. Очевидно, существует некая система связи, которая слишком быстро перемещается с места на место, чтобы можно было ее отследить, — особенно если учесть, что ситуацию мы осознали слишком поздно и теперь отчаянно пытаемся наверстать упущенное.

— Какую ситуацию? Что именно наверстать?

Унгер махнул рукой, заказывая еще два пива.

— Именно этого мы пока не знаем. Вот почему я сразу же прилетел сюда, чтобы встретиться с вами. Коды постоянно меняются. Какое-то время нам везло, но сверить текст с каждой существующей в мире книгой невозможно, а фонетический анализ почти ничего не дает. За последние две недели нам вообще не удалось обнаружить ничего осмысленного, из чего можно сделать вывод, что они знают о наших поисках. Что может также означать: у них есть свой человек или люди в Конторе, о чем мне не хотелось бы даже думать.

— Советую подумать, — сказал я. — Мою подругу в ФБР отстранили от работы, после того как она слишком далеко продвинулась в верном направлении. А неделю назад некий человек, который должен был находиться в тюрьме, сбежал прямо из бронированной машины в Калифорнии. Эти люди очень серьезно друг с другом связаны.

— Так кто же они такие? Что вам о них известно?

— Год назад погибли мои родители, — сказал я. — В Монтане. Внешне это выглядело как автокатастрофа. Я был там на похоронах и нашел кое-что, заставившее меня куда серьезнее заинтересоваться случившимся: видеокассету с записью, которую сделал мой отец и в которой упоминалось некое сообщество под названием «Соломенные люди». Бобби оказался втянут в эту историю лишь потому, что я позвонил ему и попросил узнать, где поблизости можно было бы переписать видеокассету на дивиди. И на этом его участие должно было закончиться.

— Он никогда не знал, где стоит остановиться.

— Покопавшись в базах данных, он выяснил, что в моем родном городе нет никаких сведений о моем рождении. История долгая, но если вкратце: в конечном счете мы обнаружили, что меня неофициально усыновили, после того как мой отец убил человека, изнасиловавшего мою мать. Возможно, сперва он не собирался его убивать, но человек этот принадлежал к странной компании, скрывавшейся в лесу, и... в общем, так получилось. А мы были детьми этого человека.

— Мы?

— У меня был еще и брат.

— О котором вы ничего не знали? Вы встречались?

— В некотором роде. Он один из «соломенных людей», тот самый, который сбежал из тюрьмы. Он серийный убийца, а также занимается похищением людей на потеху другим убийцам. У него есть теория, что десятки тысяч лет назад человечество было заражено неким вирусом, который сделал нас более общительными, позволил современному обществу объединиться, подавив нашу естественную враждебность к себе подобным. Мы начали жить ближе друг к другу, заниматься земледелием, развивать современную цивилизацию. А им это не нравится. Они хотят, чтобы мир стал таким, каким был когда-то.

Унгер не отрываясь смотрел на меня.

— Хуже того, мы нашли доказательства причастности «соломенных людей» к расстрелу в школе в Эванстоне, штат Мэн, в прошлом году — и, вероятно, к другим событиям, происходившим в последние несколько лет. Если бы не нашли виновников взрыва в Оклахоме, я бы сказал, что и это вполне в их духе. Для них не существует никаких ограничений. Вообще.

Унгер какое-то время сидел неподвижно, а потом протянул через стол руку и взял одну из моих сигарет. Сперва я даже не был уверен, понимает ли он, что делает. Он закурил и посмотрел на меня.

— Ладно, — тихо сказал он. — Что ж, есть и еще кое-что. Перед тем как коды стали недоступны, мы начали замечать одну и ту же постоянно появляющуюся фразу. Мы обнаружили ее в нескольких часто встречающихся спамерских письмах, а чуть позже оказалось, что эта фраза записана на автоответчиках разных компаний в тридцати городах по всем Штатам.

Он достал из кармана листок бумаги, на котором было отпечатано: «День ангелов».

— Вам это о чем-нибудь говорит?

— Нет, — ответил я, чувствуя, как у меня по спине бегут мурашки. — Но и ничего хорошего в этом не вижу.

Некоторое время мы обменивались той немногочисленной информацией, которой располагали, но когда Унгер снова показал на мою кружку, я покачал головой.

— Мне еще надо возвращаться, — сказал я. — И без того придется ехать не слишком быстро.

— Я надеялся как следует вас порасспрашивать.

— Не сегодня. Мне еще нужно кое с кем поговорить.

— Она тоже про все это знает?

— Как вы догадались, что это именно «она»?

Унгер невинно поднял руки:

— По тону вашего голоса.

— Да, она знает.

— Не мог бы я побеседовать и с ней?

— Не знаю, — ответил я. — Нужно у нее спросить.

— Ладно.

Он достал ручку и написал на листке бумаги адрес.

— Сегодня я ночую здесь. «Дэйз-инн», кварталов пять к востоку отсюда. Номер двести одиннадцать. Я намерен пробыть до половины десятого завтрашнего утра. Номер моего телефона у вас есть, звоните. Если сможете приехать, я задержусь настолько, насколько будет необходимо. Есть еще кто-нибудь, о ком мне следовало бы знать?

— Нет.

— На самом деле было бы крайне неплохо поговорить с вами обоими, — сказал он, и мне показалось, будто уже привычная полуулыбка на мгновение исчезла с его лица. — У меня весьма дурные предчувствия по поводу нашей национальной безопасности. Мне кажется, будто надвигается нечто весьма неприятное, и если Контора допустит промах — для нее наступят тяжкие времена. В последний раз мы и так уже понесли немалые потери.

— Вряд ли Ирак был лучшим временем для ЦРУ.

Он раздраженно покачал головой:

— С этим как раз все было в порядке. Нет, конечно, без проблем не обошлось, особенно со всяким неуправляемым сбродом, но подобное происходило всегда — единственная разница в том, что у нас появились цифровые камеры и теперь мы можем поделиться впечатлениями с оставшимися дома друзьями. Армия всегда справлялась со своими задачами, и Контора тоже. Но пресса об этом не знает. Им и не положено. Это тайна. Но главным образом нас обвиняют в том, что мы не сумели предотвратить случившееся одиннадцатого сентября и что разведка в Ираке якобы обладала чересчур богатым воображением — хотя, когда пыль осела, мы так или иначе сделали все, что хотели.

Никого не волнует, что в начале девяностых армейскую контрразведку сократили почти до нуля. Там не осталось и сотни владевших арабским. Никто не был готов к новому мировому беспорядку. Никто. Нас сейчас беспокоят вовсе не ядерные заряды и вражеские батальоны. Нас беспокоят армии, помещающиеся в одном автомобиле. Терроризм — это не Джеймс Бонд или Том Клэнси. Даже «Аль-Каида» в наше время выглядит старомодной — теперь нашим врагом стал обычный парень с бомбой. Он ходит по тем же улицам, что и мы. Он думает о том же самом, что и мы. Но у него есть бомба.

Единственная надежда — на оперативников, которые могут действовать один на один, проникать в чужие головы. Выяснить, кто это — фермер или фанатик. Выяснить, где они собираются нанести следующий удар. И вот именно таких нам не хватает — вроде Бобби, хотя, конечно, он не владел иностранными языками, что могло бы спасти его гребаную жизнь. Прошу прощения, неудачно выразился. Но суть в том, что нас связывают по рукам и ногам, а потом удивляются, почему мы ни на что не способны, и куда легче обвинить во всем дерьме ЦРУ, а не какую-то сволочь, которую они даже найти не в состоянии.

— Которую вы найти не в состоянии, — поправил я. Мне хотелось уйти. — И если вы пытаетесь меня убедить, что Контора заслуживает Нобелевской премии мира, то вы не с тем разговариваете. Не забывайте, я ведь на вас работал. Там полно морально неполноценных людей, и за все время мы успели наделать немало глупостей. Почему вы считаете, что все нас настолько ненавидят?

— Просто обидно. Клянусь, мы хотим только добра.

— Кто бы сомневался, — сказал я. — И есть еще одно, что вам стоит знать. Настоящие плохие парни уже стоят за дверью. Возможно, они были здесь еще до того, как появились мы.

— Что вы имеете в виду?

— Я поговорю со своей подругой, — сказал я, вставая. — Возможно, увидимся завтра.

— Надеюсь. Не беспокойтесь, я буду оставаться здесь, пока вы не уедете в целости и сохранности. Но если то, что вы говорите, правда, однажды вам придется кое-кому довериться, иначе ваша жизнь — одна лишь долгая дуга, ведущая во тьму.

— Довериться, — повторил я. — Да, постараюсь запомнить это слово.

Я пожал ему руку и вышел. Переходя через дорогу, я бросил взгляд назад и увидел, что он все так же сидит за столиком.

Машину я специально поставил несколько поодаль, через пару кварталов, так что если кто-то хотел следовать за мной, ему пришлось бы привязаться ко мне тросом. Я выехал из города по дороге, которая могла вести практически в любом направлении, за исключением того, куда я ехал на самом деле.

По пути назад в Торнтон я пытался понять, как мне относиться к Унгеру. Отчасти мне хотелось ему верить, знать, что есть некто из известной Конторы, который, возможно, мог бы нам помочь. Но все же я не был в нем настолько уверен. Действительно ли он понял, что я говорю о женщине, лишь по тону моего голоса? И так ли просто он спрашивал меня о том, не знаю ли я кого-нибудь еще? Если он был сообщником «соломенных людей», то для него вполне имело смысл попытаться собрать всех нас вместе.

Проблема паранойи заключается в том, что очень трудно понять, где остановиться. Как только ты начинаешь ставить под сомнение нечто столь фундаментальное, как отношения между людьми, ситуация кардинально меняется.

Причина, по которой фотографии пыток в Ираке столь потрясли общество, заключалась вовсе не в событиях, которые они изображали. Злоупотребления во Вьетнаме известны всем. Мы знаем о лагерях военнопленных времен Второй мировой. Мы слышали о насаженных на копья головах в Средние века, о рыцарях, похороненных заживо в Азенкуре, об изобретательной жестокости, с которой римляне и карфагеняне терроризировали друг друга во времена Пунических войн. Войн не бывает без жестокостей. Война — сама по себе жестокость, изначальная и простая; лишь жадность, национализм и вера помогают нам делать вид, будто на самом деле это не так.

Единственным шокирующим фактом являлось само наличие фотоснимков, осознание того, что кому-то хотелось зафиксировать те события, что этот кто-то считал, будто есть и другие, кому хотелось бы увидеть подобное. Так ли уж он далек от убийцы, который хранит фотографии своих жертв? Или прядь их волос? Серийный убийца в достаточной степени отделяет себя от человеческой культуры, чтобы творить подобное на родной земле, в то время как большинству из нас требуются анонимность и удаленность чужой страны, в которой идет необъявленная война.

Но во всем остальном — какая, собственно, разница?

Разведка США не сумела предотвратить одиннадцатое сентября вовсе не по причине собственной некомпетентности. Почему-то всегда считается, что мы намного умнее и способнее всего остального мира. Они никогда не выигрывают, это мы иногда пропускаем мяч. Неправда. Иногда плохие парни выигрывают потому, что они ничем не хуже нас. Сила воли и неподдельная ненависть вполне в состоянии компенсировать громадное технологическое отставание. Считать иначе — значит полагать, что страна застряла в состоянии вечного праздника, подобно подростку в мокрой футболке, оттягивающемуся по полной на весенних каникулах.

Вскоре пошел дождь.

Езда нагоняла на меня тоску.

В Торнтон я въехал вскоре после полуночи. Город раскинулся передо мной в слабом сиянии луны, плоский и невыразительный, словно чье-то чужое сновидение. Медленно проезжая мимо полицейского участка, я подумал было позвонить Нине, но понял, что либо она слишком занята, либо ее там уже нет. Машина, напоминавшая репортерскую, все так же стояла у обочины, но в ней никого не было. Вероятно, журналисты находились сейчас в здании и история Джулии Гуликс появится в завтрашних газетах. Белый фургон, который я видел раньше, исчез.

Подъехав к отелю, я увидел перед ним машину Рейдела, а чуть дальше — автомобиль Монро.

Я вошел в вестибюль, надеясь, что в чем бы ни заключалась тема их позднего совещания, оно происходит не в номере Нины. Однако бар и ресторан были закрыты, причем создавалось впечатление, будто они никогда не открывались и уж точно никогда больше не откроются. Ни в вестибюле, ни за стойкой не было ни души.

Я потащился по коридору, думая о том, сумею ли убедить полицейских отправиться в конце концов спать, или мне придется сделать это силой. Днем Нина выглядела намного более уставшей, чем когда-либо прежде. И ей нужно было поспать. Как и мне.

Я постучал в дверь, а потом открыл ее своим ключом. Внутри было тихо.

— Нина?

Ответа не последовало. Совещание, видимо, происходило где-то в другом месте. Впрочем, я даже не знал, в каком номере остановился Монро. Я прошел по коридорчику мимо ванной, думая, что, может быть, стоит просто лечь, а Нина потом ко мне присоединится.

Внезапно я остановился, словно наступив на тонкое стекло.

Сперва я не увидел ничего, кроме крови.

ГЛАВА 19

Я знал, что кричу. Я знал это, потому что крик раздирал мое горло. Я просто не знал, насколько громко.

Казалось, будто кто-то основательно поработал электропилой. Кровью были забрызганы стены, телевизор, кресла, покрывало на кровати, большое зеркало на стене. В комнате пахло кровью и смертью, и от красных пятен вокруг у меня закружилась голова. Несколько мгновений я стоял неподвижно, не в силах осознать происшедшее.

На самом деле прошла почти минута, прежде чем я понял, что вижу пока только одно тело.

Это был Рейдел.

Он лежал под окном, выходившим на автостоянку, в неестественной позе, словно кто-то с силой швырнул его о стену. Половина скальпа отсутствовала, лицо залито кровью. Глаза были открыты, но ничего уже не могли увидеть. Казалось, будто кто-то пытался с помощью топорика срезать с него одежду, а потом просто начал неистово рубить. По стене над его головой тянулась кровавая борозда. Глубокие разрезы рассекали горло, руки и левую сторону груди, и на два фута вокруг по ковру расплылась темная лужа.

Одно тело.

Только одно.

Метнувшись в коридорчик, я пинком распахнул дверь в ванную, держа наготове пистолет. Там было сверхъестественно чисто по сравнению с остальной частью номера, и ни единого человека — ни живого, ни мертвого.

Снова вернувшись в комнату, я поволок кровать в сторону. Возможно, я думал, что Нина прячется под ней и не слышит, как я выкрикиваю ее имя, или там, под кроватью, находится то, что от нее осталось. Я перетащил кровать на середину комнаты, когда сзади послышался какой-то звук, и, обернувшись, увидел стоявшую в коридорчике женщину в форме служащей отеля.

Она начала вопить, словно взлетающий авиалайнер.

— Найдите агента Монро! — крикнул я. — Немедленно!

Она попятилась, стараясь оказаться от меня как можно дальше. Теперь она кричала во все горло, и от шума и вида крови я почти перестал соображать. Мне потребовалась секунда, чтобы понять, что она пытается убежать от меня. У меня в руках пистолет, я весь перемазан кровью, и у противоположной стены лежит нечто ужасное. На ее месте я бы тоже сбежал.

Сунув пистолет в карман, я сумел схватить ее за руку. Положив другую руку ей на плечо, удержал женщину на месте.

— Это не я, — сказал я, стараясь говорить ровным голосом и не переломать ей кости.

Взгляд ее метался по сторонам, видя что угодно, только не меня. Я приблизил к ней лицо и снова сказал, уже громче:

— Это не я. А теперь вызовите полицию и найдите агента ФБР Монро.

И подтолкнул ее к двери. Она бросилась бежать.

Я начал методично обшаривать номер. Я знал, что не следует нарушать картину преступления, но и без того уже все испортил. К тому же если Нину кто-то и найдет, то этим кем-то должен был быть я.

Упав на пол, я заглянул под кровать, чтобы окончательно убедиться, что там ничего нет. Снова встав, распахнул дверцы небольшого шкафа. Ничего, кроме немногочисленной одежды Нины. Я оставил дверцы открытыми, чтобы за ними не материализовалось вдруг ее тело, распадающееся на части и истекающее кровью. Заглянул за телевизор, отдернул занавеску на окне. Несколько раз мне пришлось перешагивать через тело Рейдела, и каждый раз я осознавал, что с ним что-то не так, но не понимал, что именно, поскольку в данный момент меня интересовала совсем другая проблема.

Снова вернувшись в ванную, я еще раз осмотрел ее, двигая дверь и занавеску для душа с помощью локтей, чтобы не запачкать их кровью из другого кошмара.

Нины там не было. Ее вообще не было нигде в номере. Сделать из этого факта какие-либо выводы я был не в состоянии. Мне просто нужно было найти ее.

Я выбежал в коридор и бросился в сторону вестибюля. Через десять ярдов мне встретился Монро в рубашке с коротким рукавом, совершенно сбитый с толку.

— Что случилось?

— Рейдела убили.

У него отвалилась челюсть, а я уже выбежал на холодную автостоянку.

Я начал метаться среди машин, заглядывая в окна каждой, но нигде никого не было, и никто не уезжал, так что в конце концов я остановился. Вокруг царила полная неподвижность, если не считать плывущих над головой облаков.

Преследовать было некого, и поделать я ничего не мог. Что бы ни случилось, оно уже случилось, и я появился слишком поздно. Вдали послышался звук приближающихся сирен.

Они тоже появились слишком поздно.

Час спустя я сидел на тротуаре с сигаретой в руке. Рука была измазана кровью. Мои джинсы — тоже. Я смотрел на выщербленный асфальт, пытаясь хоть за что-то мысленно зацепиться. До этого я большую часть времени провел в номере Нины и уже просто не мог там находиться. Неподдельная ярость и паника, охватившие местных полицейских, смешались с моими собственными, ввергнув в ледяную бездну полной беспомощности.

От прошедшего часа у меня остались лишь отрывочные воспоминания. Ничего такого, что могло принести хоть какую-то пользу, не происходило. Время просто шло, полностью перехватив инициативу. Я увидел нескольких полицейских, которые, наклонившись, шли через автостоянку, высматривая следы крови. Это я уже пытался делать.

Послышался звук открывающихся дверей отеля, и вышел Монро. Один. В вестибюле позади него толпились персонал и гости, которых полицейские пытались убедить убраться в свои номера и кабинеты и вообще куда угодно, лишь бы отсюда подальше. Половина гостей выглядели испуганными, остальные — так, будто случайно оказались зрителями особо пикантного реалити-шоу. Мне хотелось пойти и избить их всех. И очень больно.

— Есть что-нибудь?

Монро покачал головой:

— Отель сейчас переворачивают вверх ногами. Подвал, крышу, все складские помещения, какие только удается найти. Но ее нигде нет.

Я снова уставился в землю.

— Вся полиция города сейчас здесь или на улицах, — добавил он. — Вызвали всех дежурных офицеров. Шерифы Оуэнсвилла, Эндли и Смитфилда поставлены в известность. Я сообщил в два ближайших отделения Бюро. Они уже едут.

— Слишком поздно.

— Вовсе нет. Похищен федеральный агент, а на подобное мы всегда реагируем весьма решительно. Нам небезразлична судьба своих. И чего бы это ни стоило, мы ее найдем.

— И где же именно вы собираетесь начать поиски?

— Три главные дороги, ведущие из Торнтона, уже перекрыты. Когда прибудут другие агенты, мы заблокируем весь город. Если потребуется — каждый дом. Мы найдем ее, даже если придется все здесь разобрать по кирпичику.

Судя по всему, Монро сам не замечал звучавшего в его голосе героического безрассудства.

— Когда вы вернулись вечером в отель? Сколько времени прошло до того, как я узнал о случившемся?

— Примерно за час, — сказал он. — Может быть, чуть раньше.

— Значит, сейчас уже прошло больше двух. Он может быть уже в другом штате.

— Он? Кого вы имеете в виду?

— А кого, по-вашему? Кого-то, кто только что напал на двоих, занимавшихся расследованием убийств. Рейдела изрубили тем же орудием, что и других убитых, тяжелым топором — видели след на стене?

И тут я сообразил, что с телом Рейдела не так.

— Кисть его руки лежала в трех футах от тела, что однозначно указывает на вашего убийцу. Кого же еще?

— Джулия Гуликс сидит в камере. И рядом стоит охранник.

— Конечно. Монро, это сделала не она. Нина была права. Все ваши доводы основываются лишь на том, что Гуликс нашла тело Уидмара, и на том, что ее якобы видела некая завистница в баре. Даже если Гуликс действительно виновна и каким-то образом ухитрилась телепортироваться сюда из участка, я не могу поверить, что она способна на такое. Рейдел умел хорошо драться, да и Нина могла за себя постоять. Вы действительно можете представить, что Гуликс сумела бы с ними справиться? В самом деле?

— Нет, — признался он.

— Значит, это мужчина, причем ему уже раньше приходилось убивать. Гуликс невиновна, а настоящий убийца теперь пытается расправиться с нами, и мы не имеем никакого понятия ни о том, кто он, ни на что он способен.

Монро провел рукой по взъерошенным волосам. Я знал, что его в большой степени беспокоит судьба Нины, но вместе с тем сейчас он явно думал о том, как он будет выглядеть после похищения агента почти у него на глазах, не говоря уже об изрубленном полицейском. И надо полагать, определенные предположения на этот счет у него имелись.

— Это вовсе не обязательно должен быть тот убийца. Это не мог быть он?

— Кто?

— Ваш брат.

Я уставился на него:

— Зачем ему убивать здешних жителей? К тому же, когда убили первого, он еще сидел в «Пеликан-Бей».

— Знаю. Но есть еще версия, что убийства в Торнтоне совершила все-таки Гуликс, а ваш брат просто выследил вас двоих. Нина ведь ранила его тогда в лесу. Возможно, он пришел, чтобы ей отомстить.

Подобная мысль даже не приходила мне в голову.

— А отрубленная рука — всего лишь совпадение? Не думаю. И лучше молитесь Богу, чтобы это было не так. Если это Пол — ситуация полностью меняется.

— Вы наверняка правы, — ответил он. — Просто не знаю, что еще и думать.

— Никто в отеле ничего не видел? Никто из портье, из обслуги, из возвращавшихся вечером постояльцев? Кто-то проник в номер, превратил его в бойню и вытащил Нину из отеля — и никто ничего не видел и не слышал?

— Мы продолжаем опрашивать гостей, но дело, похоже, безнадежное. Обслуживающий персонал закончил работу в половине одиннадцатого. Последние три часа за стойкой портье была та самая девушка, которую вы напугали до смерти. Она провела вечер в кабинете — обычная практика, заниматься подготовкой всех дел на завтра и выходить, только если позвонит колокольчик. Пройти мимо нее было не так уж и сложно. И уйти...

— Значит, Нина была без сознания.

Монро отвел взгляд:

— Или...

— Нет. Только не это. Без сознания.

Я встал, чувствуя, что нужно незамедлительно действовать.

— Я поехал.

— Куда?

— Чтобы сделать то, что я должен был сделать час назад, — сказал я. — Отправиться на поиски. Здесь ее нет. Значит, она должна быть где-то в другом месте.

Достав из кармана листок бумаги, я написал на нем номер своего мобильника.

— Позвоните мне. Сразу же. Что бы ни случилось.

— Позвоню. — Он пристально посмотрел на меня. — И вы тоже. Только не пытайтесь действовать самостоятельно.

— Думаете, я смогу вам это обещать?

— Нет. Но если вы его найдете, я хочу быть там.

— Вы не сможете помешать мне убить его.

— Я ничего не говорил о том, что собираюсь вам мешать.

Я бесцельно кружил на большой скорости по городу, открыв настежь окна и прислушиваясь к звуку сирен. Мне пришла в голову мысль посетить места, где были найдены два трупа, но на парковке в начале тропы, ведшей в Рейнорский лес, было пусто, а место второго убийства я вряд ли сумел бы отыскать самостоятельно. Я позвонил Монро, и он сказал, что кого-нибудь туда пошлет.

Я продолжал все быстрее и быстрее колесить по городу, тщательно его прочесывая. То и дело мне попадались полицейские машины, проносившиеся в разные стороны, но никто не обращал на меня никакого внимания и не останавливал меня, несмотря на то что я вел машину, словно маньяк, и — стоило им лишь взглянуть — весь был перемазан кровью.

В какой-то момент, оказавшись возле полицейского участка, я вдруг остановился, повинуясь неожиданному импульсу. Прежде чем я понял, что делаю, ноги уже несли меня к входной двери. Внутри никого не было, кроме единственного сидевшего за столом полицейского, который явно нервничал. К счастью, это оказался один из тех, кто уже видел меня днем.

— Сэр, с вами все в порядке? Вы ранены?

— Нет, — ответил я. — Просто я прямо оттуда, где убили Рейдела. Где Гуликс?

— В камере. Но вам туда нельзя.

— Нет, можно, — возразил я. — Позвоните агенту Монро. Скажите ему, что это Уорд Хопкинс.

Пройдя в заднюю часть здания, я направился по коридору мимо комнаты для допросов, где был днем. В конце коридора располагались в ряд три мрачного вида двери. Возле средней стоял еще один возбужденный полицейский с пистолетом.

— Откройте, — приказал я.

— Ни в коем случае, сэр.

Я подошел к двери и заглянул в окошко. За ним находилось маленькое помещение размером девять на девять футов, погруженное во тьму, если не считать просачивавшегося из коридора света. У одной стены стояла узкая койка, у другой располагались раковина и металлический унитаз. Возле дальней стены стоял стул.

На стуле сидела Джулия Гуликс, выпрямившись и опустив голову. Пока я смотрел на нее через глазок, она подняла взгляд. Лицо было бледным, глаза широко открыты.

Она посмотрела прямо на меня. И что-то изменилось в выражении ее лица.

Вряд ли это была улыбка. Но губы ее странно шевельнулись.

— Сэр... — Сзади ко мне подошел полицейский, который до этого сидел за столом. — Пожалуйста, уходите. Немедленно.

— Я хотел бы с ней поговорить, — сказал я.

Она все еще смотрела на меня.

— Это невозможно, мистер Хопкинс. Я только что разговаривал с агентом Монро, и он сказал, чтобы вас не арестовывали, но немедленно выпроводили. — Он положил руку мне на плечо. — Мне бы не хотелось...

Я стряхнул его руку. Охранник внимательно наблюдал за мной.

— Я ухожу, — сказал я.

Полицейский поспешно вывел меня на тротуар. Он был явно напуган, а я знал, что вряд ли снова отважусь на нечто подобное. И уж в любом случае ничем хорошим для меня это не кончится.

Вот только...

Во взгляде Гуликс и ее странной улыбке явно читалось, что она знает о случившемся в городе. Наверняка в полицейском участке царила страшная суматоха, когда до них дошло известие об убийстве Рейдела. Она вполне могла слышать через дверь какие-то подробности. Была ли это всего лишь ее реакция на новость о том, что копа, который донимал ее днем расспросами, теперь убили самого?

Я стоял на тротуаре, зная, что полицейский продолжает наблюдать за мной из-за стола. Еще до того, как вернуться в отель после встречи с Унгером, я успел основательно вымотаться, а теперь вообще едва мог что-либо соображать.

Я тяжело опустился на ступени.

Я предполагал и надеялся, что Нина жива. Если бы они намеревались убить их обоих, им намного проще было сделать это прямо там, в номере.

Так почему же кто-то убил Рейдела, но забрал с собой Нину живой?

Либо преступник изначально предполагал убить обоих, но потом по какой-то причине передумал, либо он изначально планировал захватить Нину. Тогда Рейдела убили просто потому, что он там оказался. А возможно, убийца намеренно рассчитывал на одну жертву и одно похищение. В любом случае ему удалось все то, чего он хотел.

Итак, предположим, что его целью являлась Нина. Что это могло означать? И что из этого следовало?

По всеобщему предположению, случившееся было делом рук убийцы из Торнтона. Каким-то образом он узнал, что Нина занимается расследованием, и решил, что она угрожает его безопасности, или же просто избрал ее своей следующей жертвой. Последняя мысль мне вовсе не нравилась, но, к счастью, подобное было крайне маловероятно, если только преступник полностью не сменил свой образ действий и тип жертв. Одно дело — расчленять мужчин средних лет, и совсем другое — похищать силой вооруженную женщину, агента ФБР.

Так что следовало рассмотреть вариант, что это кто-то другой.

Идея Монро относительно возможной причастности Пола потрясла меня, но поверить в нее я не мог. Да, действительно, как физические, так и моральные качества моего брата не препятствовали совершению подобного. Однако мне трудно было представить, чтобы он мог это сделать. Отчасти потому, что тогда он, скорее всего, дождался бы моего возвращения в номер. И еще мне не хотелось в это верить, потому что я знал: если это и в самом деле Пол, я никогда больше не увижу Нину, что бы я ни предпринимал.

Так кто же еще? Другие агенты «соломенных людей»? Несомненно, среди них хватало тех, кто мог не колеблясь убить полицейского. Я видел, как один из них разрядил пистолет в Чарльза Монро в ресторане полгода назад. А в садах роскошного жилого комплекса были зарыты тела многих жертв. Для этих людей не существовало никаких ограничений.

И тут что-то щелкнуло у меня в голове.

Из Торнтона я выбрался беспрепятственно — я понятия не имел, какие именно три выезда из города перекрыты, но, видимо, нашел какой-то другой. Вдавив до отказа педаль газа, я вскоре оказался в Оуэнсвилле. На главной улице пришлось сбросить скорость, поскольку было полно полицейских машин — судя по всему, предупреждение Монро возымело действие. Я нашел «Дэйз-инн» и заставил себя неторопливо войти в здание, для того чтобы не привлечь ничьего внимания.

Несмотря на три часа утра, за стойкой портье кто-то сидел. Вид у него был, что неудивительно, весьма сонный, но он присутствовал на рабочем месте. Возможно, будь так же в торнтонском отеле, Нина сейчас была бы в своем номере, а я вместе с ней.

— Я из номера двести одиннадцать, — сказал я, изображая усталость и легкое опьянение. — Где-то потерял ключ, не могли бы вы дать мне другой?

— Прошу прощения, сэр, я не видел, как вы поселялись. Можно взглянуть на ваши документы?

Я на ходу сделал вид, будто шарю в кармане.

— Все в порядке, нашел.

— Спокойной ночи, сэр.

Я поспешил по лестнице наверх, а потом по коридору, пока не нашел номер 211. Постучав в дверь, сунул руку под пиджак.

Никакой реакции. Я постучал снова, громче и прислонил голову к двери. Изнутри не раздавалось ни звука. Неожиданно я почувствовал, как у меня внутри все холодеет.

— Карл? Это я, Уорд.

Молчание. Я отошел назад и с силой пнул дверь. Она даже не дрогнула. Я пнул еще раз, столь же безрезультатно. Я не знал, как справиться с этим типом замка, и не был настолько глуп, чтобы пытаться его прострелить.

Я снова сбежал вниз к стойке.

— Какие-то проблемы с ключом, — сказал я. — Не работает. Нужен другой.

— Тогда попрошу документы.

Я достал пистолет:

— Этого хватит?

Он потянулся рукой куда-то влево.

— Не трогайте телефон. Я расследую убийство в Торнтоне.

— Вы из полиции?

— Нет. ФБР.

— Надо было сказать.

Его отношение ко мне сразу же изменилось, стоило ему почувствовать шанс оказаться героем местных новостей в роли самого полезного жителя Оуэнсвилла. Он пробежал пальцами по лежавшей перед ним клавиатуре.

— Двести одиннадцатый?

— Да. Карл Унгер.

Он нахмурился:

— Гм... нет.

— Мне действительно нужно попасть в этот номер.

Схватив из стопки карточку, он продернул ее через слот, но не отдал мне, а вышел из-за стола. Видимо, собирался пойти со мной. У меня не было ни времени, ни желания от него избавляться, так что я последовал за портье. Быстро поднявшись по лестнице, он направился прямо к двери, вставил карточку в замок и открыл номер.

Я вошел внутрь. Там было пусто. Кровать выглядела нетронутой. В ванной — безукоризненно чисто, а туалет все еще был продезинфицирован в ожидании нового постояльца.

Выругавшись, я повернулся к портье:

— Рассказывайте.

— Мистер Унгер забронировал номер по телефону сегодня днем. Около десяти вечера позвонил и отменил бронь.

Было уже слишком поздно, и ему пришлось заплатить, но, по сути, он выписался из отеля, даже ни разу в него не зайдя.

Я бессильно опустился на край кровати, злясь на себя самого. Меня в очередной раз одурачили. Унгер без каких-либо усилий со своей стороны разлучил нас с Ниной. Он забронировал номер в отеле, чтобы казалось, будто он задержится здесь на какое-то время, и чтобы было куда заманить нас с Ниной на следующее утро, если вечером не получится так, как было запланировано.

Но все получилось. И теперь он исчез. И Нина тоже.

Остался один я.

Когда я вернулся в Торнтон, автостоянка возле «Холидей-инн» была заполнена полицейскими машинами. Рядом с ними стояли два фургона с телевидения. Вокруг уже собралось кольцо предрассветных зевак. Я проехал мимо — здесь мне делать больше нечего.

Я отправился туда, где уже был этим вечером, — на парковку возле Рейнорского леса. Сидя в машине с открытыми окнами, я прислушивался к звукам леса. Перед глазами стояло лицо Нины, и сердце все сильнее и сильнее сжималось от ужаса.

— Что мне делать, Бобби? Как мне ее найти?

Я задал вопрос еще до того, как понял, что собираюсь это сделать, и ответом мне была тишина. Глупо, конечно, но сейчас не время вспоминать о том, что дорогие мне люди на самом деле мертвы навсегда.

Сам не зная отчего, я достал телефон и нажал кнопку быстрого набора с номером Нины. Мне сразу же ответил автоответчик. Я знал, что так и должно быть, — Монро уже пытался запеленговать местонахождение телефона, но безрезультатно. Аппарат был отключен. Некоторые умные головы полагают, что его можно отследить даже в этом случае, но, к сожалению, они ошибаются.

И я сделал единственное, что мне еще оставалось, — попытался позвонить по другому номеру. Я пытался снова и снова, с интервалом в пять минут, пока наконец в три минуты восьмого не услышал знакомый голос. Впервые за пять месяцев.

— Какого черта тебе надо, Уорд? Я получил твое сообщение, и я понятия не имею, о ком ты спрашивал.

— Джон, мне нужно с тобой поговорить.

— Нам не о чем разговаривать.

— Нина у них.

Последовала долгая пауза.

— У кого?

— Не знаю. Но она у них.

— Где ты?

— Торнтон, Виргиния. Джон, приезжай скорее.

ГЛАВА 20

— Обычная работа. Мы просто занимаемся тем же, что и всегда.

— Да ты бредишь, чувак. За последние сутки мне вообще никто не звонил. Две тусовки на этой неделе отменились. Само собой, предки у всех в панике, копы расспрашивают народ направо и налево... Сейчас просто не время развлекаться, Ли. Все сидят дома и смотрят телевизор.

Было без двадцати девять утра. Они сидели в машине Худека рядом с тем самым «Старбаксом», где были в вечер гибели Пита, и точно так же, как тогда, пили кофе с молоком из больших картонных чашек. На этот раз кофе казался тошнотворным и чересчур сладким.

Сама идея приехать сюда принадлежала Ли, у которого возникла мысль посетить места, имевшие отношение к тому вечеру, чтобы на те воспоминания наложились новые. Таким образом последним, что останется в памяти персонала или кого-то из посетителей, будут двое ребят, не выделяющихся своим поведением среди других, а не два потрясенных до глубины души парня, только что похоронившие своего лучшего друга.

Брэд не знал, есть ли в этом хоть какой-то смысл, и вообще полагал, что для того, чтобы пытаться перехитрить полицейских, требуется несколько больший опыт. Уверенность Ли начинала его слегка беспокоить. После встречи один на один с этим типом, Полом, он, похоже, начал несколько неадекватно оценивать реальность.

— Они что, не понимают, что теперь все будет намного сложнее?

— Конечно, — ответил Ли. — Но бизнес все равно продолжается. Деньги приходят и уходят, да и таблетки ребятам рано или поздно снова понадобятся.

Брэду его слова показались полнейшей чушью.

— Можно, наверное, поговорить с Мэттом и Диной, — без особого энтузиазма сказал он. — Они не настолько хорошо знали Пита. Возможно, они и сейчас развлекаются.

Худек покачал головой:

— Только не Рейнольдсы.

— Почему?

— Нет, и все.

— Ну тогда не знаю, Ли. Отвези товар обратно своим друзьям и объясни, что после того, как какая-то сволочь разнесла Питу башку, на рынке особого оживления не наблюдается.

Худек повернулся к нему:

— Ты хорошо себя чувствуешь, приятель?

— Нет, я не чувствую себя хорошо. И мне не хватает Пита. Действительно чертовски не хватает.

— Знаю. Мне тоже.

Брэд сомневался, что этим словам стоит верить. Ему казалось, будто во вселенной Ли Пит стал лишь мелкой проблемой, решение которой тот пытается найти.

— Его мама звонила моей вчера вечером, спрашивала, не знает ли та чего-нибудь.

— Она всем звонит.

— Знаешь, Ли, все остальные меня нисколько не волнуют, ясно? Сейчас мне плевать и на тебя, и на Стива, и на людей на улицах Багдада. Я говорю про себя. Вчера она звонила моей маме. А потом мама пришла ко мне в комнату, села и... ну, в общем, ты понимаешь. Хреново все это.

— Скоро станет легче.

— Нет, Ли. Сомневаюсь, что станет. — Он поколебался. — Карен мне вчера тоже звонила.

— Ну так она же твоя девчонка? Так давай действуй, чувак. От разговоров — к делу.

— Я вовсе не о том.

— Догадываюсь. Просто пошутил.

— По-твоему, это смешно?

— Что ты, собственно, имеешь в виду, Брэд? Я, конечно,
не дурак, но и мысли читать не умею.

— Она продолжает меня расспрашивать.

— О чем?

— После того как нашли Пита, она позвонила мне, и мы
с ней говорили о том о сем, про то, как дерьмово все вышло,
и вдруг она меня спрашивает — не знаю ли я чего-нибудь
насчет того, что с ним случилось?

— И что ты сказал?

— Сказал, конечно, что не знаю. Но... она что-то слышала. Помнишь, Ли, я тогда ждал тебя возле машины, и она
тоже там была? Когда ты подошел, ты сказал: «Он идет»,
или «Он сейчас будет», или что-то вроде того. Не помню
точно, что именно, но она помнит наверняка. Она знает, что
мы кого-то ждали, и думает, что это был Пит.

— Господи, так почему же ты не сказал, что это был
Джед, или Март, или Грег?

— Потому что я тогда толком не соображал, ясно? Я просто сказал, что мы поехали за гамбургерами одни. Что, собственно, должны были видеть все, когда мы вернулись. Так
зачем вмешивать сюда кого-то еще, особенно если в случае
чего они просто скажут: нет, нас там не было?

— Угу, ладно. Так что она говорила вчера вечером?

— Больше ничего. Разве что... еще она сказала, что на-
деется, если кто-то что-то об этом действительно знает, то
обязательно сообщит в полицию. Она сказала, что копы,
похоже, взялись за дело всерьез и, наверное, лучше сразу
им все рассказать, даже если это что-то очень нехорошее.

— Думаешь, она имела в виду тебя?

— Думаю, да. Но я просто согласился с ней, и мы больше об этом не говорили. Понимаешь, меня это все основательно беспокоит. И я чувствую себя... виноватым.

— Ты не виноват, как и я. Она просто поступает так, как считает правильным. Наши друзья постараются побыстрее убрать все следы. Карен поймет, что мы ничего не знаем, и все опять станет как раньше.

— Даже если мы скажем им, что не можем продать их наркотики?

— Дело не в наркотиках. У них на уме нечто другое. Подробностей я пока не знаю, но кое-что намечается точно. Эти ребята все связаны друг с другом, вроде мафии, но не итальянской, колумбийской и прочих. Это белые люди. У них большие планы, и мы должны им помочь. Все остальное не имеет значения.

— Пит имеет для меня значение, Ли. И всегда будет иметь.

— Ну да, конечно, — кивнул Худек, и Брэд понял, что тот едва вспомнил, кто такой вообще Пит.

Пискнул пейджер, и Ли бросил взгляд на экран, а затем включил двигатель.

— Это они, — сказал он. — Пора ехать.

Когда они вошли в ресторанный дворик торгового центра «Бель-Айл», у Брэда возникло ощущение некоторой сюрреалистичности происходящего. Это место очень хорошо было ему знакомо. За последние пять лет здесь было поглощено бесчисленное множество блинчиков с мясом и яичных рулетов, запитых содовой и заеденных вишневым мороженым во время неторопливых прогулок в компании друзей или Пита, а в последнее время просто вдвоем с Карен. А если заглянуть еще дальше, можно было вспомнить, как он приходил сюда вместе с матерью, отцом и сестрой и, не желая сопровождать их в утомительных походах за покупками, просил, чтобы ему разрешили пойти купить себе шоколадный коктейль и подождать их тут, что, как правило, ему позволяли.

В это раннее время торговые точки лишь начинали оживать и за столиками было почти пусто — лишь несколько домохозяек, оживленно беседовавших за кофе, да какой-то монстр, сгорбившийся над грудой гамбургеров, которые могли бы прокормить небольшое семейство. Изо рта у него свисала жареная картошка, будто лапки некоего гигантского съедобного насекомого.

И еще — тот самый тип.

Он сидел в одиночестве за столиком прямо посреди зала. Это несколько удивило Брэда, но лишь до тех пор, пока он снова не огляделся по сторонам. В разных местах зала сидели еще трое, явно пришедшие сюда не на распродажу календарей в книжном магазине. Им было от двадцати до сорока лет. Никто из них ничего не ел и не пил. Все смотрели на него и на Ли с делано безразличным видом, а самый молодой таращился изо всех сил. Что-то в нем Брэду сразу же не понравилось.

Ли взял с собой сумку с наркотиками. Брэду это тоже не понравилось, но именно так говорилось в полученном на пейджер сообщении. Подойдя к столику, за которым сидел главный, Худек собрался было протянуть ему сумку, но тот лишь коротко покачал головой.

— Чуть позже, — сказал он. — Садитесь.

Ли с Брэдом сели напротив него. Забавно: судя по тому, как Ли его описывал, Брэд ожидал увидеть кого-то похожего на знаменитого актера, человека, выделяющегося из толпы. На деле же он оказался абсолютно неприметным, способным легко затеряться среди других.

— Брэд?
— Угу.

— Рад познакомиться, Брэд. Меня зовут Пол.

— Очень приятно, — сказал Брэд, думая: «Не нравишься ты мне, приятель».

Мужчина переключил свое внимание на Худека:

— Так, значит, не идет торговля?

— Делаем все, что можем, но, поскольку Пита убили, сейчас не слишком подходящее время.

— Ты ведь наверняка продаешь товар не только близким друзьям?

— Нет, конечно. Но мы торговали на определенной территории и в определенных кругах. Если нужно — попытаемся еще.

— Не беспокойся. Что потеряла Долина — приобретет Западный Голливуд. Переместимся туда.

Худек ощутил легкое разочарование. Вряд ли это имело хоть какое-то отношение к тому продвижению наверх, на которое он рассчитывал.

— Прошу прощения, — сказал он. — Просто сейчас не та ситуация.

— Ничего страшного, — ответил Пол. — И на наш план это никак не повлияет, можешь не волноваться.

Он повернулся к Брэду:

— Брэд, будь так любезен, принеси мне кофе.

Первым желанием Брэда было отказаться, сказав, что, черт побери, он не нанимался обслуживать чужие встречи. Но отчего-то возникло чувство, что с этим типом не поспоришь. К тому же, едва он открыл рот, у него скрутило живот, и он болезненно поморщился.

Пол пристально посмотрел на него:

— Плохо себя чувствуешь?

— Живот болит, уже несколько дней, — сказал Брэд, внезапно ощутив тошноту. — И не проходит.

— Возможно, последствия стресса?

— Вполне может быть.

— Что принимаешь?

— Ну, в общем...

Мать Брэда скормила ему большую часть домашней аптечки, как обычно рассчитывая на счастливую случайность.

— ...лекарства всякие.

— Попробуй какие-нибудь травы. Скажем, шлемник. Или еще что-нибудь.

Брэд кивнул, едва подавляя раздражение, и в конце концов направился за кофе, поняв, что Пол каким-то образом подчиняет его своей воле. Похожими качествами обладал и Ли, но Пол был первым среди первых. Ты просто делал то, о чем он просил.

Брэд подошел к ближайшей стойке, возле которой не было очереди. Пока барменша готовила напиток, он оглянулся и посмотрел на Ли. Они с Полом о чем-то сосредоточенно беседовали. Вероятно, об этом своем «плане». В чем бы он, черт возьми, ни состоял — весенние каникулы? Какого черта? Брэда сейчас это не слишком интересовало. Ему хотелось, чтобы встреча побыстрее закончилась, а потом можно было бы зайти к Карен и куда-нибудь поехать вместе. С ней ему казалось намного проще и легче.

Он заметил, что двое, которых он видел раньше, куда-то исчезли. Остался лишь самый молодой. Вид у него был такой, словно он готов воспользоваться любой возможностью сделать что-нибудь нехорошее.

Брэд подумал о том, какую, собственно, помощь могли бы он и Ли оказать этим людям, и не смог придумать ничего вразумительного, что привело его к мысли, будто им нужна вовсе не помощь, а всего лишь пушечное мясо. Те, кого можно посылать на опасные сделки, как в тот вечер.

Наркотики мало чем отличались от шоу-бизнеса, в отношении которого отец Брэда постоянно прививал сыну здоровый скептицизм. У закаленного в боях адвоката, работавшего в этой сфере, были на то свои причины. Похоже, все считали, будто слава кинозвезды только их и ждет и все, что от них требуется, — оказаться в нужное время в нужном месте, пробиться в ток-шоу и все такое прочее. На самом деле обе сферы деятельности были подобны крупным хищникам, а ты для них являлся лишь закуской, куском плоти, приправленным надеждой и жадностью.

Брэду хотелось думать, что рано или поздно Ли это тоже поймет. Можно было бы намекнуть ему и раньше, но его друг никогда не желал слушать то, что не соответствовало его собственным убеждениям.

Бред направился обратно к столику, осторожно неся маленькую чашечку кофе. Когда он подошел, Ли кивнул собеседнику.

— Как хотите, — сказал он Полу.

— Знаешь большой спортивный магазин на втором этаже, возле эскалатора? Забыл, как он называется.

Ли знал этот магазин. Их компания уже несколько лет покупала там всевозможное снаряжение.

— «Сириус». Конечно.

Пол взял у Брэда кофе.

— Возле стены есть стойка с сумками. Повесь ее там. Сзади, так чтобы никто не заметил. Потом ее заберет один из наших ребят.

Брэд нахмурился:

— А это не рискованно?

— В такое время — нет, да и сумка из прошлого сезона. Вы ведь не хотели бы, чтобы кого-то из вас нашли с ней мертвым?

Пол подмигнул и, поднеся чашку к губам, одним плавным движением осушил ее. Брэд уставился на него, едва не раскрыв рот. Он видел, как из кофеварки лилась дымящаяся струя, и еще удивился, что чашка не расплавилась.

Затем Пол неожиданно встал, все еще держа чашку у рта. Он куда-то смотрел, и Ли с Брэдом повернулись в ту же сторону.

Рядом с ирландским баром на стене висел большой плоский телевизор. Хотя до открытия оставалось еще много часов, телевизор был включен (чтобы никто не упустил шанс показать свою рекламу) и настроен на канал Си-эн-эн. Звук был приглушен. Показывали группу полицейских, стоявших на площадке, напоминавшей автостоянку отеля. Действительно, можно было увидеть вывеску «Холидей-Инн». Какой-то репортер что-то уныло бормотал в микрофон. Похоже, кого-то убили. Брэду это событие казалось теперь не столь малозначительным, как когда-то.

Ли снова посмотрел на Пола:

— Поговорим позже, ладно?

Тот кивнул, продолжая немигающим взглядом смотреть на экран. Больше он в них не нуждался. Ли, возможно, и хотел бы пожать ему на прощание руку, но внимание Пола было занято теперь совсем другим, и, похоже, надолго.

— Увидимся, — сказал Ли.

Ответа не последовало.

Брэд направился следом за Ли через зал, к эскалатору. На втором этаже они вошли в спортивный магазин «Сириус». Подойдя к прилавку, Брэд завел долгий и сложный разговор о проблемах сноуборда — тема, на которую продавцы были более чем счастливы потратить всю небольшую мощь имеющегося у них интеллекта.

Они показывали ему уже третью доску, когда подошел Ли, без сумки.

— Пошли, — сказал он.

Брэд вежливо улыбнулся продавцам, и они ушли.

— Прямо рыцари плаща и кинжала, — усмехнулся Брэд. — Почему нельзя было отдать сумку прямо там, за столиком?

— У него имелись свои причины, — ответил Ли.

«О которых, вероятно, ему даже не нужно было тебе рассказывать, — подумал Брэд, толкая дверь и выходя на залитую солнцем парковку. — Потому что теперь ты сделаешь почти все, что он скажет. Интересно, чем он намеревается тебя купить? И еще интересно, получу ли я хоть кусочек. А если да — то насколько маленький».

— И что теперь? — спросил он.

— Можно расслабиться, — сказал Ли. — Сегодня днем копы получат наводку. Они услышат, будто Пит Восс договорился о сделке с какими-то парнями из другого конца штата, с которыми познакомился на вечеринке в пятницу, накануне той, что была у Карен. Сделка на тысячу долларов, из-за которых в субботу вечером его убили. Парни уже подготовлены.

— И почему же копы должны в это поверить?

— Потому что это в какой-то степени правда, кроме того, им также намекнут, где искать тело Эрнандеса, который был сообщником Пита и которого убили из-за той же сделки. Все сходится.

Брэду все это не слишком понравилось.

— Значит, маме Пита скажут, что ее сына убили из-за того, что он торговал наркотиками?

— Ну... ведь он на самом деле торговал. Помнишь?

— Нельзя было сделать так, будто это несчастный случай или вроде того?

— Нет. Слишком поздно. И если так — то никто, кроме его друзей, не мог его похоронить.

— Неправда, Ли. Это...

— Брэд, для тебя это пропуск на свободу из тюрьмы. И ты не можешь диктовать другим, что и как им следует делать.

— И что это будет нам стоить?

— Ничего.

Брэд покачал головой.

Ли высадил Брэда возле его дома, где тот сел в свою машину и, откинув крышу, поехал навстречу начинающемуся дню.

Когда он подъехал к дому Люксов, машины Карен на дорожке не было. По дороге он пытался звонить, но в ответ слышал либо короткие гудки, либо автоответчик. Он подумал было о том, чтобы просто развернуться и уехать, но это могло показаться грубым, к тому же машина могла быть в мастерской.

Когда он позвонил в дверь, ему открыла миссис Люкс. Вид у нее был слегка подавленный.

— Здравствуй, Брэдли, — сказала она.

— Добрый день, миссис Люкс. Карен дома?

— Она уехала в аптеку. И оставила тебе записку.

Поблагодарив ее, он забрал записку с собой в машину — сложенный листок бумаги в заклеенном конверте.

Там было написано:

Брэд!

Мама, наверное, сказала тебе, что я уехала в аптеку, но это неправда. Я просто сказала ей так, потому что мне хотелось уехать. Я о многом думала, и нам надо поговорить. Я знаю, что ты говорил, но знаю так же и то, что я слышала. Миссис Восс постоянно звонит маме и спрашивает, как так получилось, что Пита в последний раз видели именно на вечеринке у нас, будто мама в том виновата или еще что, и это ее удручает. К тому же если кто-то что-то знает, то мне кажется, что и полиция должна об этом знать. Думаю, вам с Ли известно, куда отправился Пит в тот вечер. Пит заслуживает того, чтобы нашли тех, кто его убил. И я подумала, что мне в самом деле есть что рассказать полицейским. Но сначала давай поговорим.

Я еду в тихое место, где можно спокойно подумать. Найди меня, пожалуйста.

Люблю тебя.

К.

Прочитав записку, Брэд не отрываясь смотрел на нее еще секунд десять. Буквы расплывались перед глазами. Словно в трансе, он достал телефон и снова набрал ее номер. Телефон не был занят — раздалось несколько гудков, но затем он переключился на автоответчик.

Бросив телефон на сиденье, он развернулся и помчался прочь на скорости в пятьдесят миль в час. Он должен был ее найти. Обязательно. Костяшки его пальцев побелели от напряжения. Он молился богам, в которых раньше никогда не верил.

И пытался не заплакать.

Через полтора часа его охватило странное чувство полной безнадежности. Голова болела от яркого солнечного света и бликов. Он обыскал уже все места, какие только знал. Везде. Побывал во всех торговых центрах, за исключением «Бель-Айл», поскольку знал, что там ее нет. Был в Санта-Монике, потому что там Карен любила гулять с друзьями. Проехал по всему Третьему бульвару и даже по пристани, поскольку как-то раз они назначали там свидание. Он позвонил себе домой, на случай, если она там или сидит рядом. Обзвонил всех ее друзей, номера которых у него имелись, а поскольку большинство из них он снабжал наркотиками, то номеров было много.

Никто не знал, где она. Некоторые даже спрашивали, нет ли у него таблеток, но теперь было уже слишком поздно.

И Карен все так же не отвечала на его звонки.

Он не знал, что, черт побери, делать. В конце концов поехал назад к Долине через Юниверсал-Сити, не имея никакого представления, куда можно направиться еще. Если всерьез задуматься, то следует предположить, что их пути пересеклись раньше; допустим, она приехала на автостоянку возле «Бель-Айл» как раз в тот момент, когда они уезжали, и, может быть, до сих пор ждет на автостоянке. Все-таки они довольно часто бывали там вместе. Возможно, она подумала, что это как раз самое подходящее место. Возможно. Брэд не был уверен. Подобные решения всегда остаются за девушками.

Движение было медленным, но ничего другого не оставалось. Если ее там нет... то он не знал, что дальше.

Писали ли они когда-либо друг другу слово «люблю»? Вверяли ли его бумаге? Он в этом сомневался.

Несколько раз мысленно пробежав содержание ее записки, он все больше верил, что она действительно хотела с ним поговорить, прежде чем идти в полицию. Он знал ее и доверял ей.

Сейчас он понимал: то, что раньше она была с Ли, не имеет никакого значения. Собственно, это никогда не имело для него особого значения, если не считать того, что ни одному парню не понравится, что на его месте был кто-то другой. Самое главное, он ее любил. И она тоже его любила.

Они все обсудят, и он убедит ее, что на самом деле ничего особенного она не слышала, а потом к концу дня у копов уже будет готовая версия и все вернется на круги своя. Брэда уже почти не волновало, что в итоге репутация Пита будет опорочена окончательно. Пит ведь действительно торговал наркотиками. Он уже заплатил за это свою цену, однозначно слишком высокую, но не было никакого смысла делить ее между теми, кто остался жив.

После всего случившегося Брэд стал старше и умнее, он обязательно найдет выход. Судьба подсказывала, что пора подыскать себе работу, не связанную с торговлей незаконными веществами. Он знал, что Карен ему в этом поможет. Все было хорошо. Все было вполне приемлемо.

Но только в том случае, если он найдет ее до того, как она пойдет в полицию.

Движение почти остановилось. Чтобы не сойти с ума от вынужденной задержки, он попытался думать о чем-нибудь другом уже, наверное, в тридцать пятый раз.

Карен, судя по всему, ничего не сказала матери, иначе его разговор с миссис Люкс был бы совсем другим. У Карен было много друзей, но он искренне верил, что она ничего не сказала и им, — в конце концов, разве они двое не были теперь самыми лучшими друзьями?

Телефон Карен мог не отвечать, потому что она поехала куда-нибудь в тихое место, чтобы подумать, и выключила его. Хотя на самом деле это не имело никакого смысла — и подобная мысль приходила ему в голову уже третий раз. Если бы она хотела с ним поговорить, она держала бы телефон включенным. Разрядился аккумулятор? Маловероятно.

А может быть, она где-нибудь вне зоны связи.

Черт, об этом он раньше не подумал. Она могла поехать, например, в горы Санта-Моника или через национальные парки «Малибу» или «Топанга». Ей там нравилось. Всегда. Что там говорилось в записке?

«В тихое место...»

Господи. А он ехал совсем в другую сторону.

Приподнявшись в машине, Брэд увидел, что пробка впереди начинает рассасываться. Вариантов было два: либо ехать дальше в сторону Долины и торгового центра — эта мысль успела превратиться в навязчивую идею в том числе и потому, что там он мог проверить, забрали ли сумку из спортивного магазина «Сириус» (ему не нравилась сама мысль о том, что она там висит, хотя он к ней даже не притрагивался и она никоим образом не могла привести к нему), — либо отправиться в горы.

Так или иначе, до ближайшего разворота было еще далеко. Окончательное решение можно принять чуть позже.

Постепенно поток машин начал смещаться влево, и Брэд понял, что правая полоса впереди перекрыта. Неплохо. Оказавшись по другую сторону, он сможет снова прибавить скорость.

Горы? Торговый центр? Горы? Торговый центр? Все-таки, наверное, лучше торговый центр — в случае чего всегда можно вернуться тем же путем.

Впереди показались мерцающие огни полицейской машины. Брэду потребовалось несколько мгновений, чтобы понять, что машин на самом деле две, неподвижно стоящих на правой стороне дороги. И еще «скорая помощь».

А потом Брэд внезапно поравнялся с препятствием, мимо которого он медленно проезжал. Настолько медленно, что смог увидеть его во всех подробностях.

Возле столба у обочины лежал разбитый автомобиль. В его боку зияла большая глубокая вмятина. Передняя часть была страшно исковеркана, остатки ветрового стекла забрызганы красно-коричневыми пятнами.

Это был новый «БМВ». Цвета электрик.

Сзади послышались гудки, но нога Брэда соскользнула с педали газа. Ему никуда больше не нужно было ехать.

Это была машина Карен.

ГЛАВА 21

Она находится в какой-то комнате. Вокруг темно и тихо. Комната располагается наверху деревянного дома, и в воздухе кружатся пылинки. Дверь открыта, за ней виден коридор. Оттуда проникает туманный свет, просачивающийся сквозь грязное окно, закрытое шторой. К нему прислонена узкая доска, один конец которой расщеплен, словно под воздействием какой-то непонятной силы.

Дверь в комнату выкрашена в белый цвет, так же как и стены. Со временем, к тому же в тусклом свете, стены начали приобретать синевато-серый цвет тяжелой грозы, идущей с моря, все еще далекой, но вместе с тем неизбежной.

Несмотря на размеры, комната не производит впечатления самостоятельного помещения. Будто и она, и полы, и даже внешние стены дома — случайным образом проведенные границы внутри намного более обширного пространства, возможно даже выступающего за пределы строения, хотя и не достигающего деревьев, которые, как ей кажется, его окружают.

Снаружи время от времени доносятся звуки, напоминающие уханье, рычание и свист, но столь тихие, отдаленные и приглушенные, что даже не выглядят реальными и никак не подтверждают существования внешнего мира.

Пол в комнате покрыт старым пыльным ковром, который усеивают разнообразные обломки: осколки стекла, небольшие куски отвалившейся штукатурки, половинка разбитого зеркала, немного листьев. Непонятно, как последние сюда попали, так как два больших окна плотно закрыты. Все стекла целы, но через них все равно ничего не видно. На полу у внутренней стены лежит старый абажур. Его ярко-розовая раскраска, теперь основательно выцветшая, когда-то должна была гармонировать с узкими полосами на ковре, которых теперь точно так же почти не разглядеть.

Отдельно стоит деревянное кресло, спиной к двери, слегка под углом. Оно темно-зеленого цвета, вытершееся за многие годы использования. Это единственный целый предмет в комнате. Да еще узкая кровать в углу. Кресло располагается не в центре, но ближе к выходу. Может быть, кто-то сидел в нем и на что-то смотрел, а может быть, его заставляли смотреть?

Затем она осознает, что в кресле кто-то сидит.

Это женщина. Лицо ее повернуто в сторону. Поза кажется неудобной — спина почти выпрямлена, колени согнуты.

Нина осторожно подходит к ней спереди, чтобы понять, кто это.

С легким удивлением она обнаруживает, что это она сама.

Нина видит, что на самом деле она чуть более стройная, чем ей казалось, и выглядит бледной и очень уставшей. Глаза открыты и неподвижно устремлены в пол в углу комнаты. Мгновение спустя правый глаз начинает дергаться. Движение становится все более определенным и скоро уже напоминает что-то вроде подмигивания.

Да. Она пытается подмигнуть, пытается сказать: «Привет, я знаю, что ты здесь и все хорошо». Однако Нина знает, что это вовсе не значит, будто все на самом деле хорошо.

А потом она оказывается внутри себя, в собственном теле в кресле.

Воздух в комнате кажется более темным и густым. Она не может пошевелиться, и у нее страшно мерзнут ноги. Она чувствует, как на нее давит невыносимая тяжесть.

Оказывается, она смотрит вовсе не в угол, а на стену, где что-то трепещет прямо перед глазами. Сперва ей кажется, будто это птица, но потом она понимает, что это рука. Рука слегка покачивается, ее пальцы выпрямляются и сгибаются, будто она пытается что-то схватить — или понять свое положение в пространстве, на стене, примерно в девяти дюймах от пола. Рука сжимается и разжимается, безмолвная и бледная.

Потом рука замирает неподвижно. Слегка поворачивается, словно прислушиваясь.

Нина тоже слышит звук. Звук открывающейся и закрывающейся двери. Судя по всему, это входная дверь.

Но это не кто-то вышел наружу. Нет, кто-то, наоборот, вошел.

Слышатся тяжелые шаги. Они отдаются громким эхом, и этот звук тоже обладает странным свойством. С каждым шагом ей кажется, будто она все больше пробуждается и одновременно теряет зрение — предыдущие картины и сама комната превращаются лишь в туманные призраки. Она видит движение руки на стене в последний раз, после чего уже не видит ничего вообще.

Нина изо всех сил пытается отделить воображаемое от реального, но ей удается прийти лишь к следующему выводу: все то, что она видела, — воспоминания, мысленный образ некоего места, где она когда-то была, но не помнит об этом.

Либо она потеряла большую часть зрения, либо ей завязали глаза. Она к чему-то привязана. Ноги босы.

И ей очень плохо.

Она старается дышать спокойно. Он уже очень близко. Значит, или комната намного меньше, чем ей казалось, или сейчас она вообще в каком-то другом месте. Возможно, она снова потеряла сознание.

Он молчит. Он не хочет с ней разговаривать. Впрочем, как ей известно, некоторые считают, будто разговор с жертвой создает ощущение реальности, которую им не хочется видеть.

— Я очнулась, — говорит она.

Или пытается сказать. С ее губ срываются неразборчивые звуки. Она пробует еще несколько раз, пока слова наконец не становятся различимыми.

Он не отвечает.

Она предполагает, что это «он». Мужчины и женщины пахнут по-разному, независимо от того, насколько они опрятны. Но всепроникающий запах пыли и масла мешает ей сделать окончательный вывод.

Она чувствует, как ее ощупывают чьи-то руки, но вскоре понимает, что он просто проверяет, насколько крепко она связана. Когда он затягивает узел на затылке, она с радостью убеждается, что ее глаза действительно завязаны. Конечно, ничего хорошего в этом нет, но если бы ее ослепили, было бы куда хуже. Она даже что-то различает сквозь повязку, хотя это не более чем тени на фоне полуночной тьмы.

Единственное место, где он задерживается, — на ее левом локте. Он на мгновение сжимает его большим и указательным пальцем с чудовищной силой. Судя по всему, это крупный и сильный мужчина. Она не помнит, как он выглядит. Он ворвался в номер отеля, словно приливная волна, смывающая прибрежную хижину. Она едва успела его заметить, прежде чем мир погрузился во тьму. Нина и знать не знает, что произошло после, но понимает: если она находится здесь, значит ничего хорошего.

Но по крайней мере, она до сих пор жива.

И именно из этого придется исходить.

— Меня зовут Нина Бейнэм, — говорит она.

Кажется, он отходит слегка в сторону. Она чувствует, как он смотрит на нее сверху вниз. Она лежит в неуклюжей позе, на спине, но ее руки связаны за головой, чуть ниже затылка. Ноги, похоже, свисают вниз, а затем сгибаются в коленях.

— У меня замерзли ноги.

Ответа нет, и она решает ничего пока больше не говорить.

Нина до сих пор не пришла в себя окончательно. Вероятно, ее ударили по голове, а потом чем-то одурманили. Она
никогда не принимала рогипнол и не знакома с его дейст-
вием, но ей кажется, что средство, которое дали ей, действует намного сильнее.

Ее не оставляет странное ощущение, будто она в той самой комнате наверху, с креслом, хотя сейчас это кажется
крайне маловероятным. Возможно, это было раньше. А может быть, она вообще там никогда не была.

На ее слова никто не отвечает, так что пока лучше молчать, чтобы не было повода снова дать ей какой-нибудь нар-
котик.

Мужчина отходит на некоторое расстояние и садится —
она слышит, как что-то проминается под ним. В комнате
царит полная тишина, хотя она слышит звуки, доносящие-
ся снаружи, — те самые, происхождения которых не могла
понять, когда начала приходить в себя. Она полагала, они
раздаются из леса. Но это не так. Нина пытается пока что
особо к ним не прислушиваться. Ей нужно понять, что происходит, чтобы не делать ложных предположений и не строить иллюзии. Она не в той ситуации, когда можно позволить себе совершать ошибки.

Внезапно раздается еще один звук, неожиданно громкий.

Это звонок сотового телефона, простой и прозаический.
Она узнает мелодию — одну из стандартных заводских
установок, ставших частью фонового шума современной
жизни.

Телефон звонит и звонит, а затем замолкает.

Вскоре она слышит, как скрипит сиденье: мужчина снова встает.

Ее тело напрягается. Она думает о том, не сказать ли
еще что-нибудь, попытаться с ним договориться. Нет, не
просить о пощаде. Пока.

Он подходит ближе. Слышно его дыхание.

— Открой рот.

Голос тих и спокоен. Возраст определить невозможно, но это точно мужчина.

У нее нет никакого желания открывать рот. Она сжимает губы, понимая, что это лишь попытка сопротивляться на фоне полного бессилия. Впрочем, не важно. Больше ей все равно ничего не остается.

— Открой.

Страх перед тем, что он может сделать, охватывает ее; но куда сильнее страх того, что случится, если она будет продолжать упираться. Если он хочет, чтобы ее рот открылся, он откроется. Для этого вполне хватит обычного молотка.

Она открывает рот.

Туда что-то вкладывают — нечто сухое и неприятное. Когда ей завязывают узел за головой, она понимает, что это кляп. Она судорожно сглатывает, осознав, что ее положение теперь оказывается намного хуже прежнего.

Десять минут спустя он уходит. Она слышит, как закрывается дверь. И звук этот снова кажется ей несколько странным.

Нина уже меньше злится на себя. Возможно, стоило притвориться, будто она все еще без сознания, но вполне вероятно, что он все равно принял бы меры предосторожности. Даже странно, что он не сделал этого раньше. Либо не ожидал, что действие снотворного прекратится столь быстро, либо ему уже прежде приходилось заниматься подобным и он знал, что человек без сознания может задохнуться, если у него что-то во рту.

Так или иначе, кляп мог оказаться во рту вовсе не по ее вине. Отлично. Очко в ее пользу. Что еще ей известно?

Она знает, что Рейдел, вероятно, ранен, а возможно, и мертв. Это плохо. Она знает, что похититель сумел войти в отель и снова выйти из него вместе с ней и никто его не остановил. И это тоже плохо.

Она пытается понять, как долго она была без сознания. Вероятно, пару часов, хотя, судя по ощущениям, может быть, и дольше.

Чем больше она приходит в себя, тем больше возникает в мозгу туманных воспоминаний из прошлого. Воспоминаний реальных событий, включая тот случай, когда ее едва не убили год назад в горах Монтаны. Отбрасывая прочь это воспоминание, Нина вдруг понимает, что она здесь уже несколько часов и никто не придет к ней на помощь.

Это плохо. И вдвойне плохо потому, что за это время напавший на нее мог оказаться достаточно далеко от места похищения.

Вероятно, плохого значительно больше. Но и того, что она знала, было вполне достаточно. Все очень плохо. За исключением одного...

Уорда не было там, в номере, вместе с ней, и значит, скорее всего, с ним ничего не случилось. Это хорошо.

Если только...

Нина чувствует, как у нее что-то сжимается внутри. Если встреча, на которую поехал Уорд, была подстроена, чтобы их разлучить, тогда — хуже некуда. Если это не убийца из Торнтона, как она предполагала, то это могли быть только «соломенные люди».

И в таком случае Уорд может оказаться...

Мертвым посреди комнаты, лежащим на окровавленной кровати. Мертвым в темном переулке среди куч мусора. Мертвым в машине, с размазанными по стеклу мозгами и бледным как воск лицом.

Нет.

Нет. Внезапно она почувствовала, как напрягаются все мышцы ее тела, пытаясь отчаянным усилием сорваться с места. Ее путы даже не натянулись, однако боль от врезавшихся веревок удержала разум от падения в бездну, в которую он готов был рухнуть.

Она решила немного полежать неподвижно, ни о чем не думая. Плохое никогда не становится лучше лишь оттого, что о нем постоянно размышляешь. Впрочем, если пытаться не думать о плохом — лучше оно тоже не станет.

Нужно просто подумать о чем-нибудь другом.

Она пытается отвлечься, насколько это возможно, но вскоре понимает, что ею овладевает новое чувство, от которого она отчаянно пыталась защититься большую часть своей жизни. И тем не менее оно — коварный пришелец и знает, что делать, проникая все глубже в ее разум.

Она пытается дышать глубоко и ровно. Это помогает, но не слишком. Приходится смириться с фактом.

Ей страшно.

Ей очень, очень страшно.

ГЛАВА 22

Я сидел в машине на парковке возле «Мэйфлауэра», куря сигарету за сигаретой. Возвращаясь в город, я проехал мимо «Холидей-Инн», и там уже полно было озабоченных мужчин и женщин в ветровках с аббревиатурой «ФБР» на спине. Полицейских машин тоже хватало, и, похоже, в ближайшее время ожидался приезд команды журналистов, которой впору было освещать Олимпийские игры. Случившееся оказалось в руках тех, кого я не вполне понимал и кому не доверял. Я не смог бы подойти к Монро, даже если бы захотел. На случай необходимости у меня был номер его телефона. А пока что я сидел один на парковке возле какого-то дурацкого бара.

Ранним утром я попытался немного поспать в машине. Мне это казалось предательством, но я не видел другого способа сохранить ясность мыслей; еще немного — и мой разум сорвался бы в штопор, словно самолет, у которого закончилось топливо.

Поспать удалось минут сорок, и после этого я отнюдь не почувствовал себя лучше. Мысли постоянно крутились вокруг одних и тех же вопросов, словно это доставляло им некое извращенное удовольствие, чего явно не могло быть, учитывая содержание этих вопросов: «Помогло ли кому-нибудь то, что я договорился с Унгером о встрече в другом месте, а не в Торнтоне, где я мог бы быть ближе к Нине?» и «Кем был тот человек, которого послали в отель, и что может случиться в следующий раз?»

Хуже всего было осознавать, что после нашего резкого разговора возле полицейского участка я должен был подойти к ней и поцеловать, попрощаться как положено. Тогда для этого достаточно было пройти десять ярдов. Теперь — нет.

И конечно, я пытался звонить Унгеру. При первой же возможности я также намеревался послать ему электронное письмо. Хотя, если не считать легкого удовлетворения оттого, что угрожаю ему на расстоянии, я с тем же успехом мог просто лаять в небо.

— Господи... с вами все в порядке?

Я едва не вывернул шею, поворачивая голову на звук голоса. Кто-то стоял возле машины. Окно запотело, и я не видел, кто это, пока не открыл дверцу.

Это была Хейзел. Она осторожно окинула меня взглядом.

— Не совсем, — ответил я.

— Это все из-за того, что случилось в отеле?

Отвечать было незачем — она могла все понять по выражению моего лица.

— Сегодня утром у меня есть ключи, — сказала она. — Заходите.

Оттолкнувшись от машины, я последовал за ней.

Войдя в бар, я бросил взгляд на собственное отражение в зеркале на стене и понял, что имела в виду Хейзел. Вид у меня был кошмарный. Направившись прямо в туалет, я вымыл лицо и руки холодной водой. Однако с остатками крови на одежде я поделать ничего не мог. Я старался не смотреть в зеркало, опасаясь, что могу не узнать отражающееся в нем существо.

Когда я вышел из туалета, меня уже ждал кофе.

— Я положила туда много сахара, — сказала Хейзел. — Советую выпить, независимо от того, нравится вам или нет.

Я выпил. Вкус и тепло, казалось, проникли до самой груди, и я сразу почувствовал себя лучше.

— Она была вашей подругой?

— Почему была? Она и сейчас моя подруга.

Хейзел с сомнением посмотрела на меня:

— Что-нибудь известно о том, где она?

— Нет.

— Это тот самый, который уже убил здесь двоих?

— Не думаю.

Она окинула меня оценивающим взглядом:

— Вы ведь не из полиции? И не из ФБР?

— Нет.

Она кивнула, а потом нахмурилась, глядя куда-то за мое плечо.

— Ллойда не должно быть до обеда, — проговорила она. — К тому же это не его тачка.

Я обернулся. На стоянку въехала черная машина. Медленно описав дугу, она остановилась у противоположной стороны, рядом с моей.

Я достал пистолет и проверил его.

— Оставайтесь здесь, — приказал я. — И держитесь подальше от окон.

А сам вышел на стоянку, держа правую руку за спиной, приблизился к черной машине сзади. Если находившийся внутри намеревался в меня выстрелить, я надеялся, что с этой позиции ему труднее будет это сделать.

В пяти ярдах от машины я остановился.

Двигатель смолк. Открылась дверца со стороны водителя, оттуда вышел человек и обошел машину спереди. У него были коротко подстриженные волосы, худощавое лицо и острый взгляд.

Это был Джон Зандт.

— Привет, Уорд, — сказал он. — Ну и дерьмово же ты выглядишь.

— Догадываюсь.

Я подошел на несколько шагов ближе и протянул руку. Либо он пожмет ее, либо нет.

— Рад тебя видеть, Джон.

Он медленно кивнул и пожал мне руку.

— Никогда не думал, что скажу такое, но тоже рад тебя видеть.

Мы сели в кабинке в задней части бара. Хейзел приготовила еще кофе и предложила сделать что-нибудь поесть, но мы оба отказались. Я с трудом представлял, что когда-либо смогу что-нибудь съесть.

— Рассказывай, — сказал он.

Я выдал все, что мог, начиная с того, как Монро приехал за Ниной в Шеффер, и заканчивая всем тем, что знал или слышал от нее с тех пор о ходе расследования. Я рассказал ему о попытках Унгера связаться с Бобби и со мной и о нашем разговоре в баре в Оуэнсвилле. О странной улыбке, которую заметил на лице Джулии Гуликс ночью через глазок камеры. О том, в каком состоянии было найдено тело Рейдела, и о двух трупах, обнаруженных в лесу возле Торнтона.

Он слушал, опустив взгляд и сложив руки на столе. Когда я закончил, Джон некоторое время молчал, потом посмотрел на меня.

— Ты не думал о том, что Унгер может не иметь никакого отношения к тому, что случилось?

— Пока нет. Но если ты меня убедишь — подумаю.

— Я просто не вполне понимаю, зачем ему был нужен весь этот разговор с тобой, если он работает на «соломенных людей».

— Чтобы выглядеть убедительно.

— Зачем ему сообщать тебе о чем-либо сверх того, что ты и так уже знаешь? Технология использования спама выглядит вполне правдоподобно. Подозреваю, что она также используется в качестве рыболовной сети на тот случай, если кто-то окажется достаточно глуп, чтобы им ответить. Тогда появляется шанс, что после обещания какой-нибудь крупной сделки или чего-нибудь в этом роде человек окажется достаточно глуп и для того, чтобы отправиться на встречу где-нибудь в темном переулке и никому потом не рассказывать, куда ходил. В любом случае более вероятно, что Унгер рассказывал тебе все это, чтобы ты перед ним раскрылся. Если бы он хотел тебя убрать, он бы сделал это прямо там, в баре, и ему плевать было бы на последствия. И ты ведь не подумал о нем ничего плохого?

— Я не заметил в нем ничего необычного. Выглядит вполне преданным Конторе, хотя, конечно, мог просто прикидываться. В точности оценить человека невозможно.

— Когда ты в последний раз ошибался?

Я задумался.

— Не помню.

— Верно. Судя по тому, что я видел, твои предположения оправдываются почти всегда.

— Возможно. Впрочем, решать тебе. Так к чему ты клонишь?

— Единственное, что связывает со случившимся Унгера, — похищение Нины. Но это ничего не доказывает: похититель мог просто следить за вами двоими и выбрать момент, когда тебя не было рядом. Это могло быть даже просто случайное совпадение. Судя по тому, как вел себя похититель, его не слишком бы волновало, если бы ты оказался там. Это опытный и хладнокровный убийца. Так что, возможно, он с удовольствием разделал бы на части и тебя.

— Кстати, вспомнил еще об одном, — сказал я. — Пол сбежал.

Не знаю, какой реакции я ожидал. Гнева, непонимания? Того, что Джон сразу же метнется к машине? Но он лишь кивнул и покачал головой.

— Я подозревал, что это расстроит тебя так же, как и меня, — заметил я. — Но полагаю, ты понимаешь, что это дает тебе еще один шанс прикончить его?

— Кто бы что ни говорил, но ты действительно соображаешь.

— Тебя не беспокоит, что они в состоянии освободить такого, как Пол, оставив федералов лишь недоуменно почесывать в затылке?

— Нисколько меня не удивляет. Я весь последний год занимался выяснением того, кто они. И теперь знаю о них такое, что ты не поверишь.

— Джон, только не надо всяких странных штучек, ладно? У меня сейчас не то настроение. Если ты считаешь, будто «соломенные люди» — космические пришельцы из рукава Ориона, оставь это при себе. Они и без щупальцев нагоняют на меня страху.

— Они — люди, Уорд. И это самое худшее. Ты пытался после звонить Унгеру?

— Да, конечно.

— Молчит?

— Автоответчик.

— По электронной почте писал?

Я покачал головой.

— Думаю, это неплохая мысль.

— Почему?

— Нам нечего терять, если он один из них. Но в противном случае мы много приобретаем.

— Не так уж много он на самом деле знает, Джон.

— Он знает, как они себя называют. Уже это делает его одним из самых осведомленных людей в нашем кругу и, возможно, во всех Штатах. Он может быть нам полезен — особенно если Монро не готов выступить против них. Унгер уже имеет прямое отношение к делу и, вероятно, знает больше, чем рассказал. У него есть поддержка со стороны правительства. А если он не тот, за кого себя выдает, тогда, обратившись к нему за помощью, мы будем выглядеть намного глупее, чем на самом деле.

— Ладно. Поедем в «Старбакс», там есть беспроводная сеть.

— В этом городе есть «Старбакс»?

— Они есть везде, Джон. Где ты был, черт бы тебя побрал? Как только они находят подходящее место для новой кофейни — они строят вокруг нее город. Поехали. Хочется куда-то двигаться.

Я быстро вышел, поблагодарив Хейзел. В ответ на предложение расплатиться она отказалась, лишь пожелала мне удачи и сказала, что будет молиться, чтобы с моей подругой ничего не случилось. И я подумал, что, будь у ее босса Ллойда хоть какие-то мозги, он ухаживал бы именно за Хейзел.

Мы сели в машину Зандта, после того как я позвонил с парковки Монро и выяснил, что следствие нисколько не продвинулось ни в одном направлении. Голос его звучал раздраженно и зло, и нетрудно было понять, что он делает все от него зависящее.

Я показал Джону дорогу в исторический район, и мы остановились прямо напротив кафе. Там было полно народа, похожего на журналистов. У окна сидел рослый седоволосый старик, устало глядя на улицу. К счастью, сигнал был достаточно мощным, и мы смогли соединиться с Интернетом из машины. Я послал письмо Унгеру, сообщив о случившемся и попросив срочно связаться со мной. Я все еще не отказался от мысли о его соучастии в похищении Нины, но, как сказал Джон, терять было нечего. Закончив, я увидел, что Зандт хмуро смотрит на экран своего ноутбука.

— Какие-то проблемы?

— Не знаю, — ответил он. — Можешь для меня кое-что глянуть?

Он прочитал мне веб-адрес, и я набрал его. Браузер показал неуклюже сверстанную страницу с текстом разнообразного размера и цвета. Предполагалось, что на странице имеется также множество картинок, но все они были пусты.

— Не слишком-то красиво выглядит, — сказал я. — Что это все-таки такое? Кто такой Оз Тернер?

— Картинок нет, потому что здесь слишком слабый сигнал?

Я кое-что проверил, а затем покачал головой:

— Нет. На странице есть места для картинок, но, похоже, сами картинки на сервере отсутствуют.

Джон закрыл свой компьютер и достал телефон. Куда-то позвонив, он попросил Оза Тернера. Видимо, ему ответили, что того еще нет на работе. Сказав, чтобы Тернер перезвонил ему, как только появится, он с мрачным видом закрыл телефон.

— Что все это значит? — спросил я.

— Надеюсь, что ничего. Нужно ехать.

— Куда? Я уже искал. И можешь мне поверить, похититель вовсе не сидит за столиком на углу с кружкой пива.

— Знаю. Мы не можем отправиться ее искать. Мы не знаем, куда ее забрали. Мы даже не знаем, с чего начать. Так что я хочу поехать совсем в другое место.

Я ждал, что он скажет, куда именно, но напрасно. Повернувшись, я увидел, что Джон смотрит через ветровое стекло. В пятидесяти ярдах дальше по улице на лужайке за оградой толпились ребята из средней школы Торнтона, для которых быстро, как это обычно и бывает у молодых, пролетало время перерыва между уроками.

— Джон?

Казалось, он меня не слышит, и я понял, что он ищет среди них Карен, свою дочь, похищенную «человеком прямоходящим» 15 мая 2000 года, после чего никто больше не видел ее живой. Сейчас ей было бы примерно девятнадцать. Самым старшим из тех, кого мы видели, было лет шестнадцать-семнадцать, так что Карен никак не могла быть среди них — если только она не застряла внутри очень, очень надолго, делая какую-нибудь контрольную работу, или обсуждая с учителем костюмы для школьной постановки, или помогая не столь умному, как она, соученику.

— Как ты?

— Отлично, — ответил он и посмотрел в сторону, проезжая мимо школы.

Джон сказал мне, куда он хочет поехать, и я показывал направление, насколько мог вспомнить сам. Потом Зандт позвонил в полицейский участок Торнтона и представился агентом ФБР. Раньше он сам работал в полиции, расследуя убийства в Лос-Анджелесе, и знал соответствующий язык и протокол, однако меня все же заинтриговала та легкость, с которой он играл свою роль.

— Часто приходилось заниматься подобными вещами, да?

Он не ответил, держа направление на северо-запад. Наконец мы выехали на прямую дорогу, уходившую в мокрый лес, и я начал узнавать знакомые места.

— Что мы там будем делать?

— Ты кое-что сказал, когда рассказывал мне про второй труп, — ответил он. — Что показала медицинская экспертиза?

— Я знаю не больше того, что видел в ту ночь. Я и сам-то был там лишь с молчаливого согласия остальных. А у Нины не было возможности что-либо мне рассказать на следующий день, поскольку всем было не до того из-за истории с Гуликс. Возможно, результаты вообще еще не готовы. Вероятно, сейчас они переключились на то, что осталось от Рейдела.

Увидев вдоль обочины знакомую полосу гравия, я сказал Зандту, что мы уже близко. Еще через сто ярдов машина остановилась.

Выйдя, я посмотрел на сырой лес.

— Здесь, — сказал я.

Джон вышел, открыл багажник и начал что-то оттуда доставать.

Я посмотрел в ту сторону, откуда мы прибыли.

— Тебя ничего не удивило, пока мы ехали?

— В общем-то, нет, — ответил он. — Если не считать того, что я не слишком расстроился, оставив позади этот город.

— Нас никто не останавливал.

Я снова позвонил Монро. У него не было ни времени, ни желания разговаривать, но я не отставал, пока он не понял, что я хочу сказать: если они считали, что перекрыли выезды из города, то явно ошибались. В конце концов он повесил трубку.

Зандт закрыл багажник. Через плечо у него висела длинная брезентовая сумка.

— Что там?

— Инструменты. Куда теперь?

Я направился в лес. Земля очень скоро превратилась в болото, еще более вязкое после вчерашнего дождя. Я не был слишком уверен в том, куда идти, но едва начал сомневаться, вдали мелькнула желтая лента. Мы подошли к тому месту, где через ручей были переброшены доски, ведшие на небольшой островок. Одна из досок сломалась, но мы перешли по ним без каких-либо происшествий.

Джон немного постоял, оглядываясь по сторонам.

— Рубашка висела вон там, — показал я.

Я подвел его к месту и развернул так, чтобы он видел то же самое, что я показывал другим позапрошлой ночью.

— Сейчас сложно представить всю картину целиком, но тогда все казалось достаточно ясным.

— Верю, — кивнул он. — На этих ветках?

— Да. Лицом в ту сторону.

Джон посмотрел на дальний конец полуострова. Все, что там можно было увидеть, — поднимающиеся по склону холма деревья, хотя чуть дальше они, казалось, становились реже.

— Что в той стороне?

— Кажется, кто-то говорил, какой-то маленький городок.

— Полицейские проверяли все возможные выходы с этого места?

— Думаю, да. Но, как я уже сказал, вчера я ничего об этом не слышал. И если они не сделали этого в ту, первую ночь, то вряд ли это уже случится. Все имеющиеся в их распоряжении силы сейчас заняты совсем другим. Серьезно, зачем мы здесь, Джон? Меня не волнует, каким образом мертвец попал на этот остров. Меня волнует, где сейчас Нина, и мне кажется, будто у меня под кожей бегают пауки.

— Я знаю. Но ты был прав. Рубашку повесили здесь не просто так. Убийца на что-то намекал. Но почему здесь?

Он снова направился туда, где был найден изуродованный труп. Большая часть площадки была расчищена от травы, земля осталась неровной в тех местах, где брали образцы почвы, тщетно пытаясь установить, где находился труп до этого.

Джон снял сумку с плеча и расстегнул молнию.

— И какова же твоя теория?

Он сунул в сумку руку и вытащил лопату.

— Джон, если мы что-то нарушим на месте преступления, нас посадят в тюрьму.

Он начал копать.

Земля была очень мягкой и через пятнадцать минут превратилась в сплошное месиво.

— Здорово, — констатировал я. — Итак, под слоем грязи ты не нашел ничего, кроме новой грязи. Все, я пошел. Это лишь пустая трата времени, и...

— И никто не знает, где Нина. — Он продолжал копать, словно машина. — Я это понимаю не хуже, чем ты, ясно? Сегодня я проделал немалый путь, и не только из-за тебя.

— Если это настолько хорошая мысль, то почему она не пришла в голову копам?

— Потому что у них для этого не было никаких причин.

— А у нас? Если бы земля выглядела хоть сколько-нибудь нарушенной, они бы все здесь перерыли. А раз они этого не сделали, значит ничего такого тут не было.

Он выпрямился и, похоже, понял, что еще немного — и я уйду.

— Именно так и ведется расследование, — терпеливо объяснил он. — Делаешь все, что можешь, и надеешься, что рано или поздно придешь туда, куда нужно. Если тебе нужно идти — иди. Иначе можешь либо стоять тут, сходя с ума над неразрешимой проблемой, либо взять еще одну лопату и помочь.

Его слова окончательно сбили меня с толку.

— У тебя что, есть еще одна лопата?

Он снова начал копать.

— Конечно.

— Зачем тебе две лопаты?

— У меня все в двух экземплярах, Уорд. У меня две лопаты, два фотоаппарата и по два пистолета каждой марки. У меня две карты и два ноутбука, не говоря уж о двух комплектах документов.

— Я спрашивал зачем, а не просил перечислять твое имущество.

— Потому что если ты один, то главное, чего ты себе не можешь позволить, — чтобы у тебя под рукой не оказалось нужного именно здесь и сейчас. Так что для надежности лучше иметь всего по два.

Весь его вид говорил о том, что он провел слишком много времени в пустой машине или сидя вечерами в молчаливых номерах дешевых мотелей, погруженный в собственные мрачные мысли. Я не слишком хорошо его знал, но очевидно было, что он стал другим, словно избавившись от всего, что мешало ему достичь цели, к которой он стремился. Джон напоминал патруль, состоящий из одного человека, одинокого наемника, не нужного никому, кроме самого себя.

— Тебе вовсе незачем было быть одному.

— Что ты делал последние полгода?

— Скрывался. В маленьком домике, неподалеку от того места, где мы видели тебя в последний раз.

— Нечто подобное я и предполагал. Тебе нужен был сосед, виновный в трех убийствах?

— Я думал, в двух.

— Помнишь Дравецкого, застройщика?

— С которым ты пошел на сделку в обмен на информацию о том, где может быть Пол?

— Никакой сделки не было. Это он так думал. А потом я за ним вернулся.

— И убил его.

— Он был очень плохим человеком.

— Не уверен, что в твоей нынешней ситуации ты имеешь право на подобные заявления.

— Думаю, имею. — Он остановился и посмотрел на меня. — Впрочем, три — тоже неправда. С тех пор было еще четыре.

— Господи, Джон, почему бы тебе просто не вступить в ряды «соломенных людей»? Думаю, сейчас ты для этого вполне подходишь. Семь убийств? Приличное число.

— Эти люди сами были «соломенными». После того как я убрал Дравецкого, у меня осталась информация с его компьютера. Каждый из этих четверых был членом организации, к тому же крайне зловредным. Да, именно так — они были кровожадными безумцами, но при этом достаточно богатыми и могущественными для того, чтобы обходить любые законы. Так что я поступил так, как должен был поступить. И скорее всего, сделаю это еще не раз.

— Надо полагать, сейчас они только и думают о том, как тебя прикончить.

— О чем я и говорил. Рядом с тобой я тебе вовсе ни к чему.

— Так или иначе, мы пытались тебе звонить.

— Угу. Мне звонила женщина, с которой я когда-то жил. Мне звонил человек, который не убил того, кто убил мою дочь. Знаешь, порой у меня просто нет настроения отвечать на подобные звонки.

Он отвернулся и продолжил копать. Несколько раз глубоко вздохнув, я пошел за второй лопатой.

Еще через двадцать минут мы перекопали все вокруг, но ничего полезного не нашли. Грязь была мокрой, липкой и тяжелой, и копать становилось все труднее.

Подняв взгляд от изрытой земли, я увидел, что Джон остановился.

— Здесь ничего нет, — сказал он.

Я вспомнил, как мы вдвоем нашли на безлюдной равнине к югу от Якимы хижину, которая в течение многих лет использовалась в качестве хранилища для трупов. Туда мы отправились по инициативе Джона, по наводке, на которую я даже не обратил бы внимания. Но до конца мы дошли именно благодаря моей настойчивости. Мне свойственно определенное упрямство — если уж поставлена задача, то нужно выполнять ее до конца, тем более что это избавляет от необходимости решать, не стоит ли поступить как-то иначе. Сейчас мне было жарко, несмотря на холод, а ритмичные движения лопаты помогали ни о чем больше не думать.

Переместившись на шесть футов, я начал копать новую яму.

Немного помедлив, Джон тоже вернулся к работе.

— Уорд, — внезапно сказал он, — иди сюда.

К этому времени нас разделяло пятнадцать футов и мы копали уже больше часа. Я подошел к нему.

Он стоял примерно в девяти футах от того места, где начал. У его ног зияла яма глубиной фута в два. На дне она уже на дюйм заполнилась водой, но видно было, что там что-то есть.

Я наклонился и посмотрел внимательнее, потом снова взглянул на него:

— Что это, черт возьми?

Мы оба начали копать, теперь намного быстрее. Вода просачивалась сквозь стенки ямы почти с той же скоростью, с какой нам удавалось ее вычерпывать, но уже через несколько минут стало ясно, что мы действительно что-то нашли. Джон пошел к сумке и достал оттуда пару полотенец. Встав на колени, мы еще десять минут отчищали нашу находку, в природе которой можно было уже не сомневаться.

— Это то, что я думаю?

— Да, — ответил он. — Судя по всему, это грудная клетка.

— Господи. Человеческая?

— Похоже на то.

Сориентировавшись в расположении тела по расчищенным семи ребрам, я снова начал откидывать землю полотенцем, смещаясь на два фута влево.

— Что ты делаешь?

Я не ответил, продолжая расчистку, пока не обнаружил плечо. Еще левее я нашел кости предплечья. Они заканчивались зазубренным изломом.

И больше ничего.

— Ясно, — сказал я. — Кисти руки нет.

Он понял. Мы встали.

— Господи, Джон, что тут происходит?

— Не знаю, — ответил он. — Но обрати внимание: нет никакого запаха. Вообще. И еще: видишь цвет костей, их фактуру?

— Грязно-коричневые. Ноздреватые на вид. То есть это было довольно давно?

— По крайней мере десять — двенадцать лет назад, может быть, даже больше. Сколько лет подозреваемой, которую арестовали за другие два трупа? Той рыжей?

— Двадцать пять.

Мы молча подсчитали в уме.

ГЛАВА 23

Ли сидел у себя в кухне. Там, как всегда, было чисто. Причина, по которой его дом всегда выглядел нарядно — что, как он знал, слегка пугало Брэда, — была проста. Он немалое время тратил на уборку. В первую же неделю после переезда в новый дом Ли понял, что будет именно так. Всю его жизнь рядом всегда присутствовали одна или две горничные — он никогда не видел, чтобы мать тратила силы на нечто большее, чем споласкивание бокала из-под мартини, да и то далеко не всегда и только в крайнем случае.

Но он не нуждался в горничных. Ему было двадцать лет, и это выглядело бы достаточно смешно, не говоря уже о том, что иногда в его доме бывали вещи, которые совершенно незачем было видеть какой-нибудь любопытной мексиканке, готовой обменять любую подозрительную информацию на благосклонность со стороны иммиграционной службы.

Так что уборкой Ли занимался сам. Вскоре он обнаружил, что это неплохо у него получается. Ему даже нравилось. Возможно, со стороны подобное и могло показаться легкомысленным, но если делаешь что-то сам, то всегда знаешь, что и как. Когда ему нужно было как следует над чем-то подумать, он занимался уборкой. В этом заключалась его небольшая тайна. Он полагал, что таковая есть у каждого.

В доме царила полная тишина. Это ему тоже нравилось. Казалось, что многие из его друзей — а также их родители и особенно младшие сестры — не способны жить без звукового окружения. Обязательно должен был работать телевизор или радио. Если нет, то они просто разговаривали. О чем угодно.

Ли был не из таких, точно так же как он был не из тех, кто не мыслит вечеринки без наркотиков. Иногда он мог принять дорожку кокаина, но лишь изредка. Все остальное время Худек старался держаться от наркотиков подальше. В этой жизни требовалось сохранять ясность ума. Нужно было быть собранным и держать мысли в порядке.

Он надеялся, что рад будет услышать о разрешении проблемы с Питом. Тогда все случившееся пойдет ему только на пользу. Тот дурацкий вечер станет для него лишь событием, еще на шаг приблизившим его к людям, которые имели для него немалое значение. Людям, по счастливой случайности избавившим его от Эрнандеса.

Сегодня вечером можно будет это отпраздновать.

Он подумал о том, как поступить. Можно позвонить Брэду, хотя утром тот был явно слегка не в себе. Проблема близких отношений с людьми, особенно с девушками, заключается в том, что они постепенно раскачивают твою лодку. Сперва твою лодку, а потом и весь твой мир.

Ли решил взять листок бумаги и составить список вопросов, о которых хотелось бы поговорить с Полом в следующий раз. Можно было попробовать дальше продвинуть свой план теперь, когда все возвращалось в норму.

Он встал, чтобы взять бумагу с правой стороны второго ящика, под столовыми приборами — всему было свое место, и понял, что к дому очень быстро приближается машина.

Он узнал ее.

Автомобиль резко затормозил, дверца распахнулась, и оттуда выбрался Брэд. Выглядел он ужасно. Казалось, он даже не в состоянии нормально идти. Что-то крича, он направился прямо к входной двери.

Худек быстро вышел в коридор и открыл прежде, чем Брэд начал колотить в дверь. Лицо Метцгера было красное и мокрое, волосы торчали во все стороны.

— Ах ты сволочь! — заорал он. — Сволочь...

Ворвавшись в дом, Брэд набросился на Ли, охваченный слепой яростью, словно пьяный тигр. Худек довольно часто забывал, что Брэд был на два дюйма его выше и по крайней мере на пять — десять процентов сильнее. Он что-то хрипло кричал, но слов невозможно было разобрать.

Ли попятился назад в коридор и рухнул на спину. Однако это не остановило Брэда от новых ударов по лицу, шее и груди Ли. Худек начал отбиваться, пытаясь оттолкнуться коленями и вывернуться из-под Брэда, прежде чем тот схватит его за голову и разобьет ее о пол, что он явно намеревался сделать.

Тяжело дыша, он сумел произнести единственную фразу:
— Брэд... что, черт побери, случилось?

Тот не отвечал. Брэда интересовало только одно — причинить Ли как можно больше увечий.

Наконец Худеку удалось ударить его кулаком достаточно сильно, чтобы тот отшатнулся. Всего лишь на секунду. Ли со всей силы отшвырнул его в сторону и ударил еще раз. Брэд стукнулся головой о стену, и этого хватило Ли для того, чтобы вскочить на ноги.

Он надеялся, что времени будет достаточно, чтобы получить передышку, но Брэд снова кинулся на него.

Что бы это ни значило, но дело, похоже, было и впрямь серьезное. Повернувшись, Ли бросился бежать через весь дом. Вбежав в гостиную, он увидел, что оставил дверь во двор открытой. Он никогда не пытался лазить через забор, и это наверняка перепугало бы соседей, которых он приучил считать себя вполне приятным молодым человеком, но, возможно, придется попробовать...

А затем, словно из ниоткуда, появился Брэд и, повалив его на пол посреди гостиной, снова начал избивать. Удары попадали в цель все менее и менее точно, но оставались такими же сильными.

Ли удалось снова сбросить с себя Метцгера, и он понял, что бежать бесполезно — Брэд все равно его догонит.

Худек кинулся в кухню, продолжая кричать на Брэда и пытаясь заставить его объяснить, что, черт побери, с ним творится.

Именно тогда он заметил блеск в глазах Брэда, услышал доносившееся из его горла рычание и понял, что пытаться о чем-либо договариваться бессмысленно. Брэд не шутил — он действительно хотел его прикончить, причем по-настоящему.

Нырнув за угол, Ли побежал по коридору и, рванув на себя дверь в его конце, шагнул в гараж. Он слышал, как Брэд быстро приближается, но знал, что если сумеет добраться до кладовки, то...

Выдернув ящик, он выхватил оттуда пистолет.

Развернувшись, он направил его Брэду прямо в голову.

Брэд заколебался. На мгновение показалось, что он все равно собирается броситься прямо на пистолет.

Ли тяжело дышал.

— Брэд, какого черта?

На Метцгера страшно было смотреть. По щекам катились слезы, из носа текло, но, похоже, он этого или не понимал, или это его не волновало.

— Ты убил ее, — прохрипел он.

— Кого?

— Только не надо врать. Ты ее убил. Из-за тебя ее убили.

Ли продолжал твердо держать пистолет, направленный Брэду в лицо. Их разделяло всего шесть футов. Если тот кинется на него, придется очень быстро стрелять.

— Брэд, я понятия не имею, о ком ты говоришь. Кого убили? Кто умер?

— Ты сам знаешь кто. Кар...

Лицо Брэда обмякло, и голос сорвался, перейдя в долгий стон.

Ли уставился на него:

— Карен? Карен погибла?

— Конечно погибла, придурок! — заорал Брэд. — Думаешь, она могла выжить? Или они тебе не сказали, как они собираются это проделать?

— Брэд, успокойся и расскажи, что ты имеешь в виду, поскольку пока что я ни черта не понимаю.

Брэд судорожно утер рукой глаза, громко всхлипнул. Из одной его ноздри шла кровь.

— Ты им сказал.

— Что сказал?

— Ты сказал им, что Карен задавала вопросы. Что она думала, будто мы что-то знаем о том, что случилось с Питом.

Худек открыл рот и тут же снова его закрыл.

Брэд мрачно кивнул.

— Так я и знал, — сказал он. — Ты ее сдал. Ты думал, что она сболтнет лишнего, и сдал ее.

Ли облизнул губы и осторожно ответил:

— Скажу честно — да, я упомянул об этом в разговоре с Полом. Да, я действительно ему про это рассказал, пока ты ходил за кофе. Я решил, что ему следует об этом знать, вот и все. Я сказал ему, что никакой проблемы на самом деле нет, что она не сделает ничего такого, что могло бы повредить тебе, и он ответил, что все нормально. Так или иначе к вечеру все решится и это уже не будет иметь никакого значения.

— Но ведь это же чушь! — закричал Брэд. — Это не имело бы значения, если бы копы поверили в некую другую историю. А если бы Карен им рассказала, что мы им соврали, то они бы взялись за нас. И та другая история сразу бы развалилась. Ты знал об этом, и он тоже, и потому ты сделал так, чтобы ее убили и она ничего никому не сказала.

— Брэд, я этого не делал.

— Знаешь, как они это устроили? Прямо при всех. Прямо на улице, черт побери. Какой-то тип на «хаммере» средь бела дня врезается в ее машину и уезжает. Ее лицо превратилось в кашу, ей оторвало руку, Ли. Руку, понимаешь?

— Послушай, Брэд, ради всего святого, я не имею к этому никакого отношения. Да, я рассказал ему, но только для информации. Ты ведь все равно точно не знаешь, их ли рук это дело. Вполне мог быть просто несчастный случай. Об этом ты хотя бы подумал?

— Угу, конечно. Не считай меня идиотом, Ли.

— Я вовсе не хотел, чтобы с ней хоть что-то случилось.

— Я тебе не верю. Впрочем, это все равно не важно. Ты им сказал. Из-за тебя ее убили. Ты убил ее, хотел ты этого или нет.

— Это не моя вина.

— Что бы ни случилось — это всегда не твоя вина. Что за проблема, Ли, черт бы тебя побрал? Ты не смог вынести того, что она со мной, а не с тобой, или еще что?

Ли рассмеялся:

— Что? Да меня это нисколько не волновало.

— В том-то и дело, что волновало. Еще как волновало. С тех пор как я с ней встречаюсь, ты постоянно над нами издеваешься. Постоянно говоришь о том, как ты с ней трахался. Все время на что-то намекаешь. Ну да, ты думал, что она может проболтаться, и хотел от нее избавиться, но у тебя ведь есть и личные мотивы? Признайся?

Ли вдруг ощутил странную пустоту в голове.

— Да ради бога, придурок, кому она была нужна? Снежная королева, черт бы ее побрал. И отсосать-то толком не умела.

Неожиданно Брэд замолчал.

Молчание выглядело зловещим. Слезы на его щеках высохли.

— Сейчас ты сдохнешь, — бесстрастно произнес он.

Худек видел, как напряглись мышцы Брэда. Жилы на шее натянулись, словно проволока. Он знал, что, если Брэд сейчас на него бросится, он действительно умрет.

— Брэд, не вынуждай меня это делать, — сказал он, твердо держа в руке пистолет и жалея, что не помнит, сколько раз он стрелял в тот вечер на парковке. — Не вынуждай меня, ладно?

— Я любил ее, — с мрачным спокойствием сказал Брэд. — Этого тебе никогда не понять, потому что у тебя давно уже крыша едет. Я любил Карен. И из-за тебя ее убили.

— Брэд, нам надо...

И в это мгновение тот бросился на него.

Ли нажал на спуск, как это делали герои телесериалов. Два раза подряд. Бах, бах.

В замкнутом пространстве выстрелы показались оглушительными. Пистолет был направлен прямо в лицо Брэда и почти не дрожал.

Брэд обрушился на него, словно поезд, отбросив к стене. Оба с силой ударились о нее головами и упали. Ли сразу же начал ворочаться на полу, с ужасом ощущая на себе вес чужого тела.

Потом он понял, что крови нет.

И что Брэд все еще шевелится — не судорожно дергается, но толкается столь же отчаянно, как и он сам.

В конце концов они оказались сидящими на каменном полу в нескольких ярдах друг от друга.

Ли посмотрел на Брэда, тот — на него. По щеке Метцгера тянулась полоса копоти. Глаза Ли были широко открыты, пистолет все еще оставался в руке.

А потом Брэд начал смеяться — тихим, жутким смехом безумца.

— Холостые, — сказал он. — Холостые, черт бы их побрал.

Ли тупо уставился на пистолет.

ГЛАВА 24

— Мы пока не знаем, кто второй убитый, — сказал Монро. — Заявлений о пропавших не поступало, фотографию показывают всем в округе, но безрезультатно. Документов в карманах не было, татуировок и особых примет тоже нет, отпечатки пальцев нигде не фигурируют. От одежды никакого толку — эксперты так и не смогли по ней выяснить, где его держали после смерти. Это либо бродяга, либо житель какого-то другого города, либо он свалился прямо с неба и упал на тот остров.

— Фотографию показывали в «Мэйфлауэре»?

— Вчера днем. Но мертвое лицо не очень легко опознать. И уж в любом случае он ни на кого не производил такого впечатления, как Уидмар.

Мы с Монро сидели в вестибюле «Холидей-Инн». Утренняя толпа постепенно рассосалась. Бригады экспертов уехали, местные полицейские тоже, и хотя на автостоянке еще оставалось несколько репортеров, большинство решили, что новости уже устарели, и отправились в какое-нибудь более подходящее место, для того чтобы бросить свои сумки и пофлиртовать друг с другом в ожидании новых свежих открытий. Представители ФБР обосновались во временной штаб-квартире в бизнес-центре отеля.

В основном же здесь не было сейчас никого, кроме персонала, и их голоса в этот вечер казались особенно оживленными, словно громкие приветствия и широкие улыбки могли каким-то образом помочь забыть о случившемся в одном из номеров. Но большинство гостей покинули отель.

Монро согласился уделить мне десять минут. Он выглядел намного более уставшим, чем я. Он не переодевался с того утра, когда я заставил девушку-портье поднять его с постели. Казалось, будто это случилось сто лет назад. Перед ним на столике стояла большая кружка с кофе, который он пил размеренными глотками, и автоматизм его движений выдавал тот факт, что вкуса он не ощущает.

— Мы найдем ее, Уорд, — сказал он. — Обязательно.

— Вы даже не знаете, кто ее похитил.

Монро снова отхлебнул кофе.

— У вас есть хоть какие-то предположения?

— Мы начали обследовать дом за домом, Уорд. Если Нина где-то в городе или рядом, она должна находиться в каком-то из зданий. Мы найдем ее. Должен же похититель где-то ее держать.

— И в любом случае это не Джулия Гуликс.

— Вам не следовало ходить к ней вчера вечером.

— Мне нужно было убедиться, что она там. И я кое-что заметил.

— Что?

— Она наверняка знает о том, что случилось. Тамошние полицейские настолько перепугались, что она вполне могла почувствовать это даже сквозь стены. А когда я заглянул в глазок двери камеры, она как-то странно на меня посмотрела.

— Она виновна в двух убийствах и последние две недели срезала с трупов куски плоти. Кто знает, что творится у нее в голове?

— Обыск в ее квартире что-нибудь дал?

— Он еще идет.

— То есть ничего. Ни подвала, где можно было бы держать тело. Ни кусков срезанной плоти. Ни топора, спрятанного под лестницей.

— Очевидно, она занималась этим где-то в другом месте.

— Бывали еще случаи, чтобы подобное совершала женщина? Когда-либо?

— Я знаю, что по этому поводу думает Нина. Вам вовсе незачем делать за нее ее работу.

— Зачем вы привезли ее сюда?

Монро поколебался, но лишь долю секунды.

Я наклонился к нему:

— Я просто не могу этого понять, Чарльз. Она все мне объяснила, но я не понимаю. Возможно, вы сумеете лучше. Вам известно о том, что произошло в Джейнсвилле, когда Нина была еще ребенком, и, следовательно, вы понимаете, что ее отношение к случившемуся весьма противоречиво. Почему именно для участия в этом деле вы решили снова вытащить ее на свет божий?

Монро попытался что-то сказать, но я вдруг почувствовал, что слишком зол для выслушивания его возражений.

— Где через три дня ее похищает из номера отеля некто, зарубивший вооруженного полицейского? Пожалуйста, объясните, просто и доходчиво.

Монро покачал головой, и на мгновение мне стало его жаль. У него не было никакой возможности изменить то, что уже случилось. Все, что он мог, — ждать, пока обыщут все дома в городе.

Он посмотрел через большое окно на автостоянку, где начинало темнеть. К тому же пошел дождь. Я надеялся, что Нина услышит шум дождя, где бы она ни находилась, и этот звук поможет ей поверить, что время все еще идет и что я обязательно ее найду.

— Она лучший следователь из всех, кого я знал, — сказал он. — Она меня поддерживала. Я занимался системой и местными протоколами, она раскрывала преступления. Сами знаете, как в конце концов получилось с Эйлин Уорнос, — петиции, документальные фильмы и все такое прочее. Мне просто хотелось, чтобы, если дело дойдет до общения с прессой, мы были бы к этому готовы. Нина с самого начала была против предположения, что это сделала женщина, так что нам в любом случае пришлось бы собрать неопровержимые доказательства.

— А теперь Рейдел мертв, Нины нет, и само дело потеряло всякий смысл.

— Смысл есть...

Я покачал головой:

— Здесь происходит нечто такое, чего никто из нас не понимает. Не знаю, имеет ли это отношение к Нине, но в данный момент ни о чем другом я не думаю.

Я потянулся к сумке, которую поставил рядом со своим креслом, и достал оттуда несколько цветных отпечатков, которые я сделал с фотографий того места, где побывал в первой половине дня.

Я положил первую фотографию перед ним.

— Узнаете?

Он нахмурился:

— Похоже на место второго убийства.

— Верно. — Я положил на стол вторую фотографию. — А это вид через остров, с того места, где висела рубашка.

— Не вижу здесь ничего такого, что...

Третья фотография.

— А теперь это место выглядит вот так.

Он уставился на снимок:

— Что там произошло, черт побери?

— Немного поработал лопатой.

Его глаза расширились.

— Вы шутите. Это какое-то другое место. Вы не могли такого сделать.

— Тем не менее сделал. И на самом деле оно выглядит еще хуже, чем кажется.

— Я не верю, что вы это сделали. Просто не верю.

— Кто-то же должен был. Рубашка явно что-то означает, но вы лишь бросили на нее поверхностный взгляд и решили, что этого достаточно.

Я положил перед ним еще один снимок:

— Что вы здесь видите?

— Ничего, кроме грязи, Уорд. — Голос его звучал глухо. — И безнадежно исковерканное место преступления.

— Посмотрите еще раз.

Он неохотно наклонился и внимательнее вгляделся в фото.

— Там, в яме, что-то есть.

Я положил на стол еще четыре фотографии.

Он посмотрел на них, моргнул, посмотрел еще раз.

— О господи. — Монро не отрывал взгляда от снимков. — Руки нет.

Он встал с таким видом, словно намеревался двинуться в трех направлениях сразу.

— Вам надо было сказать... мы бы отправили туда соответствующую бригаду. А вы все окончательно испортили.

— Если это имеет хоть какое-то отношение к тому, где сейчас Нина, у меня нет времени ждать, когда кто-то придет и сделает все как положено. Я хочу показать вам кое-что еще. На улице.

— Мне нужно...

— Вы теперь официально играете в догонялки, Монро. Следуйте за мной, иначе я отправлюсь в город, найду самого глупого репортера и начну рассказывать ему все, что знаю.

Я направился к выходу. Когда я вышел на автостоянку, он поравнялся со мной. Я быстро подошел туда, где стояла моя машина.

— Садитесь, — сказал я.

Когда мы оба оказались внутри, я включил двигатель.

— Что вы делаете?

Затем он услышал, как открылась задняя дверца и кто-то еще сел в машину. Резко обернувшись, Монро уставился на Зандта так, словно тот был самим дьяволом.

— Привет, Чарльз, — сказал Джон. — Давно не виделись.

Я заблокировал дверцы и прямо через газон выехал со стоянки.

_____

Дождь к тому времени усилился, и машину неприятно занесло, когда я выехал на главную дорогу. К счастью, это на мгновение отвлекло Монро, упершегося обеими руками о приборную панель. Протянув руку с заднего сиденья, Зандт вытащил у него из кармана пистолет и сотовый телефон.

Монро схватил ремень безопасности и застегнул его.

— Не знаю, что вы собираетесь делать, — сказал он, — но это не самая лучшая идея.

— Нет, — ответил я. — Возможно, вам это не понравится, но это исключительно ваши проблемы, и у вас есть еще десять минут, чтобы смириться с тем, что должно произойти.

— Верните мне пистолет.

— Нет, — отрезал Зандт. — Возьмите лучше это.

Он бросил что-то на колени Монро.

— Что это, черт побери?

— Сами скажете.

Монро осторожно поднял странный предмет. Он напоминал короткую изогнутую палку, но вовсе не требовалось быть экспертом, чтобы понять, что это.

— Сегодня днем я был в Ричмонде, — сказал Джон. — Пообщался кое с кем из специалистов, предъявил ему эту кость и еще несколько других из тех, что мы нашли.

— Откуда она?

— Разве Уорд не показывал вам фотографии?

— Господи, — выдохнул Монро. — Значит, вы не только изуродовали место преступления, но еще и осквернили труп. Или вы уже успели позабыть, что это означает?

Зандт пропустил его слова мимо ушей.

— Судя по седалищной выемке на костях таза, тело принадлежит женщине. Точную дату смерти установить невозможно. Мой друг говорит, что ему нужно взглянуть на труп на месте, и было бы глупо его выкапывать — в этом он полностью согласен с вами. Но по его мнению, кость вряд ли могла дойти до такого состояния менее чем за пятнадцать лет, плюс-минус два года.

— Прошу прощения?

— Вы слышали, что я сказал. Кость извлечена из земли возле места, на которое указывает вещественное доказательство, оставленное на месте убийства. Вы приписываете его женщине, находящейся сейчас в тюрьме Торнтона. Однако этот труп был закопан в то время, когда вашей единственной подозреваемой было от восьми до двенадцати лет.

Монро посмотрел на кость в своей руке.

— Если предположить, что я поверю всему, что вы мне рассказали.

— Зачем нам лгать? — спросил я, сворачивая на улицу, которая вела через холм мимо школы к центру города. — Мне было бы плевать на вашего убийцу, если бы это напрямую не касалось Нины. Она поняла все с самого начала. Она сказала, что этих двоих убила не женщина. И похоже, была права.

Монро потер лоб обеими руками:

— В таком случае почему я сейчас с вами в машине? Почему об этом нельзя было поговорить в отеле?

— Потому что сейчас вы нам понадобитесь, — сказал я. — Мы собираемся совершить кое-что неподобающее, и вы нам в этом поможете. Джон хочет побеседовать с Джулией Гуликс.

— Это невозможно, — ответил Монро. — Абсолютно невозможно.

Естественно, я ожидал, что он скажет «нет», но его упрямство все же меня удивило. Я надеялся, что кость заставит его предпринять следующий шаг, что он сам поймет, как действовать дальше.

— Мы в трех минутах езды от полицейского участка, — сказал я. — Вам придется быстро изменить свое мнение, если мы не хотим терять время зря. Как я понимаю, даже вы признаете, что Джон — выдающийся детектив. Насколько я слышал, он уже раскрыл сегодня для вас как минимум одно преступление. Так в чем проблема?

— Забудьте, — упрямо гнул свое Монро. — Он больше не полицейский. На нем висит несколько убийств, он крайне опасен, и только через мой труп я позволю ему...

— Послушайте... — начал я, но вдруг понял, что слышу странный мелодичный звук. Я не сразу сообразил, что это.

А потом резко свернул к обочине и, выхватив из кармана телефон, прочитал номер на экране.

Но это была не Нина.

— Это Унгер, — сказал я, чувствуя себя так, словно собирался шагнуть с обрыва.

— Поговори снаружи, — велел Джон.

Я вышел под дождь и достал телефон.

— Уорд, — сразу же послышался голос, — это Карл.

Я молчал. Что мне еще оставалось делать?

— Уорд? Вы там?

— Да.

— Ваша подруга, агент Бейнэм — есть о ней какие-то новости?

— Откуда вы знаете, что это именно та, о ком я вам рассказывал?

— Потому что, как только я вышел из бара, я сразу же начал звонить.

Я пожалел, что он не стоит сейчас передо мной.

— Вы подвергли ее опасности. Вы могли ее убить.

— Мне пришлось пойти на риск. Я не намерен тратить время впустую. Ваша личная жизнь ничего сейчас не значит. Вы кое-что утаили от меня вчера вечером, и у меня не оставалось иного выхода.

— И что это вам дало?

— Ничего. Я до сих пор понятия не имею о том, что происходит. Я в Лэнгли. Почему бы мне снова не приехать к вам? Я могу быть у вас через два часа максимум. Нам нужно поговорить. Возможно, я сумею помочь.

Я закрыл телефон.

Вернувшись в машину, я ожидал, что окажусь свидетелем нешуточного скандала. Однако там царила зловещая тишина. Монро убирал свой пистолет и телефон обратно в карман пиджака.

— Что там? — спросил Джон.

— Унгер вчера вечером назвал кому-то наши имена, но это было уже после того, что случилось. Когда я вернулся в отель, кровь Рейдела уже почти высохла. Все зависит от того, говорит ли Унгер правду, а по телефону этого не понять. Он хочет приехать сюда и поговорить.

— И что?

— Он или приедет, или нет.

Я с силой ударил по рулю обеими руками, не в силах до конца прийти в себя после дурацкой надежды, что, возможно, это звонила Нина.

— Черт, не знаю, что делать. Просто не понимаю, что вообще творится.

— Езжай к участку, — сказал Джон.

Я посмотрел на Монро:

— Вы разрешите нам с ней поговорить?

Агент ничего не ответил. Он просто сидел и смотрел в ночь, а на лицо его падал тусклый свет фонаря. Я нажал на газ и проехал последние полмили.

За столом сидел тот же полицейский, что и прошлой ночью. Он привстал, увидев меня, но тут же заметил, что на этот раз со мной Монро.

— Сэр, — сказал он, — это тот самый, который...

— Знаю, — ответил Чарльз. — Комната для допросов свободна?

— Сейчас — да.

— Доставьте туда Гуликс.

Мы с Джоном вышли следом за ним в коридор.

— Хотите быть там, когда ее приведут? — спросил Монро.

Что в нем нравилось — стоило обстоятельствам измениться, как он сразу же с этим смирялся.

— Нет, — сказал Джон. — Сначала я хотел бы ее увидеть.

Монро провел нас в допросную. Мы подождали десять минут, пока Джон просматривал протоколы проведенных накануне допросов. Затем я услышал звук открывающейся двери. Двое полицейских ввели Джулию Гуликс в комнату для допросов и усадили за стол. Один вышел, второй встал перед закрытой дверью.

Джулия сидела на другой стороне стола, как и за день до этого. Лицо ее казалось мертвенно-бледным. Руки, лежавшие на столе, сперва слегка дрожали, но потом застыли неподвижно. Она подняла взгляд и посмотрела прямо на одностороннее зеркало, слегка наклонив голову.

Я смотрел, как Джон внимательно разглядывает ее. Он стоял, поддерживая локоть одной руки другой и приложив палец к носу. За все время, пока я за ним наблюдал, он ни разу не моргнул.

— Адвоката так и нет?

— Нет, — ответил Монро. — Она попросила адвоката, и ей его назначили. Но теперь она не хочет с ним разговаривать.

— Никто из родственников ее не навещал? Друзья?

— Нет. Вчера вечером мы допрашивали ее приятеля, но он отказался от возможности поговорить с ней. Сказал, что она никогда не рассказывала о своей семье. Не задерживайте нас, Джон.

Джон вышел из комнаты. Примерно через минуту полицейский в соседнем помещении повернулся и открыл дверь. Джон вошел и попросил полицейского побыть снаружи. Подождав, пока они с Гуликс останутся наедине, он сел на стул у другого края стола.

После короткой паузы она повернула голову и посмотрела на него.

— А вы симпатичный.

— Спасибо, — сказал Джон. — Давно мне не делали комплиментов.

— Бедненький.

— Ничего, переживу. А как вы?

— Что — я?

— Как вы себя чувствуете? У вас нет родных или кого-то, кто мог бы вас навестить?

— Нет. У меня нет ни братьев, ни сестер. Родители умерли.

— Грустная история.

— Смотря как ее рассказывать.

— Вы родились и выросли в Боулдере?

— Точно.

— И переехали в Торнтон шесть лет назад?

— Прекрасный городок, вам не кажется?

— У меня не было времени познакомиться с ним поближе, но особо он меня не впечатлил.

— Но все эти деревья! Эти милые маленькие домики!

— Никогда не считал, что живописный вид — значит хорошо.

Она улыбнулась:

— Тогда, может быть, симпатичный — не значит глупый. Здесь все не так.

— Вы понимаете, в каком сложном положении оказались? Вы не пытаетесь сослаться на психическое расстройство?

— А почему бы и нет, собственно?

— Видите ли, в вашей ситуации это действительно могло бы помочь. Но почему-то мне кажется, что вы меня просто дурачите.

— Постараюсь вести себя лучше.

— Я хочу вам кое-что показать.

Джон достал что-то из кармана и положил на середину стола.

Стоя рядом с Монро, я услышал, как он судорожно вздохнул.

— Господи, — сказал он. — Я не верю этому человеку.

Лично я считал, что Джон выбрал правильный подход. Гуликс выглядела и говорила совершенно иначе, чем тогда, когда я впервые увидел ее через стекло. Под глазами у нее были тени, словно она вообще не спала. И в самих глазах — тоже.

Она посмотрела на предмет, который положил перед ней Джон.

— Я уже поела, — сказала она.

— Вы знаете, что это?

— Кость.

— Это ребро. Женское ребро. Как вы думаете, откуда оно у меня?

— Из вашей коллекции?

— Оно из леса, к северо-западу от города. Несколько дней назад там нашли труп. Кое-кто здесь хочет приписать это убийство вам, вместе с убийством Лоренса Уидмара. Судя по протоколам, детектив Рейдел уже говорил с вами на эту тему.

Гуликс не ответила, продолжая смотреть на кость.

— Но эта кость — не той жертвы, — продолжал Джон. — Потому что тот убитый был мужчиной. А женщина была обнаружена на глубине двух футов.

— Так откуда она взялась? Растолкуйте, пожалуйста.

— Вы помните агента Бейнэм?

— Помню. Приятная женщина.

— Согласен.

— Вы с ней трахались?

Не знаю, что ощутили находящиеся в той комнате, но с того места, где стояли мы с Монро, чувствовался холод. Он исходил не от него. От нее.

Она весело улыбнулась:

— Точно ведь трахались? Должна сказать, она баба крутая, но, возможно, в вашем вкусе.

— Нет, Джулия, — сказал Джон. — Это вы больше в моем вкусе. Ничто мне так не нравится, как женщина, которая целый день ходит, сжав кулаки, и целыми вечерами просиживает в темноте. Которая сейчас сидит передо мной, изо всех сил стараясь скрыть, насколько ей хочется выпить. Вы даже понятия не имеете, как мне нравятся такие женщины. Мечта каждого мужчины.

Лицо Джулии побледнело. На нем не отражались ни злость, ни страдание. Просто ничего не выражающая бледность.

— Каждому свое. — Она внезапно понизила голос на четверть октавы. — Кто бы сомневался.

— Причина, по которой я упомянул агента Бейнэм, — все так же спокойно продолжал Джон, — заключается в том, что ей поручили заниматься другим делом, и это не слишком хорошая новость для вас. Агент Бейнэм была убеждена, что вы невиновны. Другие считают иначе. В том числе и детектив Рейдел.

— Его убили, — сказала она. — Так что кого теперь волнует, как он считает?

— Откуда вы знаете?

— Все об этом говорят. Мне здесь все равно больше нечего делать, кроме как слушать. Я всегда была очень наблюдательной. Хотите знать, кто тут нечестный полицейский? Кто берет наличными, не выписывая штрафа? Хотите знать, что они думают о моих сиськах? Потому что они и в самом деле о них думают. Они думают о сиськах убийцы, которая двое суток не принимала душ. Но... все-таки это ведь сиськи? Какие они? Мужчины ведь всегда об этом думают. Кстати, по общему мнению, они не такие уж и большие.

— Женщины тоже способны на преступления.

— Нет. — Впервые в ее голосе послышалась обреченность. — Месть — это совсем другое дело. Это не считается.

— Что вы имеете в виду?

— Я говорила в общем смысле. Ничего личного.

— В самом деле? А мне показалось иначе.

Она снова успокоилась.

— Ничего личного, красавчик. Во мне вообще нет ничего личного, можете спросить моего босса. Должна сказать, он меня ценит. Хороший работник, но не из тех, с кем хотелось бы сидеть рядом на вечеринке. И все такое прочее.

— Судя по всему, Марк Крегер так не считал. Он ведь встречался с вами. Несколько раз?

— Да, встречался.

— Он ходил тогда с вами в лес. Пойти предложили вы, но, так или иначе, он пошел с вами.

— Совершенно верно.

— Джулия, вы кого-то защищаете?

— С чего вы взяли?

— Потому что я сомневаюсь, что вы убили тех двоих. Возможно, это сделал кто-то другой и это имеет некоторое отношение к третьему трупу. Мне просто интересно, есть ли у вас какие-либо причины его прикрывать.

— Вы ошибаетесь.

— Ошибаюсь в чем?

— Во всем.

— В самом деле? Знаете, мне это очень не нравится.

Даже через интерком в голосе Джона чувствовалось неподдельное раздражение.

— Возможно, я чего-то не понимаю, но ошибаться во всем... Ничего хорошего в этом нет.

— Я кое-что знаю о вас, — сказала она, с улыбкой глядя на стол. — Возможно, посмотрев на меня, вы скажете то же самое.

— Что именно?

Она несколько секунд молчала, а потом посмотрела Джону прямо в глаза:

— Вы убийца.

Мы с Монро переглянулись.

— Почему вы считаете меня убийцей? — невозмутимо спросил Джон.

— Вы это отрицаете?

— Я задаю вам вопрос.

— Это же очевидно. Этого никогда не смоешь.

Джон облокотился на стол, дружелюбно глядя на нее.

— Вы явно пытаетесь мне что-то сказать, Джулия. Мне бы хотелось знать, что именно. Но я бы не хотел понять вас превратно, так что, пожалуйста, облегчите мне задачу. Согласны?

— Хорошо, — ответила она, а затем очень отчетливо произнесла: — Это я их убила.

Джон моргнул:

— Прошу прощения?

— Я убила Ларри там, в лесу. Пригласила его прогуляться и слегка выставила свои маленькие сиськи, чтобы он решил, будто я согласна на все. Он ничего толком не соображал, потому что я подмешала ему в вино препарат, который купила в интернет-аптеке. Нет, не виагру.

— Если вы убили его в Рейнорском лесу, то почему на теле не было следов крови?

— Я убила его возле ручья. Он упал прямо в воду, и я подумала, что так он даже лучше будет выглядеть. Вам не кажется?

— Зачем вы его разделали?

— Чтобы поиздеваться над ним. Он был порядочной сволочью. Я видела, как он присаживался к какой-то другой женщине. Что касается второго — извините, но я понятия не имею, кто это. Я подцепила его на автобусной остановке в Оуэнсвилле две недели назад. Он оказался весьма практичным и... так сказать... тяжелым в общении. Ларри был несколько более управляем.

Джон изо всех сил старался не выказывать удивления, и в отличие от нас с Монро это ему более или менее удавалось.

— О втором убитом не все сообщили в прессе, — сказал он. — Может быть, вы мне расскажете подробности?

— Трудно сказать, поскольку газету я видела довольно давно, но, может быть, речь о том, что недоставало каких-то частей его тела? Жуткая работа, конечно, но иначе я просто не смогла бы его оттуда вытащить. Уверена, что наверняка есть и более удобные способы, но тогда они просто не пришли мне в голову.

— Вы понимаете, что наш разговор происходит при свидетелях?

— Я это предполагала.

Она посмотрела на стекло и помахала рукой.

— Привет, ребята.

— Вы признаетесь в убийствах этих двух человек?

— Я бы предпочла слово «сообщаю». Я не считаю себя в чем-то виноватой, за исключением того, что у меня это получилось не слишком удачно. Двое — не так уж и много. Особенно если вспомнить обо всех убитых женщинах, во все времена, повсюду вокруг нас. Это просто выводит меня из себя.

— Тогда зачем вы мне обо всем этом рассказываете?

— Потому что вы чертовски симпатичный. К тому же вы действительно мне понравились, после того как на меня давили все эти ваши хорошие и плохие полицейские.

— В самом деле?

— Ну конечно. И от вас такой же запах, как и от меня.

— Джулия, вы бы очень мне помогли, если бы изъяснялись более простыми фразами.

— Нет, — сказала она. — Нет, нет, нет.

— Вам ведь хочется об этом поговорить. Думаю, ничего другого вам сейчас не хочется. Объясните хотя бы, что это за история с отрубленными руками.

— К черту, — огрызнулась она. — Не знаю. Сами разбирайтесь.

Джон пристально посмотрел на нее:

— А что, если меня это просто не интересует?

И тут она бросилась на него.

В ее распоряжении было около двадцати секунд, прежде чем двое полицейских из коридора ворвались в комнату и скрутили ее, но она сделала все, что могла. Сосредоточенно и молча. Кулаками, локтями, ногтями.

Джон просто сидел, даже не поднимая рук. Он знал, что на ней не должно остаться ни единого следа — только не здесь и не от него, даже случайно, даже при самозащите.

Когда полицейские схватили ее, она наконец сдалась, начав издавать звуки, которые трудно было описать: нечто среднее между воем и смехом, и трое рослых мужчин с трудом вывели ее из комнаты.

Монро остался в полицейском участке — ему нужно было оформить ордер еще на трое суток ареста для Джулии Гуликс, которая теперь официально обвинялась в убийстве двух человек. Мы с Джоном вышли на улицу и остановились на тротуаре. Я дал ему сигарету. Некоторое время мы молча курили.

— И что это, черт побери, должно означать? — в конце концов спросил я.

Джон потер лоб, вытирая кровь, все еще сочившуюся из длинной ссадины, и посмотрел на руку.

— Понятия не имею, — ответил он.

ГЛАВА 25

Ли вел машину. У Брэда чересчур сильно болела голова, для того чтобы нормально соображать, но Худек всегда был ведущим, и именно он всегда сидел за рулем.

Улицы выглядели странно пустыми, словно их специально очистили для того, чтобы они смогли беспрепятственно доехать туда, куда собирались. На физиономиях обоих отчетливо выделялись оставленные кулаками кровоподтеки. Худек пытался не подавать виду, но, похоже, Брэд сломал ему как минимум пару ребер, к тому же он почти оглох на одно ухо. Брэд смыл с лица пороховую копоть и кровь из-под носа, но все равно выглядел так, будто побывал в молотилке.

Они не разговаривали друг с другом. С тех пор как Ли позвонил и договорился о том, куда ехать, оба не произнесли ни слова. Впрочем, обсуждать особо было нечего. Худек уже объяснил Брэду, как мог, что у него даже и в мыслях не было, что эти люди причинят Карен хоть какой-то вред. Он извинился перед ним и за другие свои комментарии.

Брэд ничего не ответил. В голове у него было совершенно пусто. Вскоре зазвонил его телефон, но, судя по номеру на экране, это были родители, и он выключил аппарат. В конечном счете им все равно пришлось бы что-то объяснять, так же как и Люксам, заставить их и самого себя поверить, что смерть Карен — всего лишь стечение обстоятельств, трагическая случайность и все такое прочее. Сможет ли он это сделать? Сможет ли он предать память о ней, повернуться спиной, с каждой ложью уходя все дальше? Он не знал. Время покажет.

В данный момент у них была совсем другая задача.

Этим людям следовало понять, что двоих парней из Долины так просто не обманешь. Им предстояло узнать, что богатый и высокопоставленный вовсе не означает глупый или слабый и что молодость не означает отсутствия силы воли. Им предстояло узнать, что целеустремленность, сделавшая выпуск 2003 года практически непобедимым в любом виде спорта, осталась той же и за стенами школы, превратившись в острое оружие, пригодное в любой, даже самой трудной ситуации.

Ли и Брэд намеревались преподать им урок. Они ехали на встречу, и у них был пистолет, на этот раз с боевыми патронами.

Брэд зарядил его сам.

Они въехали прямо на парковку позади здания на перекрестке Роско и Сеннoa и остановились возле того места, где в прошлый раз лежал брезент, которым были накрыты Пит и Стив, связанные и с кляпом во рту.

— Мне уже тогда следовало сообразить, — пробормотал Брэд, докуривая очередную сигарету, — что же это за люди, если они на такое способны?

Они вышли из машины.

— И все-таки мне не нравится, что приходится встречаться с ним именно здесь.

— Это единственное место, где он стал бы с нами встречаться, — тяжело выдохнул Ли. — Мы действительно готовы сделать то, что собираемся?

Брэд вздрогнул, вспомнив похожий вопрос, который он задавал в первый раз, когда они сюда приехали, в тот вечер, казавшийся вовсе не таким уж далеким. Он подумал об ожерелье с маленькой буквой «К» и о том, что, возможно, ему еще предстоит оказаться в ситуации, когда это самое ожерелье вернут ему назад.

— Угу. Готовы.

— Но если он там не один, сделаем вид, будто ничего не случилось. Будем выжидать и притворяться, что ни черта не знаем. Ты понял?

— Ли, давай просто пойдем туда. Я не хочу умирать, так же как и ты. Мне просто хочется услышать, что скажет эта сволочь.

Они подошли к двери в боковой стене здания. Ли взялся за ручку и потянул. Дверь оказалась не заперта.

Брэд последовал за ним. Неслышно пройдя через большую комнату и по коридору, они очутились в просторном помещении.

В отличие от прошлого раза, когда Ли здесь был, оно ярко освещалось несколькими рядами ламп. Теперь, когда помещение можно было хорошо разглядеть, оно уже меньше напоминало заброшенный склад и куда больше — научную лабораторию. Вдоль одной стены тянулся ряд столов, на которых стояли компьютеры и жидкокристаллические мониторы, нечто напоминающее интернет-сервер, несколько телевизоров и подозрительно большое количество мобильных телефонов. Все телевизоры и компьютеры были выключены, и повсюду на полу валялись кабели.

Кто-то явно намеревался отсюда съехать.

Перед одним из столов стоял человек, с которым они собирались встретиться. Он даже не посмотрел на них, продолжая складывать компакт-диски в большую сумку.

Ли и Брэд подошли к нему и остановились.

Пол поднял взгляд.

— Привет, ребята, — сказал он. — Что случилось?

Брэд думал, что, едва его увидев, тут же на него бросится, точно так же, как до этого на Ли. Однако теперь он сразу же понял, что все будет иначе. Казалось, от этого человека исходит некая мистическая сила, делающая невозможной саму мысль о нападении.

— Вы один? — спросил Ли.

— Да, — ответил Пол. — Мне нужно еще кое-что сделать. Так что я бы попросил вас сразу переходить к сути.

Брэд не собирался больше ждать ни минуты.

— Зачем вы это сделали?

— Что именно, Брэд?

— Убили ее.

— Кого? Ты не мог бы выражаться точнее?

— Хватит нас дурачить, — встрял Ли, а потом продолжил, как они и договаривались: — Послушайте, мы просто хотим разобраться. Мы понимаем, что у вас есть какой-то свой план. Дело даже не в ней. Просто объясните нам, что происходит. Мы хотим понять.

Пол закончил складывать вещи в сумку, застегнул ее и поставил на пол. Потом сложил руки на груди и посмотрел на ребят.

— Что ты имеешь в виду, Ли?

— Сегодня утром я рассказал вам, что подружка Брэда кое-что говорила и может осложнить нам жизнь. Вы сказали, что это не проблема. А потом, несколько часов спустя, когда она ехала в полицию, в ее машину средь бела дня врезался другой автомобиль. И она погибла.

— Мне очень тяжело это слышать, — сказал Пол, глядя на Брэда. — Для тебя это, должно быть, большая утрата.

— Пошел к черту, — огрызнулся Брэд.

Его начало трясти, и ему показалось, что еще немного — и он все-таки набросится на Пола.

— Пошел к...

— Спокойно. — Ли схватил друга за плечо.

Потом он снова повернулся к Полу:

— В итоге мы с Брэдом крупно подрались, поскольку он считает, будто я преднамеренно ее подставил, чего на самом деле не было. И еще...

Сунув руку в карман, он достал пистолет и показал его Полу:

— Узнаете?

Тот пожал плечами:

— Знаешь, я слишком много их видел.

— Это тот самый, который Эрнандес дал мне в тот вечер, когда убили Пита. Вернувшись ночью домой, я его спрятал. А сегодня днем я из него стрелял. Стрелял два раза, и знаете, что произошло?

— Сгораю от любопытства, Ли.

— Он был заряжен холостыми.

— Странно. Интересно, зачем Эрнандесу это понадобилось?

— Чушь. Не поверю, чтобы он когда-либо делал хоть что-то, о чем вы ему не говорили.

— И какова же твоя версия? Я бы хотел, чтобы ты сам все сопоставил. Впрочем, думаю, ты это уже сделал.

— Все было подстроено с той самой минуты, как погиб Пит, — бесстрастно сказал Брэд. — Вы послали нас на опасную встречу, но не настолько нам доверяли, чтобы дать пистолет с боевыми патронами. Пита убили, и тогда Эрнандес воспользовался ситуацией и подстроил так, чтобы мы сами оказались виноваты в том, что спрятали его тело. А после этого вы могли бы вертеть нами как угодно.

— Очень хорошо, — кивнул Пол.

Худек смотрел на него со странным выражением на лице, и Брэд радостно понял, что впервые в жизни Ли охвачен неподдельной яростью.

— Это правда?

На губах Пола мелькнула неуловимая улыбка.

— Да. Правда.

Последовала долгая пауза.

— Тебя больше нет, — сказал Ли, медленно поднимая пистолет и направляя его прямо Полу в голову. — Ты... уже... труп.

— Ты хочешь меня застрелить?

— Именно это я и собираюсь сделать.

— Несмотря на то что есть те, кому известно, кто ты и где ты живешь, и которые без каких-либо зазрений совести убьют каждого, с кем ты когда-либо разговаривал?

— Мне плевать. Ты нас дурачил. Из-за тебя убили Пита, и из-за тебя погибла Карен. Ты морочил нам голову с самого начала. И теперь я тебя убью.

— Превосходно, — сказал Пол. — Я знал, что ты на это способен.

Ли побагровел:

— Не смей разговаривать со мной таким тоном, черт побери.

— Да что ты, Ли. Я действительно тобой восхищаюсь.

Худек посмотрел на Брэда, и тот понял, что Полу в конце концов удалось приоткрыть некую потайную дверцу в душе Ли, отворить ворота, которые, возможно, иначе навсегда бы остались запертыми. Глаза Ли мрачно сверкали, и Брэд достаточно хорошо его знал, для того чтобы понять: в последние секунды жизни Полу предстоит осознать, что когда Ли говорит, что что-то сделает, он сделает это наверняка.

Ли подставил левую руку под правую, поддерживая пистолет.

— Прощай, сволочь.

Брэд собрался с духом, зная, что сейчас произойдет. Но тут раздался чей-то голос:

— Нет, дорогой, ты этого не сделаешь.

Это был совсем другой голос, и к тому же женский.

Ли обернулся настолько медленно, что казалось, будто он сопротивляется сильному порыву ветра, словно понимая, что как только он увидит то, что должен увидеть, все станет совсем по-другому.

В нескольких ярдах от двери стояла его мать. А рядом с ней — его отец.

———

Миссис Худек выглядела собранной и подтянутой. Выражение лица ее мужа понять было несколько труднее.

— Мама? — тихо, почти мальчишеским голосом спросил Ли. — Папа? Что вы здесь делаете?

— Опусти пистолет, сынок. Пока что он тебе не понадобится.

Просьба не возымела на Ли никакого действия, по крайней мере сразу. Он продолжал держать пистолет обеими руками.

Брэд тем временем не двигался с места. Он понимал, что все это ему не снится, но тем не менее в это тяжело было поверить. Здесь появились мистер и миссис Худек. Возможно, Карен все-таки жива. Возможно, у него давно уже хорошая работа на телевидении, и он женат на Карен, и не видел Ли уже много лет, и в какой-то момент проснется с легким похмельем и отправится на утреннюю пробежку перед началом нового дня.

Ли начал медленно опускать руки.

— Что происходит?

Лиза Худек подошла к нему и встала рядом.

— Мы знали, что тебя это может несколько сбить с толку, и просто хотели убедиться, что ты не наделаешь глупостей.

— Вы... вы знаете, что из-за них погибла Карен?

— Да, мы в курсе.

— Но... но почему вы здесь? Откуда вы знаете... почему вы все-таки здесь?

Мягко взяв у него из руки пистолет, она отдала его Полу, затем обратилась к сыну:

— Мы пришли попрощаться. Ты отправляешься в путешествие, и мы хотели пожелать тебе удачи.

— Я?

— Совершенно верно, — кивнул Райан Худек. В голосе его звучало нечто похожее на покорность судьбе. — Наконец пришло время.

Брэд вдруг обнаружил, что обрел дар речи.

— Не знаю, о чем вы говорите, — он показал на Пола, — но этот человек отсюда живым не выйдет.

Лиза посмотрела на него так, словно он был чистильщиком бассейна, к которому уже успели привыкнуть и потому его почти невозможно было уволить, но который, как правило, крайне плохо справлялся со своей работой.

— Брэдли, ты не мог бы не вмешиваться в наши дела?

— Нет, не могу, миссис Худек, — ответил он. — В самом деле не могу. О каких бы «делах» ни шла речь.

— У меня мало времени, — заметил Пол. — А вам нужно скоро быть дома, и вы должны быть готовы. Шоу вот-вот начнется.

— Готовы к чему? — спросил Ли.

Пол покачал головой:

— Это касается не тебя, а твоих родителей. Они возвращаются домой из «Родео», куда ездили за покупками. Застряли в пробке. — Он подмигнул Брэду. — Сам знаешь, как это бывает.

— Зачем им было ездить за покупками? Почему пробка?

— Потому что именно из-за этого они не видели новости и ничего не знают, пока не окажутся на своей улице и не увидят полицейские машины у своего дома.

— Не знают о чем?

Пол склонился над столом, включил один из телевизоров и пощелкал пультом, пока не попал на круглосуточные новости.

Ли и Брэд уставились на экран. Там показывали здание, которое было им настолько хорошо знакомо, что они, как ни странно, даже не сразу его узнали, хотя были там в последний раз сегодня утром.

— Это же «Бель-Айл»? — спросил Ли. — Очень похоже...

По каналу шел непрерывный репортаж, время от времени пополнявшийся свежей информацией. Суть происшедшего была достаточно простой. Полтора часа назад на втором этаже торгового центра «Бель-Айл» взорвалась небольшая бомба. Пожарные без труда справились с огнем. Пострадали спортивный магазин «Сириус» и соседние с ним торговые помещения. Несколько проходивших мимо человек получили легкие повреждения от осколков стекла. Жертв не было — продавцы и трое покупателей отделались лишь мелкими травмами и надышались дыма.

Комментатор начал рассказывать о том, что следствие уже начало вникать в суть происшедшего. Судя по всему, взрывное устройство было оставлено в магазине утром, спрятанное в холщовой сумке. Камеры наблюдения зафиксировали изображение подозреваемого, и сейчас уточняется его личность.

На экране появилась неподвижная картинка — серая и размытая, снятая сверху и спереди. На ней был молодой человек, который незаметно вешал сумку на стойку, стараясь как можно лучше ее спрятать и не догадываясь, что находится под пристальным взглядом двух камер.

Это был Ли Гион Худек. Он вдруг почувствовал себя несравненно круче, чем просто Ли.

— Но ведь в сумке были наркотики? — спросил Ли.

Пол выключил телевизор.

— Конечно. Зато в той, что висела позади нее, — нет. Ее поместили там мы, соблюдая куда большую осторожность, накануне вечером. Они скоро будут и у тебя дома, Ли. Они найдут на улице машину Брэда и решат, что он тоже как-то в этом замешан. Скорее раньше, чем позже, им придет в голову устроить обыск в доме Метцгеров, и тогда они найдут мобильный телефон Пита Восса, брошенный в кусты под забором.

— Но ведь копам же сказали, будто...

— Честно говоря, для этого у нас не нашлось времени.

Брэд уставился на него, чувствуя, как холодеет каждая клеточка его тела.

— Что вы делаете? Почему... Я не понимаю.

— Да, наверное, тебе тяжело это слышать, Брэдли, — тихо сказал Райан Худек. — Мы понимаем. Но приходится идти на жертвы.

— Но... вы же его семья. И вы позволите такому случиться? Вы же навсегда останетесь родителями парня, который это сделал.

Миссис Худек улыбнулась:

— О, я полагаю, обвинять во всем станут общество. А также видеоигры, углеводы, семью Буш и, несомненно, бедного старика Чарльтона Хестона. Но только не нас. Никогда. И только те, кто знает, отдадут нам должное.

— Кому это «нам»? — спросил Брэд, но никто не ответил.

— Знаете что? — сказал Ли, который некоторое время молчал. — Брэд не единственный, кто понятия не имеет о том, что происходит.

— Суть лишь в одном, — разъяснил Пол. — Твоя прежняя жизнь закончилась. Но ты ничего не теряешь. У тебя все равно ничего бы не вышло. Весь твой «план» насчет весенних каникул — самая наивная чушь из всей, какую я когда-либо слышал. Но мы сможем направить тебя по верному пути.

Ли уставился в пол:

— Мы ведь встречались раньше? Когда? Когда это было?

— Давно. Но ты должен был сам понять, что другого выбора у тебя нет. И по ходу дела ты продемонстрировал, что действительно нам подходишь.

— Для чего?

— Мы с тобой отправляемся в путешествие. Остальное объясню по пути.

— Прошу прощения, — встрял Брэд. — А я какое ко всему этому имею отношение?

Пол посмотрел на него:

— Никакого.

Плавным движением подняв пистолет, он выстрелил Брэду в лоб.

Тот сделал неверный шаг назад и медленно опустился на пол. Какое-то мгновение казалось, что Брэд пытается снова встать, но затем он завалился на бок. Ноги дернулись, тело его развернуло кругом. На полу остался пузырящийся красный след.

Разум его взорвался вспышкой цветов, огней и воспоминаний, которые сталкивались друг с другом, сжимая вечность в крутящуюся точку. Он ощутил легкость и тепло, словно теперь все должно было стать хорошо, а может быть, даже лучше, чем прежде. Ему показалось, будто все случившееся было лишь некоей неприятной фантазией. Он услышал эхо далекого голоса. Голос был знакомым. Он попытался открыть рот, чтобы что-то сказать, вероятно ее имя или просто «привет».

Пол выстрелил еще раз, и тело сделалось неподвижным. Несколько мгновений было тихо, умолкло и эхо выстрела.

— Ничего себе... — пробормотал Ли.

Похоже, никого из его родителей происшедшее вовсе не взволновало, хотя оба готовили для Брэда сладкую шипучку с тех пор, как он стал достаточно большим, чтобы самому держать стакан.

Ли посмотрел на труп друга. Вероятно, ему следовало испытывать шок или нечто подобное, но, к собственному удивлению, он не ощущал почти ничего. Брэд всегда был слабой личностью. Умственно слабой. В школе он был физически сильнее и, возможно, несколько умнее, хотя, вероятно, сам того не понимал. И внешность у него была определенно привлекательнее. И все же Брэд просто плыл по течению. Он не имел никакого представления о том, что предпринять и каким путем идти. Хватило бы у него силы воли, чтобы взять в руку пистолет, если бы на него напали? Ли в этом сомневался. Хотя на самом деле сегодня он пытался убить Ли. Что ж, как говорится — черт с ним.

— Так будет лучше, — сказал Пол. — Его жизнь все равно бы вскоре превратилась в ад.

— Что ж, значит, так, — кивнул Ли.

Он провел рукой по волосам. На самом деле он сейчас превосходно себя чувствовал, несмотря на то что последние несколько дней были омрачены неожиданно возникшими проблемами и отчаянными попытками увидеть впереди хоть какой-то просвет. Но сейчас все выглядело намного проще. Путь был лишь один.

— И что теперь? — спросил он.

— Мы долго ждали, когда придет этот день, — сказала его мать. — День ангелов. И ты тоже внесешь в него свой вклад.

Она протянула руку, так же как и тогда, когда из их дома ушли полицейские, и коснулась его лица. Взгляд ее был ясным.

— Мы будем тобой гордиться.

ЧАСТЬ ТРЕТЬЯ

ОДИН

Самая распространенная и серьезная
ошибка современности — мнение,
будто древность давно мертва.

Кларк Эштон Смит.
Черная книга Кларка Эштона Смита

ГЛАВА 26

В конце концов Джим попытался поесть. Снова остановившись возле «У Рене», он заглянул в переулок позади здания. Естественно, никаких следов ребенка там уже не оказалось, — возможно, никакой девочки там и не было с самого начала.

Заказав завтрак, он сел за столик возле окна и уставился на принесенную еду. Она почти ничем не отличалась от картинки в меню и хорошо пахла. Однако после пяти или шести глотков ему пришлось поспешно встать и на негнущихся ногах дойти до туалета, где его вырвало.

Утирая рот рукавом, он вернулся назад и снова сел.

Есть он больше не пытался: от одного запаха у него начинала кружиться голова. Больше ни у кого, похоже, подобных проблем не было. Несколько водителей грузовиков и местных ранних пташек поглощали пищу с таким усердием, будто завтрашний день для них уже не наступит.

Джим был настолько голоден, что с трудом соображал — отчасти еще и из-за того, что Джеймс никогда не отличался особой проницательностью ума. Это куда в большей степени было свойственно Джиму. Джеймсу же словно все еще было семнадцать, и большую часть времени он делал то, что хотел. Однако сейчас Джим вдруг обнаружил, что не может вспомнить, что годится в пищу, а что нет. В любом случае эту дрянь он точно есть не мог. Он нуждался в еде, но не в такой.

Джим знал, о чем думает Джеймс. Он думал об этом уже два дня. Ничего особенного, но вполне достаточно, чтобы утолить голод. А если уж ты зашел настолько далеко, то почему бы и...

Нет. Однозначно — нет.

Он допил кофе, расплатился и вышел.

Машина снова куда-то ехала.

На этот раз Нина была к этому готова. В прошлый раз она лежала скорчившись на полу, погруженная в странный сон — возможно, даже не сон, а некое состояние ожидания, тупого призрачного страха, но в любом случае это было лучше, чем находиться в полном сознании.

Словно в тумане, она слышала звук открывающейся двери, снова отметив его металлический тембр, а затем — шум включенного двигателя. Прежде чем она успела понять, что это означает, машина неожиданно пришла в движение.

Ее бросили на пол в каком-то тесном закутке, по пути ударив обо что-то головой. Она вскрикнула, почувствовав резкую боль в колене, но рот ее до сих пор был заткнут кляпом и не издал почти ни звука. Все, что она могла, — ждать, пытаясь превозмочь боль и изменить позу так, чтобы испытывать меньше мучений.

Когда машина наконец остановилась, он, видимо, заметил, что происходит, зашел сзади и толкнул ее изо всей силы. Она обо что-то ударилась — о стол, кровать или вроде того. Он вел себя с ней так, будто она была просто вещью.

Колено продолжало болеть. Хуже того, она ощущала приступы тошноты, то ли из-за тряски, то ли из-за паров бензина. Ей показалось, что ее сейчас вырвет, но этого не произошло. Она просто лежала, и ей было очень плохо. Нина даже не могла чем-то занять свою голову, как до этого, когда пыталась вспомнить все ингредиенты, которые Уорд положил в тот дурацкий салат тогда в Шеффере, и представляла, будто на этот раз она доедает все до конца, чтобы порадовать Уорда. Она попыталась представить, как они вместе сидят у озера возле их домика, но поняла, что такого никогда больше не будет и она лишь вгоняет себя в еще большую тоску.

На этот раз Нина заранее подготовилась, услышав, как он возвращается в фургон. Теперь она уже догадывалась, что это именно фургон. Судя по звуку двигателя — старый «фольксваген».

Когда машина тронулась с места, Нина уже была готова к тому, что ее мягко отбросит назад, и даже ни обо что не ударилась. Она всегда очень быстро училась.

Фургон ехал минут двадцать, затем остановился. Двигатель смолк. Открылась передняя дверца, затем снова закрылась. Собирался ли он ехать куда-то еще?

Нет. Послышался металлический звук отодвигающейся боковой двери. Нина почувствовала дуновение свежего воздуха и услышала пение птиц. Он вывез ее куда-то за город. Зачем? Что он собирался с ней сделать?

Неужели?..

Пол слегка наклонился — водитель забрался внутрь и закрыл дверь за собой.

Он был очень близко. Она почувствовала, как напряглось все ее тело. С чего он начнет? И как?

— Не бойся.

«Что ж, — подумала Нина, — я не боюсь». Забавно — эта мысль прозвучала почти так же, как если бы она подумала: «Я не пьяна».

Она попыталась что-то произнести, надеясь, что он поймет, что она имеет в виду.

— Нет, пока что ты не сможешь ни видеть, ни говорить, — сказал он. — Рано или поздно ты скажешь не то, что следует. Я уже совершил несколько ошибок. В отеле все пошло не совсем так, как предполагалось, и я знаю, что мне придется заплатить за это Прозорливцу. Так что... просто лежи. Не беспокойся, все будет хорошо.

Нина в этом сомневалась, и притом весьма серьезно. Он разговаривал не с ней. Он разговаривал сам с собой. Убеждая себя в своих собственных намерениях, порой становишься весьма снисходителен к тому, что в конечном счете все это оказывается ложью.

Однако она просто лежала и слушала, и какое-то время спустя он начал говорить — медленно, словно у него очень долго не было ни одного слушателя.

В средней школе у него был учитель, кое-какие слова которого запомнились ему на всю жизнь. Джеймс не помнил, когда именно это было, но день тогда был жаркий, и никто не слушал особо внимательно. Пытаясь подчеркнуть некую мысль, учитель начал говорить о том, что одна и та же разница может иметь совершенно противоположный смысл. Слова эти звучали не слишком многообещающе и даже довольно непонятно, но они проникли в сознание Джеймса, и он стал слушать, что учитель скажет дальше.

— Например. Какова разница между двумя и тремя?

Некоторое время стояла тишина, нарушаемая лишь жужжанием мухи, бившейся в окно класса.

Кто-то, кажется девушка, наконец предложил ответ «один».

— Верно, — коротко кивнул учитель. — Их значения различаются на единицу, и это почти все, что мы можем сказать. Но теперь объясните — какова разница между одним и двумя?

И опять кто-то, похоже, та же самая девушка и после такой же паузы сказала, что различие составляет «один». Учитель снова кивнул, но на этот раз с самодовольной полуулыбкой, говорившей, что у него припрятано в рукаве нечто такое, благодаря чему все станут считать его чертовски крутым, хотя на самом деле ученикам лишь сильнее хотелось, чтобы его прямо здесь и сейчас хватил инфаркт.

— Тоже верно, — сказал он. — Но давайте подумаем. Разница между двумя и тремя лишь означает, что у вас чего-то больше. Три доллара в кармане лучше, чем два. Три нерешенные задачи хуже, чем две.

Никто не рассмеялся. Может быть, лишь одна из девушек улыбнулась. Девушки порой очень милые — по крайней мере, делают такой вид.

— Это лишь разница на единицу, что может быть как лучше, так и хуже, смотря как считать. Не более того.

Ответа не последовало. Учитель устало посмотрел в окно, словно считая годы, оставшиеся до пенсии, и понимая, что их еще слишком много. Однако он продолжал:

— Разница между одним и двумя намного существеннее. Это различие между одним и многими, между уникальным и всеобщим. Если кто-то утверждает, что существует два бога, а другой возражает, что их три или пять, вряд ли кого-то это обеспокоит. Политеисты, как правило, все по одну сторону. Но если монотеист встретится с политеистом — пора бежать в укрытие. Один истинный бог против кучки каких-то языческих идолов? Их разногласия носят фундаментальный характер. Шерсть наверняка полетит во все стороны. Допустим, кто-то спит с одним, а кто-то с двумя. Подобная разница имеет значение. Понимаете, о чем я говорю?

Похоже, никто не понимал, по крайней мере в достаточной степени для того, чтобы выразить это на словах. Муха продолжала жужжать. На некоторое время она смолкла, потом начала снова.

— Но затем мы приходим к еще более значительному различию. К различию между нулем и единицей. И опять-таки — не волнуйся, Карла, на этот раз я посчитаю сам, за это мне платят кучу баксов, — внешне разница между ними составляет все ту же единицу. Берем ноль, добавляем единицу и получаем единицу.

Джеймс теперь смотрел прямо на него. Слова учителя начали врезаться в мозг так, словно он действительно внимательно слушал. Ощущение было совершенно новым и оттого казалось несколько странным.

— Но на самом деле, — учитель поднял палец, — это вовсе не единица. Мы считаем так лишь для математического удобства, но на самом деле все иначе, и именно поэтому мы переходим от мира чисел к тому, что философы называют онтологией. Мы больше не говорим о числах, о количестве; мы говорим о качестве, о природе самого мира.

— Что? — спросил кто-то. — Что именно говорим?

— О многом. Например. Когда у вас один ребенок или близнецы — разница не так уж и велика...

— Думаете? — возмущенно спросила одна из девушек.

— Не в том смысле, — поспешно сказал учитель. — Один или два — это вопрос степени, и, конечно, существует большая разница в расходах и в практическом смысле, коляски и все такое прочее... Но разница между не беременной и беременной по-настоящему меняет жизнь. Это разница между женщиной и матерью. Когда ноль сменяется единицей, именно тогда полностью меняется все. Понятно?

— Угу, — пробормотала девушка, то ли успокоившись, то ли снова задремав.

— Поняли, в чем суть, ребята? — переспросил учитель. — Либо бог есть, либо его нет. Что-то либо существует, либо не существует. Жизнь или смерть.

— Истина или ложь, — тихо сказал один из мальчиков.

— Верно, Джеймс, — довольно кивнул учитель, и только сейчас Джеймс понял, что это сказал он сам. — Спасибо, а то я думал, ты впал в кому. Ноль, один. Включено, выключено. Истина, ложь. Если чего-то никогда не случалось — мир идет одним путем, но если оно все же случится — он пойдет совсем другим. Шаг от нуля к единице навсегда меняет реальность.

Джеймс уставился на него. Он все понял.

А потом раздался звонок, и все разошлись.

Некоторое время он молчал, погруженный в воспоминания. Что-то в тоне его голоса навело Нину на мысль о том, что он уже довольно давно к ним не возвращался.

— Каждый помнит свою первую женщину, — наконец сказал он. — Для меня ею была Карла. Не думай, будто я не люблю женщин. Вовсе нет. Просто далеко не всех. С теми, кто мне нравится, у меня все в порядке. У меня была жена, была... жена. Просто для того, чтобы женщина для меня стала что-то значить, должно пройти время. Она должна быть особенной, не такой, как все. Никогда не понимал, когда другие смотрят на официантку или кого-то вроде нее и говорят, мол, какая она симпатичная. А я вижу, что да, у нее приятное личико, и грудь, и попка, или что там еще им в ней нравится, но и только. Примерно как если бы тебе предложили сэндвич и ты бы подумал: «Да, хлеб вкусный и свежий, слегка поджаренный по краям, начинка тоже выглядит неплохо, и перца как раз в меру. Отличный сэндвич. Но... мне его не хочется. Дело не в том, что я не люблю сэндвичи. Люблю. Просто... не хочется». Вроде того. А потом ты встречаешь ту, которую действительно хотел бы. Которая тебе нужна. Настоящую женщину. Но в конце концов все получается совсем не так. Всегда.

Он тяжело вздохнул.

— Я голоден, — сказал он. — И едва могу удержаться. Впрочем, тебе это ничем бы не повредило, но мне не хотелось бы с этого начинать.

Нина понятия не имела, что он имеет в виду. Ей страшно хотелось пить и очень трудно было сосредоточиться. Особенно если учесть, что ей постоянно приходилось думать о том, что в подкрепление своих слов он может вогнать нож ей под кожу, или под ногти, или в глаз. Однако вступать в схватку с миром, который он сам для себя создал, она тоже не собиралась.

Ей немало приходилось общаться со всевозможными психопатами, и при наличии разделявшей их толстой решетки это порой бывало даже увлекательно. Но в итоге, как правило, оказывалось, что большинство из них неумолимо движутся по одному и тому же пути, словно поврежденный вагон, катящийся к одному и тому же темному и кровавому конечному пункту. Они словно застряли в детстве, считая, будто их собственная жизнь намного важнее любой другой. Их мучили постоянные воспоминания о пережитых травмах и унижениях. Они не в силах были вырваться из замкнутого круга неких кажущихся крайне важными событий, словно привязанная цепью к столбу бешеная собака. Не в состоянии понять, что для всех остальных — это лишь давно минувшие мгновения ничем не примечательного прошлого. Однако в их головах эти события отчаянно бились, подобно безумному сердцу.

Он довольно долго молчал, а потом она почувствовала запах сухого табака.

— И ничего хорошего в этом нет, — сказал он, и голос его звучал подобно голосу человека, проигрывающего сражение.

Она услышала звук зажигающейся спички, а затем ощутила запах горящей сигареты. Ей это нисколько не мешало. Она сразу вспомнила Уорда.

Затем он подошел ближе, и она напряглась. Казалось, он слегка колеблется, а затем его руки обхватили сзади ее голову. Быстрое движение, и повязка слетела с глаз.

Ей потребовалось несколько секунд, чтобы глаза привыкли к свету, несмотря на то что освещение в фургоне было довольно слабым. Прямо впереди она увидела деревья, а между ними и собой — мужчину. Немолодого, высокого, с грустными глазами. Однако жалел он явно себя самого, а не ее.

Моргнув, она окинула взглядом внутренность фургона. Там было почти пусто, и в боковых стенках не было окон. Вдоль внутренней стороны двери тянулось несколько тонких царапин, короткие параллельные линии, словно кто-то царапал ее ногтями, отчаянно пытаясь выбраться.

Возможно, даже не один раз.

———

Постепенно он снова заговорил, и хотя он снял с ее головы повязку, но ни разу не посмотрел ей в глаза.

Обычно всегда помнится последнее, слегка запинаясь, сказал он, но лучше всего всегда запоминается первое. Когда ноль становится единицей. Например, первое выпитое пиво или первый секс с девушкой, когда ты лежишь рядом с ней, смущенный, возбужденный и слегка разочарованный — она теперь кажется тебе чуть более взрослой, а ты чувствуешь себя еще в большей степени ребенком, чем в самом начале вечера. Ты с нетерпением ждешь этих вечеров и ночей, словно решающих сражений в битве за незнакомую территорию зрелости.

Ты не вполне уверен в том, к чему стремишься и зачем. Ты просто есть. И все остальные тоже. Первым приходит алкоголь. Ты начинаешь понимать, что взрослые пьют нечто такое, что тебе пить не положено, и когда дома тебе удается сделать глоток, ты обнаруживаешь, что вкус у него довольно странный. Но догадываешься, что как раз в том и суть, что в этом есть нечто взрослое и восхитительное, раз его пьют, даже несмотря на не столь уж приятный вкус.

Насколько же все это сложно и не по-детски!

А потом оказывается, что кто-то в школе уже опередил тебя на несколько месяцев. Начинают ходить завистливые разговоры про какую-то вечеринку на выходных, про старшего мальчика, раздававшего банки с пивом, и про мальчика из твоего класса, который выпил три банки и его не вырвало, а потом он поцеловал девочку...

Далее оказывается, что про поцелуи все неправда. Маленькие мальчики порой любят приврать, и большие, конечно, тоже. Но все остальное действительно правда, и когда ты узнаешь, кто этот мальчик, тебя это вовсе не удивляет.

Это Прозорливец.

Такой есть в каждом классе. Он всегда оказывается на месте первым, постоянно оставляя тебя позади, и на полной скорости несется во взрослую жизнь, так что даже его собственный голос за ним не поспевает.

После того как он перешагивает черту, отделяющую его от мира взрослых, неожиданно то же самое начинает казаться вполне приемлемым и для остальных. И однажды наступает вечер, когда ты с приятелями стоишь возле стойки бара, одному из них удается обмануть бармена — и вот вы уже держите в руках большие холодные бокалы, и это совсем не то что глоток из теплой бутылки в саду прошлым летом. Ты делаешь глоток, ощущая металлический привкус пенистой жидкости, как будто вытекшей из какого-то автомата, но это действительно пиво, и ты понимаешь — отчаянно пытаясь допить содержимое бокала, которое всего лишь через несколько лет будет исчезать за пару небрежных глотков, — что взял первую высоту.

Ты получил первую из своих волшебных карточек. Теперь тебе знакома магия пива.

На следующий день ты становишься одним из парней, которые пьют пиво, постоянно хлебают его литрами — господи, иногда тебе кажется, будто ты можешь превратиться в законченного алкоголика, из-за того что очень много пьешь, — хотя оно до сих пор кажется тебе пенистым и кислым, если честно. Но честно ты никогда не скажешь, поскольку никто другой тоже ничего не говорит и ты не хочешь показаться маменькиным сынком, особенно теперь, когда уже доказал, что им не являешься.

К этому времени Прозорливец, внимания которого ты очень хочешь добиться (и вместе с тем слегка его боишься и даже в каком-то смысле ненавидишь), устремляется к очередным горизонтам. От него регулярно пахнет сигаретами, иногда он пытается сунуть руку под рубашку какой-нибудь симпатичной девчонке — и наконец он делает Это. То самое, что превращает мальчиков в мужчин, великое событие, после которого они наконец могут считать себя взрослыми, получившими новый опыт, который сразу же делает их на голову выше и круче всех остальных. И почему-то кажется, что тебе никогда не суждено ощутить это самому, что бы ты ни делал всю оставшуюся жизнь.

Но пока тебе все это лишь предстоит. Однажды ты попробуешь закурить, и тебе это либо понравится, либо нет, хотя ты вряд ли понимаешь, что этот выбор будет стоить тебе десятков тысяч долларов, бесчисленных перерывов на кофе, проведенных на холоде и под дождем в обществе таких же отверженных, и в конце концов твоей жизни.

А потом, при тех или иных обстоятельствах, твоя рука ощутит удивительное тепло и мягкость девичьей груди, и ты сам не поверишь в случившееся, словно тебе вопреки всему разрешили погладить маленькое безволосое мифическое существо в его гнезде. Ты не вполне уверен в том, что делать дальше — следующий логический шаг вовсе не кажется тебе столь очевидным, — но в конце концов ты оказываешься с девушкой в постели, и это приводит тебя в полное замешательство. Все быстро заканчивается, и ты оказываешься по другую сторону, в мире, где уже мало что осталось сделать, поскольку все главные события твоей жизни, кроме двух, уже свершились.

Рано или поздно ты начинаешь отмечать для себя очередные этапы жизненного пути, просто чтобы как-то заполнить время, и они могут быть чисто поверхностными и показными — крутая машина, крутой дом, крутая работа — или же малозначительными для кого бы то ни было, кроме тебя самого. Тебе кажется, будто ты делаешь эти отметки своей собственной рукой, но на самом деле она принадлежит тому, кто намного моложе.

Это та самая рука, державшая первую сигарету, рука, касавшаяся груди девушки, которая чувствовала себя замерзшей и уставшей и которой больше всего хотелось оказаться где-нибудь в другом месте.

Это рука, которой ты натягиваешь одеяло до подбородка, когда ложишься спать у себя дома под утро, после того как впервые испытал секс с девушкой. Лежа в постели, ты понимаешь, что мир теперь стал совсем другим, и думаешь, почему он кажется почти тем же самым, и не сделал ли ты что-нибудь не так, не вполне правильно, и почему в реальности все оказалось куда менее значительным, чем ты представлял.

Рука определяет все.

Если долго и пристально смотреть на чью-то руку, можно увидеть все, что этот кто-то собой представляет, каким он был раньше и что успел сделать.

Руки действуют. Руки творят.

Когда ты берешь кого-то за руку — он полностью принадлежит тебе.

Точно так же как первая сигарета может оказаться пожизненным приговором, им может стать и другое. В первый раз это тебе очень понравилось, но ты чувствуешь, что еще не добрался до самой сути. Ты понимаешь, что должно быть и нечто большее, нечто такое, что соединит воедино мысли и реальность, мир внутри твоей головы и тот, что существует вовне.

Для большинства мужчин подобный поиск становится делом всей жизни, в бесплодных попытках не отстать от Прозорливца. Ибо он первым берет предпоследний барьер, сделав девушку беременной, и с тех пор лидерство его больше не волнует. Отныне вся его жизнь сводится к тому, чтобы зарабатывать деньги, обустраивать дом и сидеть по вечерам в одиночестве на заднем крыльце с бокалом пива, которое теперь по вкусу мало отличается от воды, глядя во двор и думая о том, что принесет ему следующий день.

Зачастую он первым пересекает и последнюю черту, за которой нет возврата, но в школе об этом никто тебе не скажет. В юности быть первым всегда кажется лучше, и лишь позже ты понимаешь, сколько времени растратил зря в бессмысленной погоне за лидером.

В каком-то смысле этот парень никогда не умирает, даже после того, как его находят в искореженной машине где-нибудь на сельской дороге. Он бессмертен и навсегда заронил в твою душу зерно сомнения. Именно он заставил тебя понять, что в тебе нет ничего исключительного и что ты никогда не будешь первым ни в одной гонке, которыми столь богата жизнь.

Его больше нет, но рано или поздно ты его встретишь. Он будет старше и худощавее, но однажды ты поймешь, что большая часть того, что, как ты полагал, совершалось по твоей собственной воле, на самом деле происходила лишь благодаря ему. Он всегда будет опережать тебя на шаг вперед, зная тебя намного лучше, чем знаешь себя ты сам. Он будет дергать за веревочки, ведя тебя по темным переулкам, а его рука будет рисовать новые, странные и жуткие квадратики, где ты должен поставить очередные галочки.

А когда ты наконец выполнишь его работу и будешь стоять, тяжело дыша, перед зеркалом, отражающим мир, из которого некуда бежать, ты увидишь его лицо.

Неожиданно зазвонил его телефон, и он замолчал, не договорив фразу.

Телефон продолжал звонить. Так уже было сегодня днем или, возможно, ночью — Нина не в состоянии была отличить одно от другого. И день и ночь выглядели для нее одинаково темными. Звонок напомнил ей, что, возможно, где-то в фургоне лежит и ее собственный телефон. Но он наверняка был выключен, а она — связана. Так что телефон ничем не мог ей помочь, но она о нем не забыла.

Несколько минут было тихо.

Потом телефон зазвонил снова, и на этот раз он ответил. Некоторое время он слушал, а потом сказал лишь одно слово: «Хорошо».

На этом разговор закончился.

Он снова закурил. Нина сразу же поняла: что-то изменилось.

— Что ж, он едет сюда.

Голос звучал по-другому, снова так же твердо, как и раньше.

— Стоит помянуть дьявола, как он тут как тут. Сам Прозорливец скоро будет здесь. И значит... мне все-таки придется это сделать.

Нина попыталась что-то сказать, однако сквозь кляп раздалось лишь бессвязное бормотание. Он снова быстро завязал ей глаза, и все вокруг опять погрузилось во тьму.

Фургон покачнулся — он встал и прошел мимо нее. Она услышала над головой нечто похожее на звук открываемого ящика. Последовало еще несколько тихих звуков, а затем он снова шагнул к ней. Раздался сухой щелчок.

Похоже, ее сфотографировали поляроидом.

Что-то с легким стуком положили на пол. Потом он оказался совсем рядом. Взял ее за правую руку, и она услышала его частое дыхание.

Ей стало страшно.

Он крепко перевязал ее плечо. Она попыталась оттолкнуть его, но тщетно. Что-то острое вонзилось в сгиб локтя. Она в ужасе замерла.

Снова его дыхание, неглубокое и частое.

Острый предмет оставался в ее теле несколько минут, может быть, пять или десять. Потом его вытащили.

Какое-то время он неподвижно стоял над ней, словно это был его последний шанс, затем отошел в сторону.

Что дальше? Что он собрался делать?

Она услышала, как из шкафа достали несколько металлических предметов — она вовсе не была уверена, что это не ножи. Легкий стук, звук чего-то поворачивающегося, запах, похожий на бензин. Затем — звук зажженной спички, хотя на этот раз за ним не последовал запах табачного дыма.

Она изо всех сил попыталась мысленно перенестись куда-нибудь в другое место. Вернуться к озеру. Увидеть его сверкающую черную поверхность под затянутым тучами небом, поверить, что стоит ей проснуться и повернуть голову — и она увидит сидящего рядом Уорда с легкой улыбкой на лице, явно озадаченного тем, как она кричала во сне.

Но перенестись туда она не могла. Слишком далеко.

Нина вынуждена была оставаться здесь, в фургоне, с этим человеком. Она прекрасно понимала, что он делает. Ее даже не слишком пугал звук ее собственной крови, льющейся в металлический сосуд, хотя при мысли о том, сколько крови у нее забрали, ее начало мутить. Но это еще можно было вытерпеть.

Куда хуже был запах, когда кровь начала кипеть.

ГЛАВА 27

Я почти не спал, хотя и пытался изо всех сил заснуть, не видя никакого иного способа быстрее дождаться наступления следующего дня. Без труда получив номер в «Холидей-Инн», я лежал на широкой кровати, глядя в потолок и желая, чтобы тот исчез и дал мне возможность унестись в какое-нибудь другое место, где у меня не так бы болела голова. Однако потолок не хотел исчезать, и, возможно, мне тоже этого по-настоящему не хотелось.

Сон ничем не мог мне помочь — время лишь все дальше уносило от меня Нину, словно ветер осеннюю листву. Где-то около двух ночи я встал, достал из кармана телефон и в очередной раз попытался ей позвонить. Ответа все так же не последовало, и сразу же включился автоответчик.

Перед рассветом я, похоже, все-таки провалился в полудрему, поскольку оказался вдалеке от Торнтона. Какое-то время я стоял на непрочном балконе дома Нины в Малибу, ожидая, когда она ко мне присоединится. Она все не шла, а когда я вошел в дом, оказалось, что внутри это вовсе не ее дом, а тот, где я провел детство, в сотнях миль к северу от Лос-Анджелеса, в Хантерс-Роке.

В доме было холодно и пусто. В углах потолка и кое-где на стенах проступали пятна сырости. В одной из комнат стояла кровать, а на столике рядом с ней телефон, но он молчал. Я немного подождал, думая, что, возможно, могла бы позвонить моя мать, а потом вдруг оказался среди деревьев, не тех низкорослых, что растут в пригородах, но в густом бескрайнем лесу вокруг Шеффера.

Недавно прошел снег, и высокие молчаливые стволы отбрасывали быстро движущиеся тени. Тени эти обладали разумом и знали мое имя, но ни у одной из них не было желания разговаривать. Они просто довольно доброжелательно наблюдали за мной, по мере того как я забирался все дальше и дальше.

Наконец я очутился на кушетке в квартире в Сиэтле, где обитал десять лет назад, на пятом этаже, с видом на залив Эллиот. Это было одно из самых приятных мест, где мне когда-либо доводилось бывать.

Я тогда жил с женщиной, отношения с которой оказались самыми долгими из всех, что у меня были. Она терпеть не могла праздности и пессимизма, всегда оставаясь деловой и энергичной. У меня имелось для нее прозвище — Надежда. Она действительно была похожа на актрису, игравшую героиню с таким именем в сериале «Тридцать с чем-то». А главное, ей были свойственны надежда и уверенность, что в мире все хорошо и осмысленно и что лучше всего в нем живется добропорядочным и честным людям.

Но иногда, похоже, в душу ее закрадывались сомнения. Я видел порой, как она смотрит куда-то в пустоту, или на свои руки, или мимо телевизора. Ее движения становились напряженными, глаза расширялись. Когда я замечал подобное, то спрашивал, что случилось. Она отвечала, что ничего, и я снова возвращался к крайне важным делам, продолжая пить пиво, посмеиваться над Чандлером или есть чипсы.

И вдруг, чуть позже, она ни с того ни с сего спрашивала: «Все и вправду будет хорошо?»

«Что именно?»

«Все, — отвечала она, и я уверен: каждый раз не осознавала, что подобный обмен репликами у нас уже был. — Все будет хорошо?»

И я говорил ей, что наверняка будет, и обнимал ее, и мы возвращались к повседневным занятиям.

Просыпаясь по утрам, я обычно слышал ее доносившееся из ванной пение. Голос у нее отсутствовал напрочь, но я рад был его слышать.

Мы прожили вместе десять месяцев, а потом наши пути постепенно разошлись. Ничего хорошего не вышло. Ни для нас, ни вообще.

В этом мире ничто никогда не может закончиться хорошо. Но я рад, что тогда я этого не знал, и рад, что так и не сказал ей об этом.

Я проснулся в пять утра, оттого что мне показалось, будто слышу кого-то в ванной. С трудом поднявшись с кровати, я потащился на звук. Но там никого не оказалось. Пение, которое мне послышалось, видимо, доносилось из другого номера или вообще из другого времени. Поняв, что снова ложиться нет никакого смысла, я немного постоял под душем.

Информация в отелях распространяется очень быстро, и когда я появился в кафе задолго до открытия, мне быстро приготовили кофе. Вероятно, я их даже как следует не поблагодарил, потому что не был готов к подобному проявлению заботы о пострадавших. Взяв чашку с кофе, я вышел наружу.

На автостоянке было почти пусто, и она напоминала зимнее море, холодное, серое и безмолвное. Глядя на нее и страстно желая, чтобы здесь каким-либо волшебным образом появилась Нина, я понял, что если не найду ее, то ничего хорошего действительно никогда больше в этом мире не будет.

И еще я чувствовал, что время безвозвратно уходит.

— Тебе уже один раз удалось ее разговорить, — сказал я. — Может, удастся и еще?

Джон покачал головой:

— Сомневаюсь.

Я все еще стоял на парковке, где Джон обнаружил меня десять минут назад. Выпив изрядное количество кофе и выкурив несколько сигарет, я слегка взбодрился, хотя это вовсе не означало, что у меня улучшилось настроение. Утро было прохладным: за ночь температура упала на десять градусов. Если бы мы решили сегодня отправиться на раскопки в лес, нам потребовались бы кирки, чтобы раздолбить землю.

— К тому же не вижу, чем это могло бы нам помочь, — добавил он. — Нину похитила не она.

— Кто-то говорил мне, что расследование нужно пытаться вести любыми возможными путями, в надежде, что в конце концов окажешься именно там, где надо. Погоди... это ведь ты говорил? Вчера?

— Если бы ты только знал, как ты меня достал...

— Кто-то постоянно пытается меня убить, так что, полагаю, причина именно в этом. Джон...

— Монро не позволит мне допросить ее еще раз.

— Почему бы и нет? Ты добился от нее признания. Чего не удалось ни ему, ни Рейделу. И Нине тоже.

— Я ничего от нее не добился. Она решила рассказать мне нечто, что может быть, а может и не быть правдой, по какому-то своему собственному странному разумению. А потом она перестала говорить. Ты же сам видел, что было дальше. Я мог просидеть с ней еще неделю и не узнать больше ничего.

Я разочарованно отвернулся.

— И что нам теперь делать?

— Нина, скорее всего, уже даже не в Торнтоне. Зачем похитителю держать ее в городе?

— Потому что он здесь живет.

— Если предполагать, что это местный сумасшедший, то да, но в камере уже сидит человек, сознавшийся в убийствах. Если же это имеет отношение к «соломенным людям», то Нина, вероятно, находится за многие мили отсюда. Это-то ты хоть понимаешь?

Он серьезно посмотрел на меня и, видимо, решил сменить тему.

— Тебе также стоит быть готовым к тому, что она...

— Черт побери, только этого не говори! — Внезапно я почувствовал, что не могу больше сдерживаться. — Я понятия не имею, где она. Каждый раз, стоит закрыть глаза, мне кажется, что ее уже нет в живых. Но пока я не буду точно об этом знать — она жива.

— Уорд, я просто пытаюсь...

— Знаешь, ты не единственный, кому доводилось терять близких. Спустись в конце концов на землю, черт возьми.

— Что ты имеешь в виду?

— То, как ты смотришь свысока на меня и на весь остальной мир, как будто для тебя не существует никого, кроме убийцы твоей дочери. Я все прекрасно понимаю, Джон, и мне очень жаль, что он — мой брат. Но ведь «соломенные люди» убили и моих родителей, помнишь? Они сломали мне жизнь, и я не намерен это так оставлять. Нина жива, пока у меня не останется иного выбора, кроме как смириться с непоправимым. Можешь выбросить ее из своей головы, если тебя это устраивает, но со мной это, черт возьми, не пройдет.

Джон плотно сжал губы и посмотрел в сторону, затем быстро вернулся в отель. Мне как раз хватило времени, чтобы выкурить еще сигарету и успокоиться, когда он появился снова.

— Все слишком запутано, — сказал он, держа в руке листок бумаги. — Следствие идет по трем направлениям: серийный убийца, убийство полицейского и похищение. И пока что везде они зашли в тупик. К тому же вчера кто-то оставил бомбу в торговом центре в Лос-Анджелесе, и у них и без того хлопот полон рот.

— Бомбу?

— Судя по всему, ничего серьезного, просто какой-то мальчишка решил поиграться на этот раз не с пистолетом, а со взрывчаткой. Так или иначе, Чарльз Монро рано утром уехал из отеля, но куда именно — мне не сказали.

— Тогда я позвоню ему на мобильный, — решил я. — Это я и так мог бы сделать, а тебе не пришлось бы беспокоить фэбээровцев.

— Не звони. У меня есть другая идея.

— Да? — с сомнением спросил я. — И какая же?

Здание находилось в нескольких кварталах от отеля, в другом конце исторического района, недалеко от «Старбакса», и выглядело довольно обшарпанным, хотя носило явные следы реконструкции девяностых. Мы приехали в самом начале девятого и ждали уже минут десять. Полицейских вокруг не было видно.

— Разве они не должны были поставить кого-нибудь снаружи?

— Полагаю, все заняты, — ответил Джон.

Когда мы выходили из машины, у него зазвонил телефон. Он ответил и некоторое время слушал.

— Нет, — тихо сказал он. — Это не я.

Потом еще немного послушал.

— Чем дольше, тем лучше. Местным полицейским ничего не говорите. Даже не звоните им. И не возвращайтесь ни домой, ни в контору, не связавшись предварительно со мной.

Закончив разговор, он некоторое время смотрел в окно, покусывая губу.

— Кто это?

— Помнишь тот сайт с пропавшими картинками? Им занимается Оз Тернер. Картинок не оказалось из-за того, что с сервера стерли информацию. Вчера в его контору явился какой-то подозрительный тип испанской внешности и искал его. К счастью, Оз что-то почувствовал и на работу не пришел. Прошлую ночь провел у друга. Утром он возвращается и обнаруживает, что в его доме вынесена задняя дверь вместе со всеми его бумагами и компьютером.

— Так кто он такой? И что это за картинки?

— Они имеют прямое отношение к истории «соломенных людей».

— Насколько давней?

— Настолько, что ты наверняка сочтешь это полной чушью.

— Что ж, в таком случае я даже не хочу ничего слышать.

В квартиру Джулии Гуликс вел отдельный вход, по лестнице за углом здания. Дверь была опечатана полицейской лентой и заклеена знаками «Не входить».

— Монро говорил, что они тут уже все перерыли, — напомнил я.

— Да, местные копы обыскали квартиру после ее ареста, но искали они лишь основные улики. А со вчерашнего утра приоритеты поменялись.

Я наблюдал за улицей, пока Зандт разрезал ленту ножом и извлек кольцо с гибкими металлическими инструментами. Через пару минут замок поддался. Мы проскользнули внутрь и закрыли за собой дверь.

Квартира была не слишком просторной. Входная дверь открывалась прямо в гостиную с кухней в дальнем конце. Вдоль одной из стен тянулись книжные полки, а большой деревянный стол явно служил как для еды, так и для работы. Две двери в другом конце вели в ванную и спальню — очень маленькую, где оставался лишь узкий проход вокруг двуспальной кровати. Даже двери шкафов едва можно было открыть полностью. Все помещения носили следы организованного обыска.

Мы с Джоном обошли всю квартиру и меньше чем через минуту вернулись в гостиную.

— Есть идеи?

— Только то, что тут мы ничего не выясним, — ответил я. — Копы обшарили все, что можно. К тому же, по словам коронера, безымянная жертва где-то лежала, прежде чем с нее срезали плоть. А где тут можно поместить труп?

— На полу гостиной. Вдоль стола или на кровати, причем сама она могла лежать рядом. Ты не можешь себе представить, в каких условиях порой живут психопаты.

— Если предположить, что это действительно сделала она. Нина так не считала.

— Нина ошибалась.

— Хотелось бы посмотреть, как ты станешь ей это объяснять.

Я подошел к стене с полками и постучал по ней костяшками пальцев. Послышался гулкий звук.

— Дешевые перегородки, — сказал я. — Мне бы не хотелось кого-нибудь тут убивать с такой звукоизоляцией. Тем более что я в таких делах далеко не специалист.

— Она дала Уидмару снотворное. Второму, вероятно, тоже.

— Но она ведь не убивала Уидмара прямо здесь. К тому же, пока кто-то окончательно не лишился сознания, нет никакой гарантии, что он не закричит — а тогда соседи станут звонить в полицию, и начнется сущий ад. Так что, если предположить, что это все-таки она прикончила тех мужиков, должно быть какое-то другое место, которым следует поинтересоваться.

— Ты знаешь, где оно?

— Нет.

— Я тоже. Так что давай поищем здесь.

Зандт направился в спальню. Я быстро осмотрел кухню и гостиную. Заглянув в ящики и шкафы, я обнаружил небольшое количество довольно приличной посуды и консервов с еще не истекшим сроком годности. На шкафах и под ними не было ничего, кроме пыли и трех резиновых колечек.

Передвинув мебель в гостиной, я тоже не нашел ничего примечательного. Прошелся по книжным полкам, открывая и встряхивая каждую книгу, переворачивая каждую вазочку и декоративную фигурку. Четыре скрепки, семь квитанций на подписку, использовавшихся в качестве закладок, сломанная брошка. Книги представляли собой стандартные романы в мягкой обложке; пособия «Как добиться успеха в бизнесе/диете/жизни» с почти неотличимыми друг от друга фотографиями лысеющих шарлатанов на обложках; справочник по системе «Windows» для чайников и два специальных издания по бухгалтерскому делу.

В нижнем ящике оказалась маленькая деревянная шкатулка, набитая фотографиями, изображавшими ничем не примечательных людей вместе с Джулией или без нее. Я отнес шкатулку на кушетку и подождал, пока Зандт закончит осмотр ванной.

Он вышел оттуда с пустыми руками.

— Ничего интересного, — сказал он.

— Естественно, мы ведь понятия не имеем, что́ уже забрали копы.

— Я не видел ничего похожего на записную книжку или ежедневник.

Я кивнул в сторону шкатулки:

— Если что и есть, то только тут.

В течение нескольких минут мы просматривали фотографии. Лучшее доказательство того, что ты хоть чем-то отличаешься от других, — это изображения, которые представляют для тебя ценность. Они выглядят столь стандартно, что кажутся поддельными. Красноглазые женщины с завитыми волосами, мужчины с потными лицами, поднимающие бокал с пивом, неуверенно глядящие в камеру старики — и все натянуто улыбаются, словно готовясь к чему-то неприятному.

Я быстро потерял к ним интерес, и у меня вдруг возникла странная мысль о том, существует ли хоть одна фотография, где мы с Ниной вместе, и не случилось ли так, что нам не удалось оставить во времени даже столь малый след.

— Взгляни-ка сюда.

Я посмотрел на снимок, который держал Джон. Как ни странно, на нем никого не было. Он изображал участок леса, сфотографированный облачным днем.

— И что?

— Тебе это не напоминает то место, где нашли второй труп?

— В каком-то смысле да, хотя я не уверен, что это то самое место. Деревья выглядят иначе.

— Посмотри на тона. Либо эта фотография слишком долго пробыла на солнце, либо она старше большинства других в этой шкатулке.

Он был прав. Я посмотрел внимательнее, перевернул фотографию.

— Можно как-то установить год по этим цифрам на бумаге?

— Стоит попытаться. — Он встал. — Здесь мы закончили. По дороге мне надо будет кое-куда позвонить.

— Куда мы едем?

— Еще раз поговорить с ней.

— Ты же сказал, что это не имеет смысла?

— Возможно, теперь имеет. Если это действительно фото места преступления, оно может послужить подтверждением заранее существовавших мотивов. Если все ее странное поведение и попытка на меня напасть — способ изобразить невменяемость, то снимка может оказаться достаточно, чтобы привести ее в полное замешательство.

— Непохоже, что это окажется нашей волшебной пулей, — засомневался я. — Я все еще не уверен, что это то самое место.

— Не важно. Достаточно того, что это вполне возможно. — Он повернулся, стоя на фоне открытой двери. — И ты стреляешь достаточно метко для того, чтобы тебе хватило даже пуль из воздуха.

— Сейчас ее здесь нет, — сказал полицейский за столом, один из тех, кто помогал оттащить Гуликс от Зандта.

Вид у него был неприступный.

— Где она?

— В больнице.

Я уставился на него:

— Почему?

— Послушайте, парни, я вовсе не...

— Это ваша вина? — прервал его Джон.

Голос его звучал так, словно он сам работал в этом участке и совершал утренний обход постов.

— Черт, нет, конечно нет, — поспешно сказал полицейский, явно готовый выложить нам все, что знал. — Господи, я же... Я же был тогда в наряде. В четыре часа я проверил — она спала. Все было в порядке.

— А потом?

Полицейский судорожно вздохнул:

— А потом она попыталась покончить с собой.

— Каким образом?

— Встала на койку, заложила руки за спину и упала головой вперед. И так, кажется, три раза. И ни звука не издала.

— Превосходно. Еще один пункт в пользу симуляции невменяемости, — раздраженно бросил Зандт.

— Нет, — твердо ответил полицейский. — Думаете, вы могли бы сделать такое? Два раза? Три? Я бы не смог. Она пыталась умереть, черт побери. Пыталась изо всех сил. Эта женщина просто не хочет больше жить.

— В каком она состоянии?

— В таком же, в каком были бы вы или я. Ничего хорошего.

Он повернулся к зазвонившему телефону, и мы с Джоном отошли от стола. Я потер лицо руками, пытаясь привести мысли в порядок.

— Ну вот тебе и весь новый план. И что дальше?

Джон выглядел растерянным лишь несколько мгновений.

— Думаю, надо ехать в больницу. Хотя, полагаю, именно туда Монро первым делом помчался с самого утра. И это, вероятно, означает, что, по их мнению, она долго не протянет. Возможно, она даже не в состоянии говорить.

— Она должна заговорить. Если нет... — Я глубоко вздохнул и начал снова: — Иначе все пропало, Джон. Зацепиться больше не за что.

Зазвонил мой телефон. Я взглянул на экран, надеясь, что это Монро, но это был не он.

— Это Унгер, — сказал я Джону и ответил на звонок: — Слушаю вас, Карл.

— Где вы?

— В Торнтоне.

— Я недалеко. И хотел бы с вами поговорить.

Я давно уже перестал думать о том, что Унгер может иметь какое-то отношение к «соломенным людям». Если так — что ж, будь что будет. Либо мы с Джоном его прикончим, либо он прикончит нас.

— Отлично. Но сперва мне нужно кое-куда съездить. Вернусь через час. Встретимся в баре «Мэйфлауэр», на дороге в Оуэнсвилл.

— Договорились.

— Еще одно, — добавил я. — Лучше будьте с нами откровенны, Карл, иначе мы вас убьем. Сразу же. Имейте в виду.

Закрыв телефон, я увидел, что Джон и полицейский за столом таращатся на меня.

Я пожал плечами:

— Просто хотел удостовериться, что каждый знает свое место.

ГЛАВА 28

Самолет приземлился в Хантсвилле, штат Алабама, ранним утром. Выйдя из аэропорта, они направились прямо на автостоянку, где их ждали три автомобиля с работающими двигателями. Задняя дверца первого из них открылась, и оттуда вышел парень лет двадцати с небольшим, вид которого демонстрировал полную уверенность в себе. Ли он показался знакомым, — возможно, он видел его во время первой встречи с Полом, или же тот был одним из парней, сидевших прошлым утром в ресторанном дворике торгового центра. Точно он не помнил.

Пол сел сзади, Ли рядом с ним. Парень — напротив, по соседству с другим человеком, худощавым и постарше, с пронзительными голубыми глазами. Незнакомец кивнул Полу.

— Привет, Ли, — сказал он. — Рад, что ты с нами.

Они выехали со стоянки, словно кортеж, и свободной колонной поехали через пригороды. Естественно, не прямо друг за другом — три больших автомобиля, быстро едущих в одну линию, не могли не привлечь внимания. Водители старались, чтобы между ними всегда оказывалось несколько других машин. Однако Ли понял, что эти люди не производят впечатления чересчур осторожных. На их месте он бы побеспокоился о том, чтобы машины были разных моделей или цветов или направлялись бы к месту назначения из разных точек. У него возникло ощущение, будто им, в общем-то, все равно.

Свернув на север в сторону Теннесси, они затем углубились на восток, в горы. Ли смотрел в окно. Он изрядно устал от перелета с несколькими пересадками из Лос-Анджелеса, не говоря уже о том, что все случившееся вчера оставило его в полной растерянности. Брэда не было в живых, а Ли сидел рядом с тем, кто его убил и по чьему приказу погибла Карен.

Двое других сидевших в машине в начале поездки коротко переговорили по мобильному телефону. Казалось, они используют некий шифр. Пол сделал единственный звонок, просто сказав кому-то, что едет. Ли не смог бы понять, о чем они говорят, даже если бы захотел. Но подобного желания у него не было. Он просто ехал туда, куда ехали они. И делал то, что делали они.

Он полагал, что скоро все станет ясно.

Через два часа они съехали с шоссе на проселочную дорогу и в конце концов оказались возле полуразвалившегося дома в лесной глуши, участок перед которым зарос травой и был окружен проржавевшими остовами автомобилей. Машины остановились рядом друг с другом, и все вышли.

В каждой из двух остальных машин ехало по пять человек, все в темных костюмах и пальто, но двигались они словно солдаты. Вместе с Полом все направились прямо в дом, который выглядел так, будто некто предприимчивый, но явно чудаковатый соорудил его из мусора, найденного на свалке.

Ли отошел в кусты отлить, а потом прислонился к машине и стал ждать.

Пятнадцать минут спустя все вышли, уже не с пустыми руками. Некоторые несли деревянные ящики, словно короткие носилки, другие — тяжелые на вид сумки через плечо. Ни на одном предмете не было каких-либо меток или этикеток, и они явно появились здесь не по регулярным каналам поставок. Ящики и сумки загрузили в багажники, затем все сели в машины. Три двигателя заработали одновременно.

Выехав обратно на шоссе, снова растянулись на полмили, как и до этого. Некоторое время путь лежал на восток, а затем свернули к северу, в сторону Кентукки.

Недалеко от границы штата головная машина опять свернула с трассы, а остальные последовали за ней. Дом, к которому они подъехали на этот раз, выглядел намного приличнее: здание в колониальном стиле, двухэтажное, с колоннами и старомодным небольшим прудом посреди ухоженного участка.

Все снова вышли. На этот раз Ли пришлось ждать двадцать пять минут, наблюдая за двумя девочками-подростками на лошадях, неспешно перемещавшимися по лужайке. Их длинные волосы золотились в лучах утреннего солнца. Девочки ни разу не посмотрели в его сторону, словно здесь не было даже машин.

Из дома опять вынесли сумки. На этот раз их было не так много, но обращались с ними очень осторожно.

Потом была еще одна краткая остановка, возле заброшенной бензоколонки, где кто-то оставил два маленьких угловатых свертка. После нее двое из их машины пересели в другие, оставив Ли и Пола вдвоем. К этому времени солнце было уже почти в зените.

Вскоре они въехали в Виргинию.

Пол смотрел в пространство, будто погруженный в глубокие размышления. В течение получаса на его лице не дрогнул ни один мускул, отчего Ли становилось несколько не по себе.

Ли был хорошо обучен искусству хранить молчание, пока к нему не обратятся, — в семье Худек ценили старомодное воспитание, — и ему не хотелось раздражать Пола.

К тому же он вспомнил одну вечеринку в доме Метцгеров, где познакомился с неким сценаристом, клиентом отца

Брэда. Его звали Ник Голсон. Он то и дело упоминал собственное имя, словно считал, будто его лучше запомнят. Впрочем, так и вышло. Голсон изложил Ли свою теорию о том, что когда присутствуешь на важных встречах, вместо того чтобы постоянно болтать, стараясь произвести впечатление на собравшихся, лучше просто молчать и делать вид, будто ты в дурном настроении. Таким образом ты вынуждаешь людей подходить и заговаривать с тобой, что повышает твой статус, делает тебя одним из тех, с кем стоит считаться. По крайней мере, так заявлял тот тип.

Ли старался вести себя подобным образом последние полгода и обнаружил, что теория и в самом деле верна. Можно заставить многих делать именно то, что нужно тебе, создавая видимость, будто для них в данный момент это самое простое.

Однако еще через час, в течение которого не было произнесено ни слова, Ли не выдержал:

— Значит, в Лос-Анджелесе меня сейчас ищут копы?

Пол медленно повернул голову:

— Полагаю, да.

— Знаете, вы ведь могли просто предложить мне поехать с вами. Чтобы помочь в вашем деле.

— В нашем деле?

— Угу. Или что там у вас. Вовсе незачем было устраивать такое. И подставлять меня, черт возьми.

— А что, если бы ты отказался?

— Вы же явно знаете моих предков. Откуда, кстати? Как вы познакомились?

— Мы старые друзья.

— Значит, они могли меня уговорить? Они знали, как вы намерены со мной поступить?

На прямой вопрос Пол не ответил.

— Люди твоего возраста крайне тяжело поддаются чужому влиянию. Им требуются чрезвычайные обстоятельства, форс-мажор.

— Похоже, у вас целая куча наркоты. Никогда не видел столько сумок и ящиков. Да и ребят, чтобы их таскать, вы наняли серьезных.

Ли заметил, что Пол слегка улыбается.

— Я хочу знать, зачем я вообще тут нужен?

— Ты будешь ключевой фигурой, не беспокойся.

— Может, все-таки расскажете, что происходит?

— А как ты сам думаешь?

— Намечается какая-то большая тусовка. Какой-нибудь фестиваль или вроде того, где можно будет все это толкнуть...

— Ли, это не наркотики. Попробуй подумать о чем-нибудь другом.

— Я думал, будто вас ничего, кроме наркоты, не интересует.

— Последние несколько десятилетий наркотики просто приносили нам пользу, вот и все. С их помощью можно делать деньги, а усилий требуется куда меньше, чем для рытья шахт.

— Шахт? — удивился Ли. — Значит, дело вовсе не в наркоте?

— Старые времена возвращаются. И сражение вступает в новую стадию.

— Слушайте, вы опять говорите какую-то чушь, а я понятия не имею, о чем вы.

— Ну, я уверен, мы это переживем.

Ли мгновение подумал, а затем, схватившись за ручку, открыл дверцу и распахнул ее.

Он вовсе не собирался выпрыгивать — они ехали на скорости в семьдесят с лишним миль в час, — однако добился желаемого эффекта. Машина слегка вильнула, пока водитель пытался справиться с внезапным изменением ее аэродинамических характеристик.

Пол спокойно протянул руку и снова закрыл дверцу.

— Больше так не делай, — сказал он.

— Тогда не считайте меня ребенком.

— Собственно, ты вполне мог бы считать меня отцом, Ли, хотя и таким, который сожжет твою душу дотла, если ты попытаешься морочить ему голову. — Он широко улыбнулся. — Ясно?

Хотя голос Пола звучал все так же ровно и дружелюбно, у Ли зашевелились волосы на затылке.

— Я понял. Но у меня уже есть папаша, спасибо.

Пол кивнул, и неожиданно вся напряженность между ними куда-то улетучилась.

— Верно. Что ж, Ли, я кое-что тебе расскажу, и отчасти именно поэтому мы едем сейчас именно туда, а не в какое-то другое место. Когда я был совсем маленьким, я жил в Северной Калифорнии. Мой отец был важным человеком. Не богатым, как твой, но важным. И однажды ночью в лес, где он жил, пришли люди и убили его. Они украли меня и какое-то время держали у себя, но потом решили, что я им больше не нравлюсь, и бросили меня прямо посреди города.

— Вот уроды.

Пол кивнул:

— Спасибо, Ли. Да, уроды. К счастью, я остался жив, в том числе и потому, что познакомился с одной компанией. У нас были общие интересы, но в итоге оказалось, что нас связывает нечто большее. Я сумел помочь им в реализации некоторых их идей. Они в каком-то смысле большая семья, и твои мама и папа тоже ее часть. Так же, как и ты. Мы действительно встречались раньше, Ли, хотя ты этого и не помнишь. Мы встречались вскоре после того, как ты родился, и потом, когда тебе было три года.

Он достал что-то из кармана пиджака. Ли показалось, будто Пол только и ждал этого момента. Это была фотография, изображавшая его мать и отца, совсем молодых, стоящих в саду еще с одним человеком. Этим человеком был Пол, хотя он выглядел вряд ли старше двадцати лет. На земле неуверенно стоял малыш, держа Пола за руку.

— Это я?

— И уже часть команды.

— Какой команды?

— Мы заботимся друг о друге. Иногда мы ссоримся, как и любая семья, но когда все заканчивается — мы снова по одну сторону. Сейчас мы сильны, но у нас всегда есть враги. В частности, один человек, который убил нескольких очень важных членов нашей семьи.

— Значит, следует хорошенько его проучить.

Пол улыбнулся:

— Можно и так. Ты хороший мальчик, Ли. Тебя хорошо воспитали. Ладишь с папашей?

— Угу. Он отличный мужик. И чувство юмора у него хорошее.

К удивлению Ли, Пол рассмеялся, вероятно неожиданно даже для самого себя. Худек улыбнулся, радуясь, что атмосфера несколько разрядилась.

— Совершенно верно, — сказал Пол. — Ты никогда не думал о том, как тебя зовут?

— Худек? А что?

— Я имею в виду имя.

Худек посмотрел на него:

— Нет. А в чем дело?

— Произнеси его.

— Ли Гион.

— Верно. А теперь скажи, как твое имя.

— Мое имя — Ли Гион.

Пол молча смотрел на него, ожидая продолжения, и наконец покачал головой. Голос его снова звучал холодно:

— Господи, ребята, и ни черта-то вы не знаете.

Наконец машины замедлили ход.

В течение получаса они ехали по безликой дороге, пересекавшей молодой лес. Полу позвонили на мобильный, судя по всему, кто-то из ведущей машины. Он ответил утвердительно, и вскоре три автомобиля остановились на обочине возле поворота. Пол открыл дверцу и вышел. Ли последовал за ним.

Дверцы всех машин были открыты. Ли уже смирился с тем, что ему в очередной раз придется ждать непонятно чего, когда вдруг кое-что понял.

Люди в машинах стали другими.

Он уставился на них, открыв рот. Они выглядели иначе, были одеты иначе... Никто из них не был прежним. Более того, среди них были две женщины. Это просто не могли быть те же самые люди, которые все это время ехали в машинах.

Если только...

Неожиданно он узнал молодого парня, который открыл им дверцу в аэропорту Хантсвилла. Теперь он был одет в свитер с капюшоном, кеды без шнурков и мешковатые джинсы, а за спиной у него висел красный рюкзачок. Он прошел мимо Ли, чтобы выгрузить вещи из багажника, ничем не отличаясь от любого паренька, какого можно встретить на улице где угодно в Штатах, со скейтбордом и рюкзачком за плечами.

Ли смотрел на остальных, постепенно начиная узнавать другие лица. Худощавый мужчина, который сперва ехал в их машине, теперь был одет как полицейский, столь убедительно, что у Ли екнуло сердце, когда он его заметил. На двоих других были дешевые деловые костюмы, еще на одном — замасленный комбинезон механика. Открыв капот второй машины, он измазал руки в масле. Женщина, которую Ли увидел первой, была одета в молодежные брюки и большой пуховый жакет. Волосы ее раньше были завязаны сзади, так что Ли тогда даже не заметил, что это девушка. Развязав волосы, она встряхнула ими и теперь выглядела как те, что толкают коляски по тихим улочкам пригородов, собираясь выпить кофе в обществе себе подобных, а возможно, даже съесть булочку с низким содержанием жира, чтобы потом целый день винить себя в этом. Она слегка улыбнулась, словно тренируясь, затем ее лицо вновь стало бесстрастным. На второй женщине был бледно-зеленый халат, словно она работала в продовольственном магазине.

Каждый что-то держал в руках. Портфель. Большую дамскую сумку. Ящик с инструментами. Длинную продолговатую коробку с эмблемой службы доставки. Почтальонскую сумку.

Через несколько минут дверцы и багажники всех машин закрылись, две из них медленно выехали задним ходом на дорогу и плавно развернулись, а затем быстро скрылись в той стороне, откуда приехали, оставив людей стоять на обочине. В отсутствие доставивших их сюда автомобилей они выглядели еще более странно, словно какие-то инопланетяне решили вернуть некоторых из похищенных ими в последние несколько лет и телепортировали их на обочину ведущей в никуда дороги.

Пол прошелся среди них, поговорив с каждым. Некоторые кивнули, кто-то пожал ему руку. Домохозяйка улыбнулась, когда он обратился к ней, и на этот раз ее улыбка выглядела несколько более убедительной.

Затем, без какой-либо видимой команды, все двинулись в лес. Сперва они шли одной большой группой, но вскоре разделились на пары и тройки, направляясь куда-то — Ли понятия не имел куда — с таким расчетом, чтобы появиться там с разных сторон и в разное время.

Пол подошел к нему и жестом предложил сесть в машину.

Двадцать минут спустя они прибыли в город — не слишком большой, один из тех, которые можно найти где угодно, заправиться, выпить кофе, а потом уехать, благодаря судьбу, что живешь не там, где парад в честь Хеллоуина является главным событием года. Машина немного попетляла по улицам среди деревянных домов, а затем въехала в центр.

Старые здания. Полицейский участок. Детский сад. «Старбакс». И все такое прочее.

Ли смотрел в окно. Вряд ли в этом городе могло произойти нечто интересное. По крайней мере, с его точки зрения.

— Господи, — сказал он. — Ну и дыра.

— Ты очень груб, Ли.

— Вы, должно быть, видите не то же самое, что и я.

— Я вижу дома, где обитают трудящиеся в поте лица, смотрящие телевизор, покупающие товары живые души. Работающую торговлю и сервис. И многие годы истории, в которой есть несколько темных пятен. Этот городок куда интереснее, чем кажется. И старше.

— Все равно дыра.

— Здесь живут люди, Ли. Настоящие люди. Истинные американцы, по крайней мере так считают они сами. Маленькие городки — опора этой страны.

— Возможно, так было сто лет назад. А сейчас — время больших городов.

— Именно так, похоже, полагает множество людей.

В конце концов машина миновала «Холидей-Инн», и Пол велел водителю ехать чуть медленнее. Ли показалось, что он узнал отель, который видел по телевидению, когда Пол смотрел Си-эн-эн в торговом центре «Бель-Айл». У входа стояли несколько полицейских автомобилей. А потом он заметил человека в голубой ветровке с логотипом «ФБР» на спине.

— Гм, — нервно пробормотал он, — стоит ли нам тут задерживаться?

— Может быть, позже, — ответил Пол, и машина снова прибавила скорость.

Повернув налево, они покинули город, а какое-то время спустя съехали на боковую дорогу, тянувшуюся широкой дугой через лес, которая привела их в крошечный городок под названием Драйфорд, выглядевший так, словно дни его славы миновали полвека назад.

Еще один поворот, несколько сотен ярдов, и неожиданно дорога закончилась воротами. Водитель вышел из машины и пошел их открывать. По другую сторону ворот Ли увидел большой двор, заросший зеленью. Среди травы и деревьев стоял дом — чуть побольше, чем в городке, и довольно обшарпанный.

Водитель вернулся к машине и въехал за ворота. Сразу же стало ясно, что в доме не живут уже по крайней мере несколько лет. Доски на фасаде еле держались, на крыше не хватало черепицы, а стекла в окнах, хотя и целые, выглядели так, будто внутри сгустился туман. Перед домом стоял большой фургон «фольксваген», тоже выглядевший так, будто находился здесь уже давно, хотя вряд ли это соответствовало действительности.

— Взгляни, вот конь бледный, — сказал Пол.

Когда они приблизились к фургону, открылась его боковая дверь. Внутри было темно. Из фургона выбрался человек и задвинул дверь за собой. Он был высок и довольно стар, судя по седым волосам и слегка сгорбленной спине. Но, несмотря на это, выглядел большим и сильным, вроде мужика из «Попутчика»[1], только лет на двадцать старше.

— Здравствуй, Джеймс, — сказал Пол. Голос его звучал бесстрастно. — Я ведь тебе доверял.

— Все произошло случайно, — ответил тот. — Прошло слишком много времени, и я потерял опыт. И ничего не смог поделать.

— Возможно, ты просто слишком постарел.

— Возможно. Лучше бы ты поручил это дело кому-нибудь из своих мальчиков-зомби.

Он перевел взгляд на Ли, и тот, к своему удивлению, ощутил страх. Когда этот человек смотрел на него, он вовсе не казался таким уж старым.

---

[1] *«Попутчик»* (1986) — фильм режиссера Роберта Хармона с Рутгером Хауэром и Дженнифер Джейсон Ли в главных ролях. *(Примеч. ред.)*

— Это ведь не один из них?

— Нет, — ответил Пол. — Это наш новый друг.

Он поднял голову и принюхался.

— Что ты там варил?

— Если бы не ты, со мной все было бы в порядке.

— Нет, Джеймс, не было бы. Помнишь наш разговор в ту ночь, когда я тебя спас? Ты тот, кто ты есть. И ты это знаешь. И ты знаешь, что один никогда снова не станет никем.

Пожилой некоторое время смотрел на Пола, словно пытаясь переварить слова, услышанные когда-то от своего давнего знакомого.

— Нет, — наконец сказал он. — Наверное, нет.

Пол подошел к фургону и открыл дверь. Ли с любопытством последовал за ним. Пожилому это, похоже, не понравилось, но он понимал, что помешать все равно не сможет. Возле фургона Ли тоже почувствовал странный сладковатый запах. Он не был уверен, что именно варил в фургоне пожилой, но, даже несмотря на голод, подумал, что если ему предложат глоток, то он, скорее всего, откажется.

Потом он понял, что внутри кто-то есть.

У задней стенки фургона, связанная, лежала высокая худая женщина. Глаза ее были завязаны, во рту — кляп.

Ли стало не по себе. Нечто подобное показывали в документальных фильмах по кабельному телевидению, предупреждая зрителей, что зрелище не для слабонервных.

Пол шагнул в фургон и присел перед женщиной. Протянув руку, он снял с ее головы повязку. Ли находился достаточно близко, чтобы увидеть, как расширились глаза женщины, когда она увидела, кто перед ней.

— Привет, Нина, — сказал Пол. — Помнишь меня?

ГЛАВА 29

Больница выглядела так, словно, открыв с большой помпой десять лет назад, о ней тут же забыли. Ее явно проектировали на века, но отчего-то совершенно не подумали об окнах и о том, что людям предстоит проводить в этих стенах довольно долгое время. В вестибюле пахло лекарствами, линолеум неприятно скрипел под ногами, а стены были увешаны плакатами, содержание которых либо наводило тоску, либо внушало ужас. Не люблю больницы. За всю мою жизнь там никогда не происходило ничего хорошего. Именно туда ты отправляешься, когда заболеваешь, и именно там тебе могут сказать, что ты скоро умрешь.

И конечно, именно туда отправляются умирать.

Мы прошли в самый конец длинного серого коридора на последнем этаже, в одноместную палату. Возле двери сидел полицейский, но через маленькое квадратное окошко можно было увидеть лежащее на кровати тело. Неподвижное, словно сделанный из дерева и ткани манекен. Большая часть лица была забинтована. Единственное, что подтверждало личность Джулии Гуликс, — рассыпавшиеся по подушке рыжие волосы. Но даже они казались редкими и выцветшими, словно из нее неумолимо уходила жизненная сила.

Прежде чем полицейский успел сказать нам, чтобы мы убирались, в коридоре послышались приближающиеся шаги.

— Что вы здесь делаете?

Голос принадлежал Монро. В руке он держал дымящуюся чашку с кофе. Я вспомнил, как Нина когда-то говорила, насколько он порой бывает неуклюж, но от этого стало только хуже.

Джон показал ему фотографию:

— Взгляните.

— Что это?

— Нам кажется, что это снимок того самого места в лесу, где нашли второй труп.

— Где вы его взяли?

— В ее квартире. По дороге сюда я попросил кое-кого проверить номер на фотобумаге. Фотография отпечатана пять лет назад. Преступление было умышленным, Монро. И все ваше дело разваливается.

Монро покачал головой:

— Это всего лишь пейзажная фотография, не более того.

— Я бы хотел...

— Она не сможет ее увидеть, Зандт. Вы туда заглядывали? Ее глаза забинтованы, и даже если бы это было не так, все равно ничего бы не изменилось. У нее разбит череп и серьезно повреждены обе лобные доли. Ее накачали лекарствами и поддерживают в ней жизнь, но это все, чем на данный момент может помочь медицина.

— Ей вовсе незачем видеть, — возразил Джон. — Достаточно слышать. Я всего лишь хочу с ней поговорить.

— Она не услышит. И в ближайшее время наверняка умрет.

Тем не менее, немного подумав, он отошел в сторону.

— Если бы хоть кто-то еще здесь мог говорить от ее имени, — сказал он, — я бы вам этого не позволил.

— Думаю, она не против, — ответил Джон.

Монро остановился у изножья кровати. Я встал в стороне, у стены. От тела Гуликс тянулись трубочки и провода к разнообразным устройствам. Вероятно, их цель заключалась в том, чтобы как-то ее обнадежить, но, на мой взгляд, в этом не было никакого смысла. Если ты подключен к аппаратуре, это никак не может означать, что ты выздоравливаешь. Даже погруженным в кому это известно. Джон присел на край постели.

Гуликс, похоже, почувствовала, как сдвинулся матрас. Голова ее слегка сместилась в сторону, рот приоткрылся.

— Джулия?

Она снова закрыла рот и вернула голову на место.

— Я разговаривал с вами вчера вечером. В полицейском участке. Вы узнаете мой голос?

Молчание.

— Джулия, зачем вы это сделали?

Я не ожидал, что он задаст этот вопрос. Не ожидал этого и Монро, судя по выражению его лица. Предполагать можно было всякое. Она сделала это потому, что у нее поехала крыша. Или потому, что была виновна и не хотела предстать перед судом. Но может быть, и нет.

Она снова повернула к нему голову. Неожиданно ее язык начал быстро двигаться, облизывая губы. Джон взял со столика стакан с водой и влил несколько капель ей в рот. Язык продолжал некоторое время двигаться, затем успокоился.

— Шлюпка, — отчетливо произнесла она. — Пингвин в банковском зале. Отвратительная смесь, добавьте больше масла.

Я уставился в пол. Дело было не столько в словах, сколько в том, как двигался ее язык. Он вел себя чересчур самостоятельно, напоминая крысу, пытающуюся сбежать с тонущего корабля.

Зандт задал ей еще несколько вопросов. Он спросил, что за снимки она хранила в шкатулке у себя в квартире. Помнит ли она о фотографии, сделанной в лесу возле Торнтона, и если да, то когда это могло быть. И еще, не висела ли эта фотография у нее на стене и почему.

Она ничего не ответила. Возможно, снова погрузилась в сон, а даже если и нет, то ее разум мог блуждать неизвестно где, затерявшись в подземных коридорах. Я не знал, каковы последствия черепно-мозговых травм и всегда ли они неизлечимы, но что-то подсказывало мне, что прежней Джулии больше нет и никогда не будет. Полагаю, будь я женой Лоренса Уидмара, подобное могло бы меня основательно разозлить — всегда нужен кто-то, на кого можно взвалить вину. Гуликс теперь находилась за пределами мира добра и зла.

— Он здесь, — внезапно сказала она.

Я поднял взгляд. Это были первые слова, которые она произнесла за десять минут.

— Что? — переспросил Джон, наклоняясь к ней.

Во второй раз ее голос прозвучал намного отчетливее.

— Он здесь. Да?

— Кто? — спросил Монро.

— Где я?

Джон поднял руку, останавливая Монро.

— Вы в больнице, Джулия.

— Я заново рождаюсь?

— Нет.

— Вы что-то говорили про фотографию?

— Мы нашли снимок, на котором изображен лес. Вы помните, когда он был сделан?

— Лесов много. И всегда было много. С тех пор, как я была совсем маленькой.

— Почему вы сделали эту фотографию, Джулия?

— Какую фотографию?

— Фотографию леса.

— На память. Верно? Верно? Верно? Чудесно.

— Не понимаю, о чем вы.

— Вы когда-нибудь бывали в Диснейленде?

— Да, — ответил Джон. — Очень давно.

— Когда я была маленькой, некому было меня туда свозить. А когда я выросла, я поехала туда сама. Но это совсем не то.

— Да.

— Никто не должен сам ездить в Диснейленд.

— Джулия...

— Что за дерьмо? Тут воняет.

Ее язык снова начал беспорядочно двигаться во рту, подбородок задрожал.

— Как плохо...

— Джулия, почему? Почему вы их убили?

— Я ошиблась, ясно? Теперь ничем не помочь. Все эта чертова болезнь.

Неожиданно ее голос изменился, став почти на октаву ниже:

— Двенадцать ступеней в ад, ниггер.

Она громко расхохоталась, выгнув спину. Затем смех перешел в кашель, и внезапно ее начало тошнить.

Монро ударил по кнопке вызова, а Джон быстро перевернул Джулию на бок.

Несколько секунд спустя палата заполнилась медиками, и нас вытолкали за дверь.

Мы молча ждали, пока люди в палате занимались своим делом. Через полчаса они начали выходить, хотя возле кровати осталась медсестра. Последней вышла женщина в белом халате, которая яростно посмотрела на нас, плотно закрывая за собой дверь.

— Вам же говорили, что с ней сейчас нельзя беседовать.

— Ее подозревают в двух убийствах, — сказал Монро.

— Это ваши проблемы, — огрызнулась женщина-врач. — Она умирает. Повреждения в ее мозгу воздействуют на периферическую нервную систему — ту, что управляет процессами, которые обычно происходят без нашего сознательного участия, например дыханием. Меня не волнует, что она совершила, но у вас нет никакого права приближать ее смерть. Только попробуйте еще раз ее побеспокоить, и я вызову полицию.

— Мэм, — сказал парень в форме, сидевший на стуле рядом с дверью, — вообще-то, я из полиции.

— Значит, кого-нибудь старшего из полиции, — ответила врач и направилась по коридору прочь.

Когда она ушла, Монро повернулся к Зандту:

— Так как, стоило оно того?

— Это она сделала фотографию. И она убила этих мужчин, из-за какого-то события, случившегося много лет назад. События, из-за которого у нее возникло желание сфотографировать данный участок леса, на будущее. Она видела то, что там произошло.

— Она видела того, кто убил жертву, которую мы нашли, — сказал я. — И она единственная, кто мог бы рассказать нам, кто это был.

— Тело определенно принадлежит женщине, — сказал Монро. — Сорока с небольшим лет. Вчера вечером из земли извлекли остальную часть скелета. И все говорит о том, что вы правы насчет того, когда это случилось. Так кто же она? Кто ее убил?

— Не знаю, — ответил я. — Но мне кажется, что с вероятностью в пятьдесят процентов это тот, кто похитил Нину.

— А если не он, кто тогда?

— Призраки, — мрачно процедил я. — Те, в кого никто не верит и кого никогда не удается поймать.

Мы вышли из больницы. Монро, судя по всему, решил, что ждать дольше нет никакого смысла, и я полагал, что он прав. Вряд ли Джулия была в состоянии когда-либо еще сказать хоть что-то членораздельное.

Джон направился прямо к моей машине. Я задержался, желая напоследок поговорить с Чарльзом. Меня удивил его вид — усталым я его видел и раньше, но сейчас он выглядел полностью разбитым.

— Вы должны хоть что-то выяснить, Чарльз.

— Делаю все, что могу.

— Надеюсь. У нас мало времени. И если я не найду Нину, ваша жизнь ничего не будет стоить.

Оставив его, я подошел к машине. Прежде чем сесть, в очередной раз нажал кнопку вызова номера Нины.

Снова — ничего. И где бы ни находился ее телефон, включенный или выключенный, рано или поздно в нем должен был разрядиться аккумулятор.

ГЛАВА 30

В подвале было еще хуже, чем в фургоне. Пока она оставалась в «фольксвагене», она хотя бы пребывала в движении. Существовала возможность, что ее отвезут куда-нибудь и отпустят, высадив посреди леса или выбросив на полной скорости на дорогу. И тот и другой варианты были далеко не из лучших, но они хотя бы открывали дверь в иную реальность — если хватит сил и если повезет. Возможно, то же самое ощущает пойманная на крючок рыба, вплоть до того самого момента, пока ее не стукнут по затылку. Когда ты лежишь на полу подвала, тебе вовсе не кажется, будто сила и везение где-то рядом. Есть лишь сырость, холод и неумолимое ощущение, что ты находишься под землей.

В том, чтобы оказаться под землей, нет ничего хорошего. Именно туда отправляется каждый после смерти.

Нина знала, что лежит посреди помещения размером примерно тридцать на тридцать футов. Она успела это заметить, когда ее несли вниз по деревянной лестнице, и попыталась оглядеться по сторонам, прежде чем дверь снова закрылась и подвал погрузился в темноту.

Она сразу же зажмурилась, чтобы ее не сбивали с толку тени. Нина ощущала пространство вокруг, представляла, где находятся опоры, даже подумала о том, каким образом можно было бы добраться до лестницы, если бы не связанные запястья и лодыжки. Она попыталась мысленно зафиксировать окружающую обстановку, но прошло немало времени с тех пор, как она в последний раз спала, и в ушах у нее звенело. Она чувствовала себя полностью измотанной. Потеря пары пинт крови тоже сыграла свою роль, но вряд ли могла вызвать случившуюся пять минут назад рвоту. Видимо, сыграли свою роль и пары бензина.

Нужно было сохранять бдительность. Человек, который ее похитил, совершил некую ошибку. Она слышала, как Пол называл его «Джеймс». Судя по всему, он должен был совершить что-то другое вместо похищения, а может быть, кроме него. Что? Явно не убить ее, иначе Пол сделал бы это прямо на месте. Он был не из тех, кто оставляет людей в живых ради забавы. Скорее наоборот.

Задавать себе подобный вопрос было не слишком приятно, но почему ей сохранили жизнь? И что можно попытаться сделать, чтобы...

Потом она кое-что вспомнила. Еще в фургоне она поняла, что ее мобильный телефон, скорее всего, до сих пор работает. Она знала, что выключила его перед встречей с Рейделом, так что аккумулятор вряд ли успел разрядиться. По крайней мере, хотелось бы надеяться. В фургоне она не могла даже мечтать о том, чтобы отыскать телефон.

Здесь же это могло и удаться, если действовать быстро. Ей даже не нужно было куда-либо звонить. Если они отслеживают местонахождение телефона или если Уорд пытается ей звонить и в конце концов дозвонится...

Нина изогнула шею, повернув голову на пыльном, потрескавшемся полу. Когда ее несли в подвал, вместе с ней притащили и большую сумку с вещами ее похитителя, которые находились в «фольксвагене». Насколько она помнила, сумка стояла у стены. Когда он явился к Нине в номер, на ней было пальто. Телефон должен был находиться глубоко во внутреннем кармане. Сейчас же пальто, скорее всего, лежало в сумке.

После столь долгого периода ничегонеделания у нее наконец появилась цель. Настоящая.

Добраться до телефона. И естественно, остаться в живых.

Лучше всего было попытаться сесть. Тогда можно попробовать переместиться по полу в сторону сумки. Не самый быстрый способ, но по крайней мере позволяющий хоть на что-то рассчитывать.

Ей потребовалось пять минут, чтобы извернуться и принять сидячее положение. Затем она направила ноги в нужную сторону и начала ерзать задом.

У нее даже что-то получалось, хотя и очень медленно. Пол был неровным, на нем валялись какие-то предметы. И то и другое она поняла не сразу, а лишь когда натолкнулась на препятствие, и пришлось каким-то образом его огибать.

Однако медленно, но верно она продвигалась вперед, и в конце концов ее ноги уткнулись в стену. Слегка наклонившись влево, она коснулась чего-то ногами. Послышалось шуршание.

Сумка.

И что дальше? Воспользоваться руками или ногами она не могла. Возможно, ее пальто лежало где-то глубоко внутри. К тому же оно было толстым — Уорд купил его в преддверии наступающих зимних холодов на тихоокеанском побережье. Добраться до телефона было практически невозможно. Но может быть, если попытаться надавить на сумку...

Неожиданно послышались приближающиеся сверху шаги.

Она сразу же упала на бок и покатилась по полу. Катилась она очень быстро — не имело значения, на что она натыкалась по пути, главным было снова оказаться на прежнем месте. Нельзя было допустить хоть каких-либо подозрений, что она пыталась добраться до сумки.

Она натыкалась на невидимые препятствия, что-то зацепилось за ее запястье, и ей пришлось резко дернуться, чтобы продолжить движение. Все ее тело болело, не хватало дыхания. Однако ей удалось достичь исходной точки, и, убедившись, что лежит на спине, она заставила себя дышать ровно и спокойно.

Послышался звук открываемой двери в подвал. Нина приподняла голову, все еще сдерживая тяжелое дыхание. Наверху лестницы стояли двое — «человек прямоходящий» и еще один, постарше. Она также заметила молодого парня, державшегося позади.

Может быть, он смог бы чем-то ей помочь? Судя по выражению его лица, он не вполне понимал, что происходит. Может, стоило попробовать пробудить в нем какие-то чувства, например как к старшей сестре? Ну да, конечно, мечтай дальше, Нина. Но сколько лет могло быть его матери? Что, если бы он увидел ее столь же беспомощной, как и Нина? Как бы он себя повел?

Но когда двое начали спускаться по лестнице, парень остался наверху и несколько мгновений спустя скрылся из виду.

Оказавшись внизу, Пол не стал подходить к ней, а отошел к стене. Присев на корточки, он некоторое время разглядывал пол, водя пальцем в пыли.

— Не думаю, что проблем будет чересчур много, — сказал он второму. — Но опять-таки не благодаря тебе.

Он встал и посмотрел на Нину.

— А ее мы какое-то время подержим у себя. Когда она станет нам больше не нужна, я тебе позвоню, и если прикажу тебе ее убить — ты сделаешь это немедленно. Никаких игр. Понятно?

Пожилой кивнул.

— Он должен был убить нас обоих, — тихо сказала Нина. — Он принял Рейдела за Уорда и убил его, но потом решил оставить меня себе.

Пол подошел и остановился прямо над ней.

— А ты весьма проницательна, агент Бейнэм. Проницательна и очень умна. Но ты ошибаешься. Да, Джеймс должен был убить тебя. Но второй его целью был не Уорд.

— А кто?

— Оставляю этот вопрос в качестве упражнения для студента.

— Вы безумец.

— Нет. И это не я сейчас лежу связанный в подвале, источая запах застарелого пота и страха.

Вскоре они ушли, и она услышала звук захлопнувшейся двери и отъезжающей машины. Нина с трудом заставила себя немного подождать, прежде чем повторить попытку добраться до телефона. Надо было удостовериться, что они действительно уехали. Тем временем она пыталась спокойно подумать о том, какую информацию можно извлечь из сказанного Полом.

В классической статье тридцатых годов, которую она когда-то читала, психопаты описывались как «рефлекторные автоматы», способные столь точно имитировать человеческую личность, что невозможно было отличить ее от реальной. Нечто подобное можно увидеть в глазах людей, ввязывавшихся в драки в барах. Проходя мимо ранним вечером — и будучи достаточно неосторожным для того, чтобы взглянуть на них, что само по себе не самая удачная мысль, — можно увидеть пустоту на их лицах, скрытую за бессмысленными улыбками. Те, кто ведет себя тихо, либо мизантропы, либо серьезные пьяницы, знающие свое дело, либо люди, впавшие в депрессию. В тех же, кто по-настоящему опасен, есть некое холодное, болезненное очарование, подобное туманным цифрам, бегущим по дисплею компьютера, постоянно стремящегося к завершению неких сложных расчетов, но так и не останавливающегося на каком-либо результате. Результатом же должна стать психически устойчивая личность, с которой можно нормально общаться. Но в этих людях такого нет. Они вместилища бессмысленной жестокости, ждущей лишь повода, демонические вихри в человеческих оболочках.

Однако те, кто по-настоящему безумен, отличаются и от них. В них как раз что-то есть, только не вполне ясно, что именно. Модель «рефлекторного автомата» доктора Клекли требовала ответа на вопрос: что именно определяет личность? Что собой представляет этот «автомат» и что он делает, когда не воплощает в себе человеческую личность? Каковы его обычные реакции? Откуда он взялся? И что ему нужно?

Есть ли на самом деле какая-то разница в том, что содержится в каждом из них, или, возможно, все это — одно и то же, одна и та же демоническая субстанция или безумный дух, глядящий на мир их глазами? Исходя из всего, чему ее учили и во что она верила, следовало утверждать обратное — что это всего лишь ущербные люди, демонстрирующие собственные психозы и патологии.

Но когда на тебя смотрит такой, как Пол... иногда начинаешь в этом сомневаться.

Она только что решила, что не в силах больше ждать, когда снова послышался звук открываемой двери и сверху просочился свет. Душа у нее ушла в пятки. Значит, все-таки уехали не все.

Раздались тяжелые шаги. Это мог быть только Джеймс, тот самый, который брал у нее кровь. Остановившись у подножия лестницы, он некоторое время молча сидел и курил.

— И что дальше, Джеймс? — устало спросила она. — Будем ждать, пока ваш начальник скажет, что можно меня убить?

— Он не мой начальник. И я не Джеймс.

— Именно так он вас называл.

— Меня зовут Джим Уэстлейк. Я фотограф.

— Мой отец был фотографом. — Естественно, она солгала. — А что вы фотографируете?

Он поколебался, затем встал и подошел к сумке. Достав оттуда пальто Нины, он положил его рядом, и у Нины в груди подпрыгнуло сердце.

Значит, пальто здесь. Хорошая новость. Но если оно лежит на полу, его можно как-то зацепить и телефон может выпасть. А если удастся до него добраться... или сделать так, чтобы ей его дали...

— Мне холодно, — сказала она. — Пол очень холодный.

Казалось, он ее не слышит. Когда он выпрямился, выяснилось, что он держит в руке маленькую коробочку, похожую на коробку от детских туфелек. Снова сев на нижнюю ступеньку, он открыл ее и некоторое время просматривал содержимое, словно забыв про Нину. Потом он показал ей несколько сделанных на поляроиде фотографий.

Нине они ничего не говорили, кроме того, что на них были изображены женщины и девочки разного возраста, снятые в солнечную погоду.

— Я не делал ничего плохого, — сказал он. — Никому из них. Много лет. Я даже жил рядом с... Смотрите.

Он поднес фотографию настолько близко к ее лицу, что было трудно сфокусировать взгляд на снимке, который изображал двух маленьких девочек лет четырех, может быть, пяти. Девочки улыбались.

— Симпатичные.

— Мои соседки.

— В самом деле? Живут здесь рядом?

— Нет. Я не жил здесь уже очень давно.

— Так как же вы оказались в этом доме?

— Он до сих пор мне принадлежит, но... Я жил здесь со своей женой.

— Вы женаты?

— Больше нет.

Нина уже открыла рот, чтобы задать очередной вопрос, но снова его закрыла. Здесь командовала не она. И это не был допрос человека, ожидающего суда. В воздухе повисла гнетущая тишина.

Наконец он снова заговорил:

— Мы познакомились, когда я вернулся из армии. Несколько лет мы переезжали с места на место, потом нашли этот дом, и он нас вполне устроил. Я получил диплом учителя. Мне всегда хорошо давалась математика, и я преподавал ее в местной школе. Но...

Последовала долгая пауза.

— В армии я был совершенно нормальным. Там я мог... но не делал этого. Но что-то... стало не так, после того как я прожил какое-то время здесь. Не мог заставить голову нормально работать. Числа опять перестали в ней складываться.

Нина не смогла удержаться:

— Что? Хотите сказать, что во всем виноват Торнтон? Что этот город заставлял вас так поступать? Не слишком удачное объяснение, должна вам сказать.

— Мне все равно. Долгое время я был как все. Я знал, что могу поступить дурно, если себе это позволю. Но я этого не хотел. Я... я старался как мог. Но потом... — Он опустил голову на руки. — Одна ученица. В школе. Она напомнила мне Карлу. Этого хватило. Она была похожа на Карлу. И все. Хлоп. Конец.

— Кто такая Карла? Ваша жена?

— Мою жену звали Лори. Вы что, не слушаете?

— Извините. Так кто эта Карла?

— Девушка, которую я знал много лет назад. В школе. Она стала для меня первой.

— Первой, с которой вы занялись сексом?

— Да.

— Но вы имеете в виду не это.

— Нет.

— Вы ее убили.

— Да.

Он рассказал Нине про ту девушку, Карлу. Он помнил ее лицо во всех деталях, ее походку. Он мог вспомнить и свои приготовления, хотя ему казалось тогда, будто он думает и делает нечто совершенно другое, вполне естественное. Он помнил, как сидел потом на берегу реки, на том самом месте, где играл в детстве. В ту ночь было темно и холодно и шел дождь. Он сидел на твердой, потрескавшейся земле, рядом лежала отрезанная рука девушки, и нигде не было ни огонька, если не считать мерцающих окон домов на другом берегу. Если отвернуться и прислушаться к шуму ветра, можно было поверить, будто весь мир куда-то исчез, будто ты вернулся назад во времени, туда, где еще не существовало того, что было сейчас для тебя дорого, где мужчины и мальчики могли быть собой.

Сущность того, что он совершил, уже постепенно размывалась в его мозгу, и, как ни странно, его не беспокоило, что его могут найти. Какое-то мгновение ему казалось, будто он сидит на краю мироздания, с трудом понимая, как оно может иметь над ним хоть какую-то власть. Снова повернувшись и взглянув на свет в окнах домов, он решил, что никто не может его увидеть, точно так же как если бы он постучал в дверь, его никто бы не услышал. Их жизнь была теперь для него закрыта. Идти больше было некуда. Он просто сидел под дождем и прислушивался к звукам природы, пока не стало слишком холодно, и он отправился домой, где съел кусок холодной курицы и пошел спать.

Ничего подобного потом долго не происходило. Возможно, на этом все могло бы и закончиться, остаться реальным, но единственным в своем роде фактом. Но этого не случилось. Карла стала для него первой, но далеко не последней.

Он честно пытался. Он пошел в армию. Он исколесил полмира, пока наконец не уволился и не поселился в приятном городке, где у него появились работа, жена и ребенок.

Но было слишком поздно. Всегда было слишком поздно.

— Так или иначе, она оказалась глупой девчонкой — та, которая была похожа на Карлу. Действительно тупая как пробка. Родители с радостью поверили, что она куда-то сбежала, уехала в Калифорнию, как все прочие ленивые шлюхи.

— Как давно это было?

— Пятнадцать лет назад, — ответил он. — Это случалось не часто. Я не позволял себе такого. И никогда не трогал женщин из Торнтона или Драйфорда. Один раз — официантку из Оуэнсвилла. Они теперь все в лесу. Никто их никогда не найдет. Но с тех пор, как я начал... я думал, что справляюсь. Конечно, ничего хорошего в том не было, но я пытался держать ситуацию под контролем.

— Ваша жена ничего не знала? Не догадывалась?

Он немного помолчал.

— Она ушла.

— В самом деле?

Он отвел взгляд:

— Нет.

Неожиданно он нахмурился и поднял голову.

— Вы слышали?

— Я ничего не слышала, — ответила Нина. — А что вам послышалось?

Он покачал головой:

— Иногда, во время ночной грозы, она сильно пугалась.

— Ваша жена?

— Она слышала гром и думала, будто это кричит само небо. Она думала, что ночь гневается и ищет, с кем бы расправиться. Я говорил ей, что ничего особенного в этом нет, что это всего лишь шум, подобный тому, который производят играющие дети. Я говорил, что гром — это просто шум, оттого что где-то далеко играет небо.

Некоторое время он молчал, и Нина поняла, что он плачет.

— Джим, — мягко сказала она, — мне действительно очень холодно. Я плохо себя чувствую. Вы не могли бы... нельзя ли мне взять мое пальто? Можете просто накрыть меня им. Чтобы мне было тепло. Уверена, он не станет возражать.

Однако он все еще ее не слышал, и Нина вдруг представила себе, как раскалывает железным ломом ему башку. Никто из них не слышал ничего, кроме бессмысленного бормотания внутри их собственных голов. Они говорили и говорили, но ни одно слово не достигало собеседника. И ни одно не проникало внутрь.

— Я просто... просто дошел до предела, — хрипло сказал он. — Понимаете?

— Нет, — холодно ответила она. — И никогда не пойму.

Некоторое время спустя вернулся Пол. Нина услышала, как снаружи хлопнула дверца машины и в дом вошли двое. Кто-то подошел к двери и щелкнул замком. Она подумала, что теперь, возможно, ее время истекло.

Однако, спустившись в подвал, Пол наклонился и помог ей встать на колени, а затем подняться на ноги.

— И что теперь? — спросила она, испытывая к нему непреодолимое отвращение.

— Собираюсь взять тебя с собой.

Он снова заткнул ей рот кляпом.

— У меня нет времени выслушивать твои глубокие мысли. Извини, если это хоть как-то тебя обезоруживает.

— Ей холодно, — неожиданно сказал Джеймс.

Он не смотрел ни на кого из них, сосредоточившись на сигарете у себя во рту. Нина даже не была уверена, что он обращается именно к Полу.

Тем не менее тот нагнулся и поднял пальто, то самое, которое целую вечность назад подарил ей Уорд. Он набросил пальто ей на плечи.

— Так лучше?

Нина быстро кивнула, тепло и благодарно, стараясь вести себя так вежливо, как никогда в жизни.

Когда пальто оказалось на ней, она и в самом деле почувствовала легкую тяжесть с левой стороны. Телефон находился от нее лишь в нескольких дюймах. Все, что ей требовалось, — найти способ нажать сквозь ткань кнопку включения, а затем кнопку быстрого набора номера. Это было трудно, но не невозможно. Уорду даже не надо было слышать ее голос. Он все понял бы по номеру, высветившемуся у него на экране...

— Ага, — пробормотал Пол. — Об этом-то я и забыл.

Сунув руку в карман ее пальто, он достал телефон, наблюдая за ее лицом. Как она ни пыталась, ей не удалось скрыть смертельного разочарования.

— Не стоит меня обманывать, Нина.

Когда он нес ее вверх по лестнице, к неверному свету, она мрачно подумала, что он постоянно опережает ее на шаг. Ее и всех остальных.

И возможно, так будет всегда.

ГЛАВА 31

Когда мы с Джоном въехали на парковку возле бара «Мэйфлауэр», Унгер уже нас ждал. На этот раз он был одет более элегантно — в дорогой черный костюм с темным галстуком — и выглядел совершенно по-другому. Я подвел к нему Джона.

— Быстро добрались, — сказал Унгер.

Даже его голос, казалось, звучал четче.

— Как вы сюда приехали?

— На такси. Не люблю водить машину.

— В самом деле?

— Это опасно.

— Опаснее, чем летать?

— Летчики обучены своему делу. А я нет.

Он повернулся к Джону:

— Карл Унгер.

— Джон Зандт.

— Я знаю, кто вы.

Джон нахмурился:

— Что вы имеете в виду?

— И мне известно не только это. — Унгер посмотрел на «Мэйфлауэр». — Может, зайдем внутрь? Здесь чертовски холодно.

Бар едва успел открыться, и Хейзел на работе не было. Вместо нее оказалась платиновая блондинка с татуировкой и проколотым языком. Я предположил, что это та самая Гретхен, которая противостояла ухаживаниям Ллойда.

Думаю, они вполне подошли бы друг другу. Даже заставить ее приготовить кофе оказалось очень сложной задачей.

Мы устроились в кабинке у задней стены. Унгер положил руки на стол перед собой.

— Ваша подруга так и не нашлась?

— Нет, — ответил я.

— Мне очень жаль это слышать. Но, честно говоря, я здесь для того, чтобы поговорить совсем о другом.

Он подтолкнул к нам листок бумаги. Мы с Джоном прочитали:

«Это наш день. Мы в Америке. Но мы не американцы. Мы в Европе. Но мы не европейцы. Мы не азиаты, не арабы и не африканцы; мы не христиане, не мусульмане и не иудеи. Мы истинные люди. Пора преподать остальным урок, как надо жить».

— Очередной зашифрованный спам?

— Отправлено сегодня в шесть утра. Закодировано по тексту Корана, не больше и не меньше.

— Выглядит по-мессиански, но что с того? Карл, скажу честно — для меня сейчас важнее всего Нина.

— Вчера днем в спортивном магазине торгового центра в Калифорнии взорвалась бомба.

— Мы слышали. И что?

— Видеокамеры зафиксировали изображение подозреваемого, но он исчез. Сынок богатых родителей из Долины. Его имя Ли Гион Худек.

Джон уставился на него:

— Худек?

— Как я понимаю, это имя о чем-то вам говорит?

— Райан, не Ли Гион. Райан Худек упоминается в файлах, которые я забрал из дома застройщика по фамилии Дравецкий.

— Которого вы убили.

Для меня довольно странно было увидеть Зандта захваченным врасплох.

— Откуда вы знаете?

— Я не был в этом уверен до конца, лишь предполагал. За этот год при подозрительных обстоятельствах умерли еще несколько человек, имена которых были мне известны из достаточно необычных источников. У меня возникла теория, что некто уничтожает тех, кто, по его мнению, принадлежит к верхушке «соломенных людей».

Джон ничего не ответил.

На этот раз уже я подозрительно уставился на Унгера.

— Сдается мне, вы знаете куда больше, чем рассказали, когда мы встречались в прошлый раз.

— Моя работа — собирать информацию, а не делиться ею. Лишь тринадцати людям во всем мире полностью известны все детали этой истории. Другим мы не доверяем, а я в особенности. Из-за этого погибли мой отец и дед.

— Кто это «мы»? Если ЦРУ знает...

— Это не Контора, — перебил он. — Как и ФБР, они слишком скомпрометировали себя для того, чтобы в этом участвовать.

— Хорошо, тогда кто такие «мы»? — раздраженно спросил я. — Карл, дело пойдет намного быстрее, если вы станете отвечать не только на прямые вопросы.

— Постараюсь.

Он повернулся к Зандту.

— Мне давно уже хотелось с вами поговорить. С вами не так-то легко связаться.

— Мне ли не знать, — пробормотал я.

Джон отнюдь не демонстрировал открытости.

— Зачем вам со мной разговаривать?

— Прежде всего затем, чтобы я смог вам доверять, — ответил Унгер. — Все, что мне известно, — это то, что вы друг Уорда, что вы раньше были опытным детективом, а теперь стали опасным убийцей. Я видел протокол вскрытия трупа Дравецкого.

Джон немного подумал, затем достал из кармана два пластиковых пакета вроде тех, в которые складывают найденные на месте преступления вещественные доказательства. В обоих лежали маленькие, непонятного вида предметы. Я взял один из них. Он напоминал комок земли, хотя в нем прослеживались яркие цветные прожилки, синие и зеленые.

— В Новой Англии, — сказал Джон, — есть каменные сооружения, которые обычно считают старыми погребами. Содержимое этих пакетов найдено в одном из них, в Массачусетсе.

— Это имеет какое-то отношение к тому... Озу Тернеру? — спросил я.

Джон кивнул:

— Я убедил его показать мне первое из когда-либо найденных таких мест, в округе Уэбстер. Оно было надолго заброшено, почти сразу же после того, как его обнаружили, и пострадало намного меньше других. Некоторые фотографии, исчезнувшие с его сайта, снимал я сам в тот день. А потом отправился к одному из своих знакомых в Ричмонд и точно так же убедил его рассказать мне все возможное о содержимом этих пакетов.

Я взял второй пакет.

— Похоже на кусок кости.

— Так и есть. Фрагмент черепа.

Джон посмотрел на Унгера:

— Можете сказать мне, что в первом?

— Небольшой кусочек медной руды, — ответил Унгер. — Добытый в районе Великих озер, за несколько тысяч лет до Рождества Христова.

— О господи, — сказал я. — И вы туда же.

— Да, — кивнул Джон, не обращая на меня внимания. — Кость тоже очень старая. И человеческая. У меня не было времени на радиоуглеродный анализ.

Я начал ощущать себя тупым учеником в классе, чего терпеть не могу.

— И почему же все это оказалось в погребе?

— Потому что это вовсе не погреб, — ответил Унгер. — И все остальные тоже. Это древние захоронения.

— Что значит «древние»?

— Некоторым всего пятьсот — шестьсот лет. Другие старше на несколько тысячелетий. Именно там находили вечный покой вожди «соломенных людей».

— Что?

— Вряд ли все так просто, — усомнился Зандт. — Скорее всего, там же они хоронили и свои жертвы. Коллекция, выставка. Произведение искусства. А потом наконец там погребали и убийцу, рядом с останками тех, кого он погубил за всю свою жизнь.

Он посмотрел на меня.

— Помнишь то место, которое мы нашли к югу от Якимы? Тоже нечто подобное. И еще я обнаружил ссылку в журнале об археологических находках в Германии. Захоронение возрастом в десять тысяч лет, причем тела были расположены в определенном порядке. Возможно, некоторые из выглядящих куда более безобидно древних захоронений представляют собой то же самое. Это не вожди, похороненные вместе со слугами, которые будут прислуживать им в загробном мире, а серийные убийцы, похороненные вместе с их жертвами.

— Но почему? — спросил я. — Чтобы закрепить за собой территорию? Мы хороним на этой земле своих мертвецов, значит, она наша?

— Возможно, но не только, — сказал Унгер. — Если нанести на карту распределение этих камер по Новой Англии, то окажется, что они расположены вокруг определенных территорий.

— Они считали, что создают нечто вроде силового поля вокруг своих владений? Стену из крови?

— Вроде того.

— Вы издеваетесь?

— У серийных убийц есть похожие ритуалы и в наши дни, насколько мне известно. Это просто воплощение идеи в жизнь.

— А теперь постарайтесь, чтобы и я смог вам доверять, — сказал Джон Унгеру. — Я думал, что я единственный, кому известна эта подробность о «соломенных людях». Если я не прав — расскажите о том, что известно вам.

— Хорошо, — согласился Унгер. — Но вам придется смириться с тем, что я не стану излагать все подробности и доказательства, поскольку на это у меня нет времени. Вам придется просто принять на веру все то, что я сейчас расскажу.

Я подпер голову руками и приготовился слушать.

— Краткая версия, — начал Унгер, закуривая одну из моих сигарет. — Как вам, несомненно, известно, последний ледниковый период закончился примерно за одиннадцать тысяч лет до нашей эры. Настал конец великому оледенению, планета вновь стала комфортным местом для жизни, и человечество смогло позволить себе такую роскошь, как культура.

В течение последующих пяти тысячелетий мы начали преобразовывать мир. Появилось земледелие, торговля, связь. Мы далеко опередили неандертальцев. Вот почему следы древних культур можно найти в самых неожиданных местах по всей земле — это не аномалии, развитая цивилизация действительно существовала.

У каждой культуры мира есть свои легенды о тех безмятежных временах: сады Эдема, остров Дильмун, Айриана-Ваэджо и так далее. Однако всегда существовали мужчины и женщины, отличавшиеся от других, которые, объединившись, стали силой, предшествовавшей появлению «соломенных людей». Примерно за шесть тысяч лет до нашей эры они решили атаковать мировые центры культуры. Их амбиции не знали границ. Они заявляли: «Мы ненавидим новый мировой порядок, и мы намерены его уничтожить». Им потребовалось пятьсот лет для того, чтобы распространиться по всей планете, захватывая один материк за другим, словно муравьи-убийцы.

— Они завоевали весь мир?

— Нет. Это не было завоеванием. Им не нужна была власть, им нужно было, чтобы все остальные умерли. Они просто уничтожали все на своем пути и двигались дальше.

Суть «соломенных людей» заключается в том, что они никогда не остановятся. К тому же учтите, что существуют люди, которые безумны сами по себе.

Хотите знать, на что было похоже последнее сражение с «соломенными людьми»? Представьте себе творения Иеронима Босха и помножьте их на холокост. Они сжигали наши города и земли, наводя на всех такой ужас, что та эпоха породила практически в каждой из культур мифы о преисподней. Цивилизация оказалась отброшена на тысячелетия назад, и в конечном счете в памяти человечества эти события перемешались с другими, также положившими конец целым эпохам — вроде гигантских наводнений, которыми завершился последний ледниковый период.

Вот почему легенда об Атлантиде заканчивается потопом. Вспомните еще и Ноев ковчег. И по той же самой причине историю Атлантиды ошибочно относят примерно к одиннадцать тысяч шестисотому году до нашей эры, когда по всему миру катастрофически повысился уровень морей. Добавим к этому вулканы и столкновения с астероидами, случившиеся на протяжении многих тысячелетий (привет, Содом и Гоморра). И в итоге получаем миф о катастрофе, растянувшейся на целую эпоху. Разрушения, произведенные «соломенными людьми» по всему миру, были столь ужасающи и необратимы, что в конечном счете их начали приписывать богам — как наказание за неправедную жизнь.

Последние восемь тысяч лет мир приходил в себя после этого апокалипсиса, и примерно три или четыре тысячи лет назад они окончательно ушли в тень. В «Тимее» — первой известной версии древнего мифа об Атлантиде — Платон говорит о «горной меди». Он рассказывает, что ею были покрыты стены города и из нее были сделаны колонны, на которых были начертаны их законы. Выглядит как весьма характерное описание. И знаете почему?

— Доисторические медные рудники на Великих озерах, — сказал Джон.

— Совершенно верно. Это неточная ссылка на точный факт. «Соломенные люди» основали свои рудники в Америке, территории, которую они объявили своей собственностью. Факт верен, неверна эпоха — поскольку, если помните, Платон писал примерно в четвертом веке до нашей эры, через два тысячелетия после того, как здесь началась добыча меди, и через целых пять тысячелетий после войны. Путаница началась уже тогда. Да и вообще, Уорд, это же очевидно. Как было названо водное пространство, позволявшее логову «соломенных людей» существовать на безопасном удалении от Европы? Атлантика.

— Это просто совпадение. Или...

— Ни о каких совпадениях не может быть и речи. Большинство существующих в мире мифов, вплоть до вампиров, оборотней и демонов, являются попытками постичь эту бесконечную борьбу. Они напоминают нам о том, что есть те, кто подстерегает нас ночью, кто преследует нас с целью уничтожить. Христос не изгонял демонов в буквальном смысле этого слова. Это лишь кодовая фраза, включенная в текст Библии, отмечающая факт создания церкви с целью защиты от «соломенных людей», истинных демонов, являющихся врагами всего человечества.

Последовала пауза, в течение которой я пытался переварить услышанное.

— Значит, насколько я догадываюсь, вы на самом деле вовсе не работаете на ЦРУ?

— Почему же, работаю. Способ не хуже других для того, чтобы внедриться во всемирное подполье. Но — да, это всего лишь прикрытие. Я работаю на масонов. Неофициально я поддерживаю связь с организацией «Богемская роща» и время от времени пытаюсь взаимодействовать с иезуитами. Главная цель всех этих людей, даже Бильдербергского клуба — хотя в наше время они действительно превратились в презренных глобалистов и пытаются править миром у всех за спиной, — стабильность. Самое же главное заключается в том, что они даже не понимают, в чем их истинное предназначение. Каждый из них считает, что участвует в этом лишь ради денег и власти. Но подлинная цель всей структуры состоит в том, чтобы создать барьер на пути «соломенных людей».

— Значит, даже члены тайных обществ не знают, чем на самом деле это тайное общество занимается? — Я покачал головой. — Фантастика.

— Им незачем что-либо знать. Это просто работает. Вы не можете помешать тому, о чем вам неизвестно. Как сказал Гераклит — да, он был одним из нас, — скрытая связь всегда сильнее, нежели очевидная.

Я посмотрел на Зандта:

— Что мне в Карле нравится, так это то, что с его помощью ваши слова даже приобретают некий смысл.

Зандт сидел, уставившись в стол, с видом человека, которого наконец реабилитировали, хотя подобного он не мог даже ожидать.

— Не слышу ничего такого, во что я не мог бы поверить.

— Джон, ты готов поверить во что угодно.

Унгер крепко сжал мое плечо:

— Уорд, вы думаете, это случайность, что Римская империя официально приняла христианство, как только почувствовала, что теряет былую силу? Конечно нет. Это была преднамеренная передача власти по договоренности с императором Константином и его матерью. С целью сохранения структурного наследия Римской империи была создана Римско-католическая церковь, точно так же, как до этого сама она унаследовала структуру общества греков и египтян.

У истоков церкви стояли тайные властители того времени, так же как их современные аналоги — у истоков Европейского союза. Как и любые человеческие сообщества, церковь в конце концов утратила влияние, но в самом начале апостол Павел увидел в учении иудейского мятежника потенциал для создания международной организации и оказался прав.

Централизованная власть распространялась через более мелкие ее подразделения, которые сажали в каждом населенном пункте священника, докладывавшего о положении дел центру. Католическая церковь формировала жизнь Европы в течение последующих полутора тысячелетий, неустанно следя за любыми признаками деятельности «соломенных людей».

Общество масонов возникло на основе ордена рыцарей-тамплиеров, одного из сообществ, которое пошло на разрыв с церковью, когда она начала терять свое могущество. Однако церковь была еще достаточно сильна для того, чтобы подавить тамплиеров под предлогом борьбы с катарской ересью, и они тайно преобразовались в общество масонов, которое продолжает действовать и до сих пор, восемьсот лет спустя.

Почти никто из нынешних масонов не догадывается, что их организация не просто один из закрытых клубов. Лишь трое ее членов, имеющих высшую, тридцать третью степень, знают истинную цель.

Продолжающееся соперничество между масонами и церковью вызвано тем, что и та и другая организации были созданы — в разное время и очень разными людьми — для борьбы с одной и той же угрозой. Церковь, успевшая основательно разжиреть за счет своих доходов, не желала никому передавать бразды правления, и именно поэтому междоусобная война между двумя организациями продолжалась в течение пятисот лет.

В мире нет места такому количеству тайных элит, когда они сражаются за одни и те же сердца, умы и деньги. И особенно когда они забывают о том, для чего в первую очередь существуют. Да, масоны имеют к этому непосредственное отношение, так же как и Трехсторонняя комиссия, Банк международных расчетов, «Ла-Дефанс», «Эль-Рашджид», «Юм-пек» и прочие, о которых вы, хотелось бы надеяться, даже не слышали. Лишь один человек в каждой из этих организаций знает правду помимо троих масонов. Мы — те, кто стоит между этим миром и «соломенными людьми».

Неожиданно он показался мне очень уставшим.

— Все дело в том, что им постоянно удается нас обойти — из-за того, что рано или поздно мы становимся чересчур алчными и забываем о своем предназначении, так же как со временем забываются события прошлого.

Да, конечно же, Христос учился в Китае, и да, сбежал во Францию после распятия, и, само собой, оказался в конце концов в Кашмире, где и умер. Кого волнует подобная чушь? Суть не в этом. Христос был всего лишь еще одним хорошим парнем, так же как Мухаммед, Будда или Джимми Стюарт. Таких много.

Мы же должны противостоять «соломенным людям». Все остальное не имеет значения. В этом состоит смысл жизни. Долгое время мы действовали наобум, но теперь наконец появились современные технологии. Однако с появлением Интернета мы не можем больше помешать «соломенным людям» объединять свои усилия. Они лишь сильнее ненавидят нас. И ничего с этим не поделаешь.

Он откинулся на спинку стула.

Некоторое время все молчали.

— А НЛО? — спросил я. — Какое они имеют ко всему этому отношение?

— Их не существует, Уорд. Не будьте идиотом.

Напрасно считают некоторые, что я не воспринимаю новые идеи. Минут пять я пытался обдумать все сказанное Карлом, в основном чтобы понять, сможет ли оно хоть как-то помочь мне в поисках Нины. Пришел к выводу, что не сможет, и решил, что все это мне не особо интересно. Когда я снова врубился в происходящее, Джон и Унгер все еще были поглощены разговором.

— Что, собственно, было в тех файлах?

— В основном контракты, — ответил Джон. — У Райана Худека, похоже, дела шли не лучшим образом, и все говорит о том, что Дравецкий активно помогал ему в бизнесе. В качестве некоей услуги.

— Или платы, — сказал Унгер. — Думаю, вчерашняя бомба в Лос-Анджелесе была лишь разминкой.

— Перед чем?

— Не знаю, но...

Неожиданно у меня в голове словно вспыхнула лампочка. Я посмотрел на них.

— Вот почему они устроили побег Полу.

Оба повернулись ко мне.

— А вы подумайте, — возбужденно предложил я. — Полгода назад Пол вышел из-под контроля и стал проблемой для «соломенных людей». Помните, Дравецкий послал в лес нескольких парней, чтобы те его убили? А теперь они идут на захват бронированного автомобиля лишь ради того, чтобы его освободить? Зачем им это нужно?

— Он все о них знает, — выдвинул версию Джон. — Они хотели убрать его на случай, если он попытается их выдать в обмен на более мягкий приговор за убийства Джонс и Уоллес. И они от него избавились.

— Он бы их не предал, и они это знали. Так же, как знаешь это и ты. Ты ведь не считаешь его мертвым — иначе не болтался бы тут вместе со мной. Если бы им было нужно, чтобы его убили, его могли прирезать в «Пеликан-Бей» по одному телефонному звонку. Он им нужен. Это единственный осмысленный вывод.

Джон некоторое время молчал, затем вид у него стал таким, словно его стукнули по затылку.

— Что? — спросил Унгер.

— И как вы еще об этом не догадались? Этот самый День ангелов — имеется в виду Лос-Анджелес. День ангелов в Городе ангелов.

Унгер уставился на него:

— Они собираются атаковать Лос-Анджелес?

— Пол хорошо знает город, — сказал я. — Возможно, именно там он впервые начал убивать. И уж точно там он похищал жертвы для «соломенных людей». Джессику Джонс он тоже убил именно там.

— Дравецкий, Худек и как минимум еще четверо живут или жили в этом городе, — напомнил Джон. — У них достаточно влияния в тамошнем ФБР, чтобы Нину в начале этого года отстранили от работы.

Я встал, глядя на парковку. Внутри у меня все похолодело от страха.

— А четыре дня назад Нина, я и один агент ФБР, которому мы пытались обо всем этом рассказать, — Чарльз Монро, тоже из Лос-Анджелеса, — отправляемся на другой конец страны, чтобы расследовать преступление, похожее на дело рук серийного убийцы. Два дня спустя Нина исчезает. Я звоню Джону, и он тоже оказывается здесь. Мы все теперь вместе, и все мы не там, где нужно.

Джон и Карл уже стояли.

— Пора, — сказал Карл. — В течение часа я найду местный аэродром и организую для нас самолет. Джон, у вас есть адрес Райана Худека?

— Да. Но полиция Лос-Анджелеса наверняка уже там.

— Послушайте... — начал я.

— Конечно, — ответил Унгер Джону. — Но они лишь расспросят родителей о том, где может быть их сын, и оставят их в покое. Кто станет подозревать их в причастности к тому, что совершил парень?

— Вы можете сделать так, чтобы они не вышли из дома?

— Могу попробовать.

— Я не полечу в Лос-Анджелес, — сказал я.

Зандт раздраженно повернулся ко мне:

— Уорд, ты хочешь сказать...

— Я знаю, что говорю.

Карл стоял, приложив к уху телефон и глядя на меня бесстрастным неподвижным взглядом фанатика. Мысленно они с Джоном были уже за дверью.

— Уорд, это не слишком трудное решение. И всего лишь одно из многих.

— Я не люблю выбирать. И всегда буду поступать так. А все остальные меня просто не интересуют.

Джон посмотрел на меня и покачал головой.

Я прошел мимо него и мимо кабинок, которые начали заполняться людьми, пришедшими выпить первый за сегодня бокал и съесть сэндвич. Шагал я быстро, чувствуя, как во мне нарастает злость, и, выходя из дверей, едва не сбил с ног какого-то типа в дешевом костюме. Он даже не взглянул на меня.

Подходя к машине, я услышал, как кто-то окликнул меня по имени. Обернувшись, я увидел Хейзел, выходившую из автомобиля на другой стороне парковки. Я чувствовал, что любое промедление может остановить меня навсегда, но все же помахал ей. Она помахала в ответ. Потом я завел двигатель и выехал на дорогу.

Через полмили зазвонил мобильник. Я достал его, ожидая, что это Джон или Карл, в тщетной надежде, что они решили оставить проблемы Лос-Анджелеса тамошней полиции. Но это оказался Монро.

— Где вы? — спросил он.

Голос его звучал очень сосредоточенно.

— Еду в центр Торнтона. Что случилось?

— Подъезжайте к полицейскому участку, я там. Кажется, мы кое-что нашли.

ГЛАВА 32

Выскочив из машины рядом с полицейским участком, я вбежал внутрь. Монро беседовал с каким-то офицером, которого я никогда раньше не видел. Мне он сразу же не понравился, даже с расстояния в десять ярдов. Прервав разговор, Чарльз направился прямо ко мне. Полицейский бросил в мою сторону полный профессионального превосходства взгляд.

Мы вышли на улицу.

— Это ваша машина?

— Да. Кто этот тип, с которым вы разговаривали?

— Шериф одного городка по другую сторону от Оуэнсвилла.

— Что он тут делает?

— Честно говоря, не знаю. Но он, похоже, куда больше информирован, чем местные.

— Что не так уж и удивительно.

— Верно. Но наконец хоть какая-то польза для нас. Джулия Гуликс заявила Рейделу, что приехала жить в Торнтон шесть лет назад, — и это совпадает с тем временем, когда она сняла здесь квартиру и поступила на работу в Оуэнсвилле. Однако она также сказала, что родилась и выросла в Боулдере.

— И?..

— Она солгала. Последние полтора дня мы пытались отыскать там любые ее следы, но ничего не нашли. Нет сведений ни о рождении, ни об учебе, ни о работе — ничего.

Полчаса назад один полицейский из Торнтона наконец наткнулся на сведения о девушке по имени Джейн Гиллан, которая родилась и ходила в школу в Драйфорде.

Судя по всему, для Монро это значило очень многое. Однако у меня его слова не вызвали никаких ассоциаций.

— Драйфорд? Тоже в Колорадо?

— Нет. Примерно в шести милях отсюда, по другую сторону того самого леса, где были найдены второй и третий труп.

Я открыл рот и тут же снова его закрыл.

— Вот именно, — сказал Монро. — Так я и думал. Так что поехали.

Дождавшись, пока мы выедем на дорогу, я спросил:

— И что у вас есть по этой Гиллан?

— Не слишком много, но достаточно. Последнее, что нам о ней известно, относится к тому времени, когда ей было двенадцать. Отец Джейн Гиллан умер в тысяча девятьсот девяносто втором году при слегка подозрительных обстоятельствах, и именно они навели здешнего полицейского на мысль, что тут может существовать некая связь. Однажды ее отец напился пьяным, упал с лестницы и сломал себе шею. В тот момент дома не было никого, кроме его маленькой дочери. Якобы, вернувшись домой, мать обнаружила мертвое тело в коридоре и Джейн, сидевшую за уроками на кухне. Уолтер Гиллан был отъявленным алкоголиком и расистом, к тому же, как многие знали, регулярно избивал жену, так что никто не стал прилагать особых усилий к расследованию того, что могло и вовсе не оказаться преступлением. Сразу же после случившегося его жена и дочь уехали из Драйфорда, и о них больше никто ничего не слышал. Однако в тысяча девятьсот девяносто восьмом году в Торнтон переезжает женщина по имени Джулия Гуликс.

— Не слишком-то она опытна.

— В смысле?

— У нее самые рыжие волосы в мире, но ей не приходит в голову их скрыть, когда она встречается со своей второй жертвой в «Мэйфлауэре». Она считает достаточно удачной мысль о том, чтобы оказаться в числе обнаруживших тело Уидмара, в то время как в результате лишь облегчает вам задачу. Она выбирает себе новое имя с теми же инициалами, что и настоящее, — ради чего?

— Подобное постоянно случается с беглецами или обычными людьми, решившими начать жизнь сначала. Так легче подписывать чеки и узнавать свое новое имя, когда впервые слышишь его от других.

— Я бы на ее месте рискнул и ушел в чуть более глубокое подполье.

— Не все убийцы — профессионалы, и лишь немногие вообще в достаточной степени умны. Они далеко не всегда думают о будущем.

— В таком случае стоит задуматься о том, скольких серийных убийц удается поймать с первого же раза, прежде чем у них появится шанс войти во вкус.

— Об этом мне сейчас совершенно не хочется думать. И точно так же мне не хотелось бы умереть до того, как мы туда доберемся, так что не могли бы вы ехать помедленнее?

Я действительно замедлил ход, но лишь для того, чтобы проехать перекресток напротив «У Рене». Но стоило мне выехать на дорогу, ведущую через лес в Драйфорд, я снова вдавил педаль до упора, не обращая внимания на побелевшие костяшки пальцев Монро.

— У меня есть адрес, по которому жила Гиллан в детстве, — сказал он, не глядя на проносящиеся мимо деревья. — Однако это никак не объясняет, что произошло после того, как Гуликс уже сидела за решеткой.

— Видимо, был кто-то еще, — заметил я. — Помните, когда Джон спросил ее про руки? «Объясните хотя бы, что это за история с отрубленными руками». И именно тогда она начала терять голову.

Монро покачал головой, не вполне понимая, к чему я клоню.

— Она не знает, — пояснил я. — Она ничего не знает о том, что это за история с отрубленными руками. Когда-то давно она увидела нечто страшное. Возможно, она пыталась кому-то об этом рассказать, но ее побили или накричали на нее, и событие отпечаталось у нее в памяти так, что она не может о нем забыть. А сейчас она изображает чей-то чужой психоз, но ей это не удается, поскольку сама она на самом деле полностью нормальна.

— И тем не менее она убила двух человек.

— В самом деле? Так же как и та женщина из Джеймсвилла, которую знала Нина, та самая, которая убила надругавшихся над ней мужчин? Всегда ли убийство — самый худший поступок? Независимо от того, что ему предшествовало?

— Ни Уидмар, ни тот неизвестный, насколько мы знаем, не причинили Гуликс никакого вреда.

— Да. Но кто-то наверняка причинил.

Драйфорд оказался маленьким, высохшим от старости городком, который, казалось, сам удивлялся тому, что до сих пор существует. Дорога из леса упиралась под прямым углом в Мейн-стрит. Через два поворота мы выехали на Джефферсон-авеню, длинную узкую улицу, по обеим сторонам которой изредка встречались маленькие домики. Примерно в ста ярдах от ее конца Монро велел мне остановиться возле дома номер двадцать три.

Мы посмотрели в окно на выкрашенный в желтый цвет деревянный дом. Он был не слишком большим, но выглядел хорошо ухоженным.

— Что, собственно, мы надеемся тут выяснить?

— Что угодно, Уорд. Все, что сумеем.

Мы вместе прошли по дорожке к двери, и Монро нажал кнопку звонка.

Нам открыла женщина средних лет. Монро спросил ее, как давно она живет в этом доме, и услышал в ответ, что восемь лет. Он обнаружил, что ни она, ни ее муж не имеют никакого отношения к семье Гиллан и вообще никогда о них не слышали. К счастью, ему хватило такта не упоминать, что один из членов той семьи умер, свалившись с лестницы, видневшейся за спиной женщины. В последнее время никто не проявлял к ним необычного интереса — за исключением, естественно, нас, — и хозяева дома не замечали ничего странного по соседству. Собственно, она вообще не имела никакого понятия, о чем мы говорим. В подобной ситуации у нас не было оснований попросить ее дать нам осмотреть дом и двор. Что мы могли там найти?

Мы поблагодарили женщину и вернулись к машине. Остановившись, я посмотрел в ту сторону, откуда мы приехали, и на минуту задумался.

— Интересно, как далеко пришлось бы идти отсюда до леса? — спросил я. — Маленькой девочке, которой позволено бродить, где ей вздумается?

— Не особо далеко, — заметил Монро. — Но можно ведь пойти и в другую сторону, на восток.

— Верно, — согласился я, поворачиваясь и глядя в другую сторону. — Сходим посмотрим?

Мы дошли до конца дороги. По другую сторону больших ворот шла под уклон в сторону леса широкая лужайка, которую пересекала неровная тропинка.

— Можно пройти и здесь, — сказал я.

— Не слишком-то короткая прогулка.

— Подозреваю, вы удивитесь, если узнаете, как далеко может уйти ребенок, если он не чувствует себя в безопасности дома. А если пойти по этой тропинке, то окажешься совсем рядом с тем местом, где нашли труп и рубашку.

— Так что, возможно, теперь мы знаем о Гуликс несколько больше, чем раньше. — Монро потер лицо руками. — Но что дальше?

— Ничего. Тупик. В очередной раз.

Повернувшись, я направился обратно к машине, но, пройдя десять ярдов, остановился и посмотрел на дом у самого конца дороги.

Монро обернулся ко мне:

— Что такое?

Как и в большинстве подобных городков, чем дальше от центра располагались дома, тем менее ухоженными они казались. Драйфорд едва можно было назвать городом, и данный эффект проявлялся здесь лишь сильнее. Дом номер двадцать три находился в двух минутах ходьбы отсюда и выглядел чистым и опрятным, чего нельзя было сказать о доме в конце улицы, отгороженном от нее воротами. Он был несколько больше, чем остальные, но казался давно заброшенным. Вдоль стены теснились деревья. Просторный двор, примерно сто на пятьдесят футов, полностью зарос высокой травой и кустами. Казалось, будто в этом доме уже много лет никто не живет.

Однако прямо перед домом стоял белый фургон без окон.

— Я уже видел раньше похожий фургон, — сказал я.

— Их можно увидеть где угодно, — невозмутимо заметил Монро. — У моего шурина есть такой. Он австралиец и называет его «комби».

Я покачал головой:

— Я видел именно этот несколько дней назад. Я уверен.

Монро понял, что я говорю серьезно, и встал рядом со мной.

— Не помните где?

— Где-то в Торнтоне... Да. На улице неподалеку от полицейского участка, в тот вечер, когда пропала Нина. Я думал, это первые репортеры, прибывшие освещать арест Гуликс.

— Вы уверены, что это тот самый фургон?

— Уверен.

— Возможно, это просто кто-то из местных. Я могу проверить номера.

— Не важно, — сказал я, идя к воротам. — Я намерен взглянуть на этот дом.

Я открыл ворота, наблюдая за домом в поисках каких-либо признаков реакции на наше появление. Дом казался мертвым, окна на верхнем этаже выглядели темными и пыльными. Трава по другую сторону ворот была примята колесами. Мы пересекли двор, слыша шелест длинных стеблей, и, остановившись посередине, огляделись. Позади у дороги в кроне дерева послышался щебет какой-то птицы.

— За последние несколько дней фургон не один раз выезжал отсюда.

— Но если его хозяин здесь живет, — сказал я, — и ездит туда-сюда каждый день, то каким образом здесь смогла вырасти столь высокая трава?

Монро немного подумал и полез в карман. Достав пистолет, он проверил его. Я сделал то же самое.

— Будем осторожны, — сказал он.

— Не хотите вызвать помощь?

— Против кого?

Он улыбнулся, и я понял, что на самом деле он хотел бы вызвать подмогу, но знал, что с его стороны это будет выглядеть проявлением трусости. Он хотел доказать самому себе, что он все еще в форме, после того как в него стреляли в начале года. И что Нина тоже многое для него значит.

— Ведите, шеф, — пошутил я. — Я слышал, именно так говорят по телевизору.

Он направился прямо к входной двери. Я пошел за ним, внимательно глядя по сторонам, но ничего не увидел, кроме очередных отвалившихся досок и буйной растительности. Либо владелец дома не любил заботиться о своем хозяйстве, либо недавно вернулся после достаточно долгого отсутствия.

Я поднялся следом за Монро на крыльцо. Окна справа от двери были покрыты пылью и затянуты изнутри паутиной. Я встал у стены, готовый быстро действовать, если потребуется. Монро протянул руку и постучал.

Ответа не последовало. Он постучал снова. Ничего.

Осторожно взявшись за ручку, он повернул ее. Дверь со щелчком открылась. Он придержал ее, чтобы она не распахивалась слишком широко.

Он посмотрел на меня. Я понял: либо внутри кто-то есть и не отвечает на стук, либо дом пуст.

Я кивнул.

Монро открыл дверь, а я отошел от стены. Ничего страшного не произошло, и я осторожно последовал за ним, тихо прикрыв за собой дверь.

Я прислушался.

Впереди виднелся темный коридор, открытые двери по обеим сторонам которого вели в жилые помещения. Монро кивнул мне на одну из них, а сам шагнул в другую, вытянув руку с опущенным вниз пистолетом. Не знаю, что увидел он, но комната, в которую заглянул я, вся была покрыта толстым слоем пыли, однако мебель стояла на месте, и на стенах висели картины. Шкаф у дальней стены был заполнен книгами — старыми романами и математическими трудами.

Вернувшись в коридор, мы двинулись дальше, стараясь не скрипеть половицами. Еще несколько комнат — столовая, небольшой кабинет, — выглядевших примерно так же. Большую кухню в задней части дома тоже, видимо, последний раз убирали много лет назад. Никаких признаков вандализма. Либо местные ребятишки были удивительно хорошо воспитаны, либо этот дом внушал им страх.

Переглянувшись, мы с Монро прошли за угол к лестнице, ведущей на верхний этаж. Я ждал внизу, пока он осторожно поднимался наверх, прижимаясь спиной к стене и выставив перед собой пистолет. Когда он добрался до верха, я двинулся следом.

Наверху располагались три спальни. Разделившись, мы осмотрели их. Во всех до сих пор стояли кровати. На одной отсутствовал матрас. В середине этой комнаты стояло деревянное кресло, а на полу лежал абажур от лампы. Вокруг лежали трава и листья.

Когда я снова вышел в коридор, Монро все еще обследовал другую спальню. Я проверил ванную, столь же пустую и пыльную, как и все остальное, и, выйдя из нее, уже успел слегка расслабиться, когда вдруг мне показалось, будто я что-то слышу.

Звук доносился из той комнаты, где я уже был. Оттуда, где стояло кресло.

То ли сопение, то ли тихий звук рвущейся материи?

Я выпрямил руки, подняв пистолет чуть выше, и, бесшумно подойдя к двери в комнату, остановился рядом.

И увидел небольшую тень, скользнувшую вдоль стены.

Монро вышел из главной спальни. Я быстро поднял руку, выставив указательный палец. Он застыл как вкопанный. Я показал на комнату. Он коротко кивнул.

Я шагнул в дверь, направив пистолет в дальний угол, затем быстро развернулся, описав стволом дугу вдоль дальней стены. Сделал еще шаг и, опустившись на одно колено, неуверенно заглянул под кровать, ту самую, что без матраса. В комнате никого не было.

Я повернулся к стоявшему у двери Монро:

— Вы что-нибудь слышали?

— Нет. А что?

Я покачал головой:

— Ничего. Не важно.

Я медленно выдохнул. Казалось, вокруг меня дышит весь дом.

Мы снова спустились по лестнице, еще раз осмотрели комнаты и вернулись в кухню.

— Похоже, снова пустышка, Уорд.

— И тем не менее это тот самый фургон, который я видел. Тот факт, что дома никого нет, ничего не меняет.

— Но и полезного тоже ничего не дает. Мы...

Неожиданно он замолчал, глядя куда-то за мое плечо. Повернувшись, я увидел неприметную дверь в стене кухни.

— Шкаф?

— Не думаю, — ответил он, снова понизив голос. — Она находится прямо под лестницей.

Я взялся за ручку двери. За ней оказалась темнота. Потянуло холодным воздухом. Просунув в дверь руку, я поискал выключатель, нашел его и включил.

Деревянная лестница вела в подвал.

Мы спустились вниз. Подвал представлял собой большое прямоугольное пространство, совершенно пустое. Я уже собирался повернуться, чтобы снова подняться наверх, но Монро остановил меня.

— Подождите. Взгляните на пол.

В резком свете единственной лампочки для любого, кто знал, что искать, становилось очевидно, что пыль и грязь на полу распределены не равномерным слоем, но лежат большими неровными завитками, словно кто-то здесь недавно судорожно извивался, не имея возможности нормально двигаться.

Повинуясь некоему импульсу, я опустился на одно колено и мягко коснулся рукой пола, уставившись на него и прислушиваясь.

Монро переместился чуть дальше и занимался чем-то похожим.

— Ну что ж, — сдавленно проговорил он. — Кое-что мы все-таки нашли.

Я неохотно поднял взгляд:

— Что?

— Едва заметное кровавое пятно. Кто-то основательно постарался, пытаясь его затереть. Однако здесь есть и следы летучих жирных кислот. Как будто в течение некоторого времени здесь лежало чье-то тело.

— Живое или мертвое?

— Только что умершее, — ответил он. — Похоже, мы нашли, где Гуликс держала свою первую жертву, прежде чем срезать с нее плоть.

— Думаете, эти следы в пыли — от нее?

Мне не хотелось услышать утвердительный ответ, и он это понял.

— Не знаю, Уорд. Но скорее всего, да. Возможно, этот дом имеет непосредственное отношение к Гуликс. Но ничто конкретное не связывает его с Ниной.

— Но фургон появился здесь уже после того, как ее посадили в камеру.

Он задумался.

— Верно. Пойдем посмотрим.

Он начал подниматься по лестнице. Слегка задержавшись, снова посмотрел на пыльные следы на полу. Могла ли их оставить Нина? Разве я не был способен ощутить присутствие той, кого любил, даже если здесь ее уже не было? Разве не для этого существуют чувства? Я пытался, но не мог сказать ничего определенного. Я чувствовал в этом доме нечто странное, но не мог понять, было ли это оставшимся после нее эхом.

Я направился к лестнице, но сам не знаю отчего вдруг протянул руку и слегка толкнул висящую лампочку. Лампочка начала неровно раскачиваться, отбрасывая свет под разными углами. Пятно, на которое обратил внимание Монро, стало более отчетливым, и я невольно подумал: а действительно ли тело было мужским, или же оно принадлежало женщине и появилось здесь несколько позже?

И тут что-то блеснуло у дальней стены.

Я быстро шагнул в ту сторону сквозь густые покачивающиеся тени. Присев, я начал шарить вокруг руками. Мои пальцы наткнулись на что-то острое, и я схватил это.

Это был браслет. Дешевые посеребренные колечки с вкраплениями бирюзы. Цепочка была порвана, словно от резкого рывка, как будто за что-то зацепилась.

Однако браслет не потускнел и, значит, лежал здесь не многие годы. К тому же он очень напоминал тот, купленный Ниной за шесть долларов в маленьком городке, который мы проезжали во время одного из наших бесцельных путешествий к востоку от Шеффера.

Я вовсе не был уверен в том, что это именно он. Вовсе нет. Но неожиданно очертания в пыли показались мне очень знакомыми.

Я бросился вверх по лестнице, зная, что вряд ли моя находка окажется достаточным доказательством для Монро, но впервые за два дня я почувствовал, что Нина где-то рядом.

Выскочив на крыльцо, я остановился как вкопанный. Посреди двора лежало что-то большое, наполовину скрытое в высокой траве.

Пистолет снова оказался у меня в руке. Я шагнул вбок, стараясь разглядеть, что же это такое. Бросив взгляд на фургон, я негромко позвал:

— Чарльз? Где вы?

Ничего, кроме шелеста листвы в кронах деревьев. Я быстро развернулся в другую сторону, но там тоже ничего не было видно или слышно.

Осторожно спустившись с крыльца, я направился к тому, что лежало в траве, держа пистолет наготове, пока не узнал цвет костюма.

Передо мной лицом вниз лежал Монро. Он не шевелился. Трава вокруг него была забрызгана красными пятнами, напоминавшими крошечные цветы.

Я быстро перевернул его на спину. Кровь была повсюду. Глубокие прямые разрезы тянулись по его лбу, лицу и шее, обнажив мышцы и осколки костей. Сквозь дыру в щеке виднелись белые зубы.

Его челюсть медленно отвисла вбок, выпустив изнутри темный сгусток, и я услышал его последнее слово: «Простите».

Я позвал его по имени, но глаза Монро уже ничего не выражали.

Я упал рядом с ним на колени, не зная, как быть и кто это сделал. Протянув руку, я попытался нащупать на шее пульс, но безуспешно. Человека по имени Чарльз Монро больше не существовало, передо мной лежала лишь оболочка, мертвое тело, оказавшееся в тысяче миль от дома.

Послышалось громкое шуршание травы.

Я поднял взгляд...

С левой стороны дома ко мне бежал рослый мужчина с громадным ножом в руке.

Быстро развернувшись, я выстрелил, прежде чем успел сообразить, что происходит.

Пуля попала ему в плечо. Я попятился назад, с трудом пытаясь подняться на ноги.

Незнакомец продолжал бежать, и ему вполне могло хватить сил для удара. Продолжая отступать, я выстрелил ему в бедро. Он пошатнулся, упал и покатился по траве.

Я подбежал к нему, не давая никаких шансов подняться, и начал топтать его руку, пока нож не выпал из нее. Подобрав нож, я зашвырнул его как можно дальше в траву.

Отойдя на расстояние вытянутой руки, я направил пистолет ему в лицо. У незнакомца были седые волосы, лицо и руки забрызганы кровью.

— Отвечай, кто ты, — приказал я. — И где она?

Он ошеломленно уставился на меня.

— Это ты, — пробормотал он. — Это опять ты.

— Ты меня не знаешь.

— Это опять ты.

— Не знаю, о чем ты, и я не...

— Просто покончи с этим. Прошу тебя.

— Не беспокойся, я тебя убью. Можешь на это рассчитывать.

Наступив ему на грудь, я со всей силой прижал ствол к его лбу.

— Но сперва ты мне все расскажешь.

———————

Его звали Джим Уэстлейк. Его звали Джеймс Кайл.

Он жил здесь и за двадцать лет убил восемнадцать женщин, заканчивая собственной женой, которую закопал в лесу в пятнадцати минутах ходьбы отсюда. Ее-то и нашли мы с Джоном.

И все пришло к логическому концу. Понятно? К логическому концу.

Тогда он еще не понимал, что о нем давно уже знают те, кто не имел никакого отношения к полиции, но кому прекрасно было известно, почему время от времени без вести пропадают женщины в Оуэнсвилле, Рэкхеме и окрестностях. Они даже знали, где он их хоронил, и подтвердили это.

Некто, кого он называл Прозорливцем, пришел к нему в последнюю ночь его прежней жизни. В самую страшную ночь. В доме больше не было жены, а дочь спряталась, поскольку поняла, что он очень плохой. Она убежала в спальню и забралась под кровать, словно он был ураганом, явившимся, чтобы ее унести.

Прошло всего два дня после похорон жены, и он понимал: теперь нет пути назад и все, что происходило, пришло к своему логическому концу. Опустив Лори в могилу, он посмотрел на небо, и в лунном свете ему привиделась лужица темной крови, висящая в воздухе на высоте в четыре фута по другую сторону озера. Кровь, такая же, как и та, которую он забирал у них всех, кровь его ангелов-женщин, кровь, которую он употреблял в пищу. Руку съесть тяжело, в ней слишком много костей, но кровь оказалась вполне приятной на вкус.

Он попытался преследовать видение, но оно исчезло, скрывшись среди деревьев.

И он покончил со своим занятием. Но что делать дальше? От себя не убежишь. Где один, там и два, а потом все больше и больше. Возможно, если бы не этот город, все могло бы обойтись и Карла осталась бы его первой и единственной жертвой. Но если земля требует, чтобы ты восполнял ее силу, то нет иного выбора, кроме как подчиниться.

Когда однажды ночью твоей любимой становится известна тайна, есть лишь единственный выход.

А потом ты оказываешься в ловушке, вынужденный жить со своей собственной дочерью, которой один лишь твой вид внушает ужас...

— Не понимаю, — сказал он.

Его сотрясала дрожь, побледневшее лицо блестело от холодного пота, искаженное в мучительной гримасе.

— Я же рассказывал ей про грозы и ураганы. Я хотел, чтобы ей было лучше. Я любил ее. Но тем не менее сделал то, что сделал. Просто не понимаю.

— Что произошло потом?

— Когда?

— После того, как ты убил ту, о ком говоришь.

— Пришел ты.

— Я не... ладно. Что я сделал?

— Мы похоронили ее неподалеку, и ты помог мне уничтожить все следы и уехать. А потом воспользовался своими связями, чтобы о случившемся все забыли. Ты заставлял меня убивать для тебя, а потом перестал, и в течение многих лет я ничего о тебе не слышал. Я не убивал. Я фотографировал. Я был как все. Я думал, ты исчез навсегда. С каждым прошедшим годом я пытался представить, будто одним ангелом стало меньше. Я думал, что, возможно, смогу снова вернуться к нулю. Но ты никуда не исчез. Ты всегда рядом. Ты всегда здесь, черт бы тебя побрал.

— Это не я. Это кто-то другой.

— Это ты. Ты выглядишь по-другому, но это ты. Это всегда ты.

— Почему ты вернулся сюда?

— Ты велел мне приехать. Чтобы убить девушку, которая тогда меня видела и которая тоже начала убивать, как и я. Но ее уже арестовали. И... ты хотел, чтобы я сделал для тебя кое-что еще.

— Ты убил полицейского в «Холидей-Инн».

— Да.

— Ты похитил женщину — агента ФБР. И привез ее сюда.

— Только на несколько часов, потом мы уехали. Мы могли ехать сколько угодно, никто бы нас никогда не нашел. Я не собирался... Потом появился ты, и мне пришлось вернуться в свой дом. Так приказал мне ты.

— Кто?

— Ты.

— Это не я.

Я уставился на него:

— Погоди... появился здесь? В Драйфорде? Когда?

— Сегодня утром.

— Пол появился здесь сегодня утром? Один?

Он смотрел на меня расширившимися глазами, похоже только теперь поняв, что я вовсе не тот, о ком он говорил.

— Приехал на машине с каким-то парнем, — сказал он. — Они не знают, кто он такой на самом деле. Они не понимают, что его даже не существует в реальности.

— Где он сейчас?

— Не знаю. Он уехал.

— Когда?

— Два часа назад.

— Нина была с ним?

Джим, или Джеймс, неожиданно попытался приподняться, пытаясь застать меня врасплох. Я пинком уложил его снова на землю.

— Говори, или, клянусь Богом...

— Он забрал ее.

— Она жива?

— Была жива, когда они уезжали.

Я сильнее прижал ствол к голове человека, который был немногим моложе моего отца, когда тот умер.

— Где они? Куда они уехали?

— Не знаю.

— Какая у них машина?

— Большая. Черная.

Я потянул за спусковой крючок, но, посмотрев в глаза лежащего, понял, что он недостоин даже того, чтобы его пристрелить.

Оставив его корчиться в траве, я быстро вернулся к Монро, намереваясь закрыть ему глаза, но тут до меня дошло, что бывают вещи куда худшие, чем взгляд, навсегда застывший на холодном небе и тихо покачивающихся ветвях.

Я повернулся и побежал к машине.

ГЛАВА 33

Происходящее начинало не на шутку раздражать Ли. Он не понимал, что творится. Казалось, все вообще не имеет никакого смысла.

Они усадили женщину в заднюю часть машины, и Пол сел вместе с ней. Окна были затемнены, так что никто не мог увидеть, кто там находится. Пол велел Ли сесть впереди рядом с водителем — коротышкой с густыми бровями и крючковатым носом. Только взглянув на это лицо, становилось ясно, что лучше было бы без крайней необходимости не встречаться с его обладателем. Судя по бесстрастной улыбке, с которой тот встретил Ли, примерно то же самое он думал и о нем самом.

Вернувшись по дороге через лес в Торнтон, они начали кружить по городу. Время от времени у Пола пищал телефон, он бросал взгляд на экран, но не отвечал. Иногда Пол о чем-нибудь просил, машина останавливалась, и Ли отправлялся выполнять поручение. Водитель каждый раз шел вместе с ним и стоял сразу за дверью — вероятно, на случай, если Ли решит сбежать. Подобная предусмотрительность приводила Ли в бешенство. Он не собирался никуда уходить. Он просто хотел, чтобы ему рассказали, что происходит и в чем заключается работа, которую он должен сделать.

Они подъехали к «Старбаксу», и Худеку пришлось постоять в очереди за кофе.

У продовольственного магазина Ли послали за сигаретами.

Потом велели сфотографировать церковь изнутри и полицейский участок снаружи, что он и сделал.

Он купил батарейки в радиомагазине на окраине города и луковые колечки для водителя в закусочной «У Рене» чуть дальше по дороге.

Везде, где он был, к нему относились вполне дружелюбно. Люди улыбались, кивали и желали ему доброго дня, словно рекламируя жизнь в маленьком городке. Однако это отнюдь не разубеждало Ли во мнении, что город этот ему нисколько не нравится.

Наконец они снова вернулись в центр, и машина затормозила возле длинной железной ограды с витиеватыми воротами в середине. По другую сторону тянулась ухоженная лужайка, за которой располагалась школа. На газоне толпились ребята разного возраста, радуясь нескольким лишним минутам свободы на большой перемене. Напротив стояло здание поменьше, в том же стиле. Красивая вывеска сообщала, что это детский сад.

Пол велел Ли сесть сзади. Худек обошел машину кругом и открыл дверцу. Женщина сидела там же, где ее оставили, со связанными руками и ногами. Ли посмотрел ей в глаза и подумал, что для своего положения она выглядит удивительно бесстрашно.

— Вы хотите, чтобы я ее убил?

Пол взглянул на него, подняв брови:

— С чего ты взял?

— Чтобы скрепить наш союз кровью или вроде того.

— Нет, о подобном я даже не думал. Впрочем, в рукопашной схватке с ней я бы поставил на ничью. В лучшем случае.

— Тогда что?

Пол протянул руку за сиденье и, достав маленькую черную сумочку, напоминавшую футляр для карманного компьютера или CD-плеера, подал ее Ли. Внутри оказались четыре маленьких флакона с таблетками.

— Что это? — спросил Ли, глядя в окно на школу. — Вы хотите, чтобы я пошел продавать им наркотики?

— Нет, чтобы ты раздал их бесплатно.

Ли уже собирался сказать, что в сарказме не нуждается, но потом понял, что Пол не шутит.

— Зачем?

— Для затравки.

— Это и есть та самая важная работа, которую вы мне подыскали?

— Просто разминка, Ли. Я вернусь через час, и мы приступим к главному уроку на сегодня.

Ли вышел и некоторое время смотрел вслед удаляющейся машине.

Он знал, что должен выполнить просьбу — приказ? — но его терпение уже начинало заканчиваться. Такое поручение явно не стоило всего того, через что пришлось пройти, всей его одним махом перечеркнутой жизни. Ему хотелось сделать карьеру, добиться известности. Вплоть до прошлой недели он шел в верном направлении, по прямому пути, разработанному им самим. У него была команда. У него были друзья. У него была жизнь. У него был план.

Он был лидером.

Некоторое время Ли в нерешительности стоял на тротуаре, понимая, как ему сейчас не хватает Брэда. И Сони Пита тоже, и еще нескольких, но главным образом Брэда, даже несмотря на все еще болевшие после их драки ребра.

Брэд был старым другом, а у Ли никогда не имелось слишком много друзей. Брэд иногда между делом говорил нечто такое, к чему Ли в конечном счете прислушивался, хотя и никогда не осознавал этого столь остро, как сейчас. Он жалел, что теперь никто не скажет: «Ну и дерьмо же все это, чувак» или «Странно, конечно, но давай попробуем».

Он не услышит больше болтовню Пита о потайных комнатах в какой-нибудь видеоигре и не увидит Карен, идущую по другой стороне улицы. Ли жалел, что не приложил никаких усилий после той единственной ночи, которую они провели вместе. Тогда он чувствовал себя крайне неловко, и его естественная реакция была — не звонить. Он даже не предполагал, что ему снова хочется ее видеть, пока не стало слишком поздно и она не ушла к Брэду. Да и отец всегда любил говорить, что в одну и ту же реку не войдешь дважды.

В какой-то момент Ли даже подумал о том, не позвонить ли домой, чтобы поговорить с родителями. Просто спросить: «Я не понимаю, что происходит. Что мне делать?»

Но что-то подсказывало ему, что в ответ они лишь вежливо положат трубку. Он больше не был их сыном. Он принадлежал Полу. Он принадлежал к другой, куда более многочисленной семье, и так, возможно, было всегда. На самом деле ему следовало бы задать вопрос: «Что за разговор у вас был на фотографии, которую я видел сегодня утром? Что там произошло? О чем вы договорились? И что получили взамен?

И кем для вас был я?»

В любом случае это ничего бы не дало.

Кто когда-либо понимал, что происходит в жизни его родителей? И понимали ли они сами, что является главным для тебя? Или вы всегда двигались параллельными путями, разнесенными во времени, лишь изредка махая друг другу рукой с расстояния длиной в туманное футбольное поле?

Не важно, решил он. В конечном счете можно идти по жизни и одному.

Расстегнув сумку, он достал один флакон и, отвернув крышку, чтобы легче было извлечь содержимое, сунул его в карман.

Подойдя к воротам, он пробежался взглядом по бездельничающим за оградой школьникам. Они были одеты так же, как и повсюду одеваются ребята их возраста. Он бы ничем среди них не выделялся, о чем Пол наверняка знал. Самое худшее — если какой-нибудь учитель окликнет его и спросит, что он тут делает. Впрочем, всегда можно соврать, что он чей-нибудь старший брат и пришел сообщить о случившихся дома неприятностях. Ли уже приходилось так делать раньше, когда ему было восемнадцать и он лишь начинал свой бизнес. Возможно, Полу было это известно. Возможно, Полу было известно вообще все.

Ли обернулся, услышав знакомый стук маленьких колесиков, и увидел парня, катившегося в его сторону на скейтборде. Он уже собирался помахать пареньку и сразу перейти к делу, но понял, что тот на самом деле чуть старше, чем выглядит, и что его красный рюкзачок кажется странно знакомым. Парень подмигнул, проносясь мимо, и покатился под уклон, скоро слившись с окружающей обстановкой.

Ли повернулся и вошел в ворота.

Вскоре Пол вытащил кляп из ее рта.

— Хочу попросить тебя кое-что для меня сделать, — сказал он. — Возможно, тебе это не понравится, к чему я могу отнестись с уважением, но если ты откажешься — я убью тебя на месте. Другого шанса не будет.

Сейчас, когда Ли не было в машине, манера поведения Пола резко изменилась. Нина поняла, что он лишь играл свою роль перед парнем и что для каждого роль у него была своя. Вероятно, и перед ней он делал то же самое, сам того не осознавая. Он был лишь автоматом, выполнявшим свою задачу.

— Что вы здесь делаете? — спросила она. — В городе, полном ни в чем не повинных людей? Что вам здесь нужно?

— Хочу вернуть его нам, — ответил он. — Разве ты этого не чувствуешь? Не понимаешь?

— Нет. Мне кажется, что это самый обычный город. Возможно, это лишь игра вашего воображения. Вероятно, побочный эффект серьезной болезни.

Он холодно улыбнулся:

— Может быть, и правильно кажется. Есть и другие, такие же, как этот. Места, где мы жили две тысячи лет назад и раньше. Потом мы ушли. Мы любим странствовать. Иногда мы возвращаемся, но всегда уходим дальше. Здесь было полно места до того, как появились остальные. Но когда они пришли, обнаружили здесь каменные сооружения и дороги, то сказали: как здорово, что индейцы оставили нам все это и теперь мы можем строить здесь наши фермы и наши дурацкие маленькие городки. Они даже не понимали, что пользуются тем, что принадлежит другим. Что все это создали мы и для этого у нас были свои причины. Что все это — наше.

— Вам бы и впрямь следовало сесть и поговорить как следует с Джоном Зандтом. У него насчет вас тоже есть своя сумасшедшая теория. Конечно, скорее всего, сперва он захочет вас убить.

— О да, я уже предвкушаю встречу с ним. Мне пришлось приложить немалые усилия, чтобы ее устроить. Хотя разговор будет коротким.

Его телефон пискнул, и он бросил взгляд на сообщение на экране.

— Уже скоро, — сказал он.

Достав из кармана пистолет, он быстро зарядил его и снял с предохранителя.

— Что бы ни было у вас на уме, — заявила Нина, — я этого не сделаю.

— Сделаешь, — спокойно возразил он. — Или я найду способ отослать Уорду твое сердце с запиской, где будет говориться о том, что его жизнь не слишком тебя волновала. Что для тебя куда важнее было играть роль героини. Что ты спала с ним лишь для того, чтобы подобраться ближе ко мне. И что ты делала все это потому, что так предложил тебе Чарльз Монро.

Нина быстро взглянула в окно, пытаясь сосредоточиться на проносящихся мимо домах.

— Это неправда.

— Возможно. Но он никогда об этом не узнает.

ГЛАВА 34

Сперва они мне не поверили. Мысли Унгера явно были заняты чем-то другим, и он с ходу заявил, что, по его мнению, я пытаюсь задержать их в городе, в то время как есть намного более важные дела в ином месте. Мне пришлось кричать в телефон, чтобы уговорить их остаться хотя бы ненадолго. Они согласились ждать лишь двадцать минут. Я гнал до Торнтона так быстро, как только мог.

Когда я вошел в кафе, они с мрачным видом сидели на красном диване у окна, на котором смотрелись совершенно нелепо в окружении нормальных людей. Унгер что-то быстро говорил в телефон. Он повернулся лицом к окну, так что я ничего не слышал, но резкие движения рукой и багровый затылок были красноречивее фраз. Казалось, будто ему с трудом удается убедить собеседника отнестись к его словам всерьез — что, впрочем, меня вовсе не удивляло.

— Что? — спросил Джон. — Что случилось, черт возьми?

Я сел рядом и быстро заговорил:

— Мы нашли дом, где выросла Джулия Гуликс. А рядом — дом человека, которого, судя по всему, она видела за убийством его собственной жены. Джулии тогда было одиннадцать лет. Мы пошли в тот дом и нашли подвал, где сегодня утром находилась Нина. Все остальное время она провела в фургоне. Фэбээровцы никогда бы не нашли ее, обыскивая дом за домом, — похититель постоянно возил ее с собой.

— Спокойнее. — Джон поднял руку.

Я глубоко вздохнул, зная, что должен уговорить его остаться здесь.

— Я подстрелил типа, который похитил Нину, — продолжил я. — И он говорит, что Пол здесь. Здесь, в Торнтоне. Прямо сейчас. С ним какой-то парень и Нина. И два часа назад она была жива.

— Почему ты должен ему верить?

— Потому что он хотел, чтобы я его убил, и я сказал, что сделаю это, если он расскажет мне всю правду.

— И ты его убил?

— Нет. Послал его к черту.

Унгер закончил разговор.

— Рамона сегодня на работе не появлялась, — сообщил он. — Та самая, вместе с которой мы работали над электронными письмами. Домашний телефон тоже не отвечает. И никого из тех, с кем мне нужно переговорить в Лэнгли, нет на месте. Разговор дважды прерывался.

— Что насчет Лос-Анджелеса? — спросил Джон. — Они подготовятся к нашему прибытию?

— Нам придется лететь туда и разбираться самим на месте. По телефону складывается ощущение, будто там сидят сплошные тупицы.

— Это означает «нет», — сказал я. — Они вам не верят, и они правы. В Лос-Анджелесе не должно произойти ничего особенного. Нам нужно...

— Бросьте, Уорд, — отмахнулся Карл. — Мы уже все решили. И у меня есть соответствующие инструкции. Сейчас схожу в туалет, и меня здесь больше нет.

Он встал и быстро прошел в дальний конец зала.

Я повернулся к Джону:

— Ради всего святого...

— Извини, Уорд. Я просто не верю, что Пол здесь.

— Я только что разговаривал с человеком, который...

— ...охваченный манией убийства безумец. Их восприятие реальности ни к черту не годится. К тому же они часто лгут. Тем временем мне снова позвонил Оз Тернер. Он еще раз проверил свой сервер, и неожиданно оказалось, что там полно жесткого детского порно. Он стер всю информацию, выдернул вилку из розетки и убрался подальше за пределы штата. Эти парни всерьез взялись за дело, Уорд. Они готовятся к чему-то по-настоящему крупному. Я просто не понимаю, что сейчас делать Полу в этом городе.

— Потому что здесь мы, — раздраженно ответил я. — Он вовсе не пытался убрать нас с дороги, он собирал нас всех в одном месте. Знаешь, какими были последние слова Монро?

— Вот как? — пробормотал Джон. — Последние слова?

— Да, тот человек убил его, — сказал я, чувствуя, как у меня кружится голова. — Он искромсал ему лицо и шею громадным ножом. Я думал, это и так ясно, исходя из того, что Монро нет сейчас со мной. Пойми, Джон. Чарльза Монро больше нет.

— Господи, успокойся, Уорд. Тебе нужно...

— У нас нет времени.

Вокруг шла обычная жизнь: люди подходили к стойке за очередной порцией кофе, перебирались поближе к телевизору, где шла спортивная передача.

— Последнее, что сказал Монро: «Простите». Ты понял почему?

— Потому что...

Я вскинул руки:

— Ты сам все знаешь. Конечно же знаешь, но не подумал о том, чтобы сказать об этом мне. Когда ты собирался в тот вечер поговорить с Гуликс и мне позвонил Карл, ты предложил мне выйти из машины. Поскольку подозревал, что Монро находится под чьим-то влиянием, что ему велели убедить Нину приехать сюда вместе с ним.

— Да.

— Ты поставил его перед фактом, но он не признался. Однако после этого тебе вдруг никто не стал мешать общаться с подозреваемой в убийстве.

— Я просто сказал Монро, что если тебе придет в голову, будто он привез сюда Нину по чьему-либо приказу или просьбе, то ты, вероятно, убьешь его на месте. Но точно я этого знать не мог. Это было лишь предположение. А тебе я ничего не сказал, потому что...

— ...потому что ты никому не доверяешь и считаешь, будто я чересчур медлителен. Возможно, ты и прав. Но прав оказался я. И где, черт возьми, так долго болтается Карл? Нам пора ехать на поиски.

— На поиски чего? Даже если все это правда, каким образом мы вдруг сумеем их найти?

— Большой черный автомобиль. В городе, где полно пикапов и малолитражек, обнаружить его — не столь уж безнадежное дело. По крайней мере, стоит попытаться. Нужно что-то делать.

Зандт нахмурился:

— Карла и правда что-то долго нет.

Мы подождали еще полминуты, затем встали и прошли в дальний конец зала. Коридор длиной в двадцать футов вел к туалетам. Мы вошли в мужской. Три умывальника, три писсуара, три кабинки. И никаких признаков Карла.

— Странно, — сказал Джон.

— Смылся, — предположил я. — Он был уверен, что ты станешь колебаться, узнав, что Пол в городе, и улетел в Лос-Анджелес без нас.

— Нет. Мы ему нужны. Мы ему верим.

— Нет, это ты веришь. Да и в любом случае — разве Карл не опирается на поддержку всех тайных элит в мире? От масонов до учредителей «Большой восьмерки»? Разве ему не достаточно лишь одного звонка?

— Нет, Уорд. Они понятия не имеют о том, что происходит... Ты разве не слушал, что он говорил?

Джон толкнул дверь первой кабинки. Там было пусто.

— Мы ему нужны, — повторил он.

Вторая кабинка тоже оказалась пуста.

— Мы имеем дело с этими людьми лицом к лицу. Для всех остальных они лишь миф. К тому же отсюда нет выхода. Карл должен был в любом случае пройти мимо нас.

Он толкнул дверь третьей кабинки. Внутри оказался Карл Унгер.

Ноги его были вытянуты, руки висели по швам. Он сидел, прислонившись к бачку, с запрокинутой назад головой. В центре лба виднелась аккуратная дырочка, проделанная малокалиберной пулей, которой оказалось вполне достаточно, чтобы разрушить содержимое черепа, не проделав неприятной дыры в затылке.

Мы инстинктивно отшатнулись, затем снова шагнули в кабинку. Карл был, вне всякого сомнения, мертв.

— Как? — спросил я, чувствуя, что меня охватывает ужас.

Смерть прекрасно знала, где я нахожусь.

— Как... как это могло случиться?

Поспешно закрыв дверь кабинки, мы осторожно вышли в коридор. Джон открыл дверь в женский туалет и вошел внутрь. Я следил за коридором, пока он обследовал помещение. Там никого не оказалось.

Мы убедились, что выхода из коридора нет — он заканчивался сплошной стеной. Попасть в него можно было только через главный вход.

Повернувшись, мы окинули взглядом зал.

Двое седоволосых мужиков о чем-то громко ругались. По двое и по трое сидели молодые мамаши, восхищаясь сделанными в детском магазине покупками, несколько домохозяек в одиночестве читали журналы и поедали клюквенное мороженое, убивая время. Мужчина средних лет что-то писал в блокноте. Двое туристов изучали большую карту. Старая женщина невозмутимо читала местную газету. Никто на нас не смотрел. Казалось, будто все погружены в чей-то чужой счастливый сон.

— Надо отсюда сматываться, — тихо сказал я.

— Да, надо.

Мы быстро прошли через зал, прямо через его теплый, уютный центр, держась рядом друг с другом, на негнущихся ногах. Молодая женщина в пушистом свитере неожиданно рассмеялась, и я, резко повернувшись в ее сторону, едва не выхватил пистолет, но она лишь любовалась ребенком какой-то другой женщины. Где-то вдали шипела и фыркала кофеварка и кричали барменши, требуя новые чашки и соевое молоко, и, как всегда, в достатке было безвредного для здоровья кофе.

Мы вышли на тротуар и обернулись, проверяя, не смотрит ли кто-нибудь нам вслед.

Никто даже не бросил взгляд в нашу сторону, словно нас вообще тут не было. Мы быстро направились вверх по склону холма, сунув в карманы руки с зажатыми в них пистолетами.

Джон не смог удержаться от того, чтобы не оглянуться.

— Что же там все-таки произошло?

— Ты не заметил никого, кто вел бы себя странно?

— Нет. Но я и не рассчитывал увидеть что-либо странное. Это же чертов «Старбакс».

— Наверняка это Пол.

— Что, он прошел прямо рядом с нами, таща Нину за волосы? Нет. Уж это-то я бы наверняка заметил.

— С ним еще был молодой парень.

— Вероятно, это Худек. Мне так кажется...

— Но никто не входил в кафе и не выходил, Джон. Я сидел лицом к двери и в любом случае увидел бы.

Мы подошли к машине. Я открыл Джону дверцу, а сам обежал вокруг и сел с другой стороны. Несколько мгновений мы сидели неподвижно, ошеломленные случившимся.

— Унгер убит.

— Хватит о нем, черт возьми.

— Нам нужно убираться отсюда подальше, — сказал я, включая зажигание. — Рано или поздно кто-нибудь пойдет в туалет и обнаружит там мертвое тело человека, который последние полчаса сидел рядом с тобой. Надо бы сообщить ФБР.

— Об этом забудь. Монро мертв, а он был единственным, благодаря кому нас вообще близко подпустили к этому делу.

— Верно. Думаю, полиция тоже мало чем сможет помочь. К тому же, когда я заходил в участок, чтобы забрать Монро, там был какой-то незнакомый тип, полицейский, которого я раньше не видел. Похоже, я ему не понравился.

— Ну и параноик же ты.

Я повернулся и уставился на него.

Быстро развернувшись, мы поехали назад мимо «Старбакса», слегка замедлив ход и поравнявшись с ним. Кафе напоминало счастливый аквариум, для находящихся в котором, казалось, ничего не менялось и никогда не изменится.

Зандт быстро пришел в чувство. Пистолет лежал у него на коленях, и, похоже, ему не терпелось им воспользоваться.

— Нужно вернуться.

— И что дальше? — спросил я. — Кто бы ни убил Карла, он пристрелит нас прежде, чем мы сможем понять, кто это. И еще половина находящихся там попадет под перекрестный огонь. Вот только к Нине это нас никак не приблизит.

— Тогда что?

— Поедем дальше.

Я прибавил скорость и выехал на дорогу, спускавшуюся с холма. По обеим ее сторонам шли люди. Деревья шелестели осенними листьями на легком ветру. Какой-то парень в коричневом комбинезоне с эмблемой службы доставки тащил длинный плоский ящик в магазин с рождественскими подарками. Весь город напоминал движущийся рекламный щит, мимо которого невозможно проехать. Он был частью мира, к которому мы не принадлежали.

— Уорд, куда мы едем?

— Не знаю. Нам нужно найти, куда увез ее Пол. А пока что надо бы добраться до места, где в нас не станут стрелять. Запас хороших парней быстро истощается.

— Это, значит, теперь мы? Хорошие парни?

— Лучшие из всех, каких только можно найти.

За десять минут доехав до окраины города, я начал подниматься на холм, к повороту, ведущему на узкую дорогу. В конце ее находилась заброшенная парковка, выходившая одной стороной на Рейнорский лес. Она была пуста, что мне понравилось.

Остановившись в дальнем ее конце, я вышел из машины и некоторое время ходил кругами. Заметив, что на пальцах у меня до сих пор осталась кровь Монро, я попытался ее стереть.

Через пару минут из машины выбрался Джон.

— Нам действительно стоит позвонить в полицию, — сказал он. — Сообщить им о трупе. И о Монро тоже. Предупредить их о том, что здесь происходит.

— С каких это пор ты стал доверять полиции? За последнюю неделю в этом городе убили полицейского и похитили агента ФБР да еще нашли в лесах двух мертвецов. Они и без того уже стоят на ушах.

Джон посмотрел в сторону леса и покачал головой:

— Что-то мне тут не нравится...

Он прошел несколько ярдов вниз по склону, глядя на простиравшийся внизу лес.

— Что ты там высматриваешь?

— Там, внизу, небольшой бугорок, — сказал он. — Прямо среди деревьев.

— Как раз там нашли тело Лоренса Уидмара. Во всяком случае, где-то в том месте. А что?

— Напоминает один из тех, что я искал по всей Новой Англии.

— Джон, сейчас не время для...

Он поднял руку и прислушался.

— Что это за звук?

Я приложил ладонь к карману. Достал телефон.

На экране была надпись: «Нина».

Пальцы мои словно превратились в резину, и мне потребовались три попытки, чтобы нажать нужную кнопку. Я медленно поднес телефон к уху. В висках отчаянно стучала кровь.

— Нина, — тихо сказал я, — это ты?

— Привет, Уорд, — ответил мужской голос.

— Кто это?

— А кто, по-твоему?

Это мог быть только он.

— Пол?

Джон быстро посмотрел на меня. Я дал ему знак, чтобы молчал.

— Он самый, — ответил голос. — Хотел узнать, как у тебя дела. А то ни разу не написал, не позвонил...

— Где Нина? Где ты?

— А где я, по-твоему?

— Есть предположение, что в Лос-Анджелесе.

— А ты неплохо соображаешь.

— Это не мое предположение. Думаю, ты сейчас намного ближе.

— Значит, ты еще умнее, чем я думал. Тут кое-кто хотел бы передать тебе привет.

Я крепко сжал телефон.

— Привет, дорогой, — послышался голос Нины.

— Привет, — ответил я.

Казалось, будто мое горло сжимает чей-то невидимый кулак.

— Ты цела?

— Все отлично. — В ее голосе чувствовалась слабость.

— Где ты?

— Он держит ствол возле моей головы, Уорд.

— Тогда не говори. Что ему нужно? Что я должен сделать?

— Ему нужен Джон.

— Постарайся остаться в живых, — сказал я. — Ради меня.

— Делаю все, что могу. В самом деле. Живи и учись, — сказала она. — Живи и учись. Я люблю...

Она замолчала.

— Теперь ты знаешь, ради чего стараться, — сказал Пол, *вновь появившись на линии.* — Бывший детектив Зандт сейчас с тобой?

— Нет, — ответил я. — Он улетел в Лос-Анджелес.

— Вот как? Какой позор. Он отправился совсем не в ту сторону. Каким же дураком он должен себя почувствовать! А я так хотел с ним поговорить.

— Ты зря рискуешь, играя в свои глупые игры. Что, если бы тебе в руки не попал телефон Нины? Как бы ты со мной связался?

— У меня и без того был твой номер, Уорд. И еще — послушай.

Последовала двухсекундная пауза, а затем где-то рядом послышался незнакомый звук звонка.

Джон достал свой телефон. Телефон звонил. Джон посмотрел на меня.

Пол на том конце линии рассмеялся:

— Знаешь что? Я только что услышал еще один звонок — и это, судя по всему, доказывает, что вы оба до сих пор вместе. Конечно, у меня есть и его номер, Уорд. Ты, похоже, просто не представляешь, с кем имеешь дело.

— Никто не представляет. Даже масоны, насколько я понимаю.

— А, мистер Унгер? Странный, не от мира сего тип. Впрочем, теперь он мертв, так что это уже не важно. Ты не видел меня? Я всегда где-то рядом и всегда буду. Имя нам — легион, брат. Дай мне Джона.

Я протянул Джону телефон. С минуту он слушал, и в эти мгновения я восхищался им, как никогда. Он слышал голос человека, который убил его дочь, но не прерывал его, не кричал и не угрожал. Он знал, что в руках у этого человека Нина, и потому просто слушал.

Затем он вернул телефон мне.

— Стоит тебе позвонить в полицию, — предупредил Пол, — и я сразу же об этом узнаю. Попробуй только попытаться морочить мне голову, и я убью Нину, притом не слишком быстро. Ты знаешь, что это правда.

— Я тебе верю. Но тебе тоже следует кое-что знать, — сказал я. — Час назад я подстрелил твоего дружка-психопата.

— В смысле?

Казалось, голос его слегка дрогнул, но лишь на мгновение.

— Там, в Драйфорде. Джима или Джеймса, не важно. Когда я уходил, он истекал кровью у себя во дворе. И много говорил. Возможно, что скоро он может привлечь чье-нибудь внимание.

— Это даже на последние страницы газет не попадет, — ответил он, и в трубке наступила тишина.

Джон закурил, глядя в сторону леса. Вид у него был напряженный и сосредоточенный, словно он принимал некое решение. После разговора с Ниной я ощущал в голове странную пустоту, хотя и знал, что это пройдет. По крайней мере, она была жива. Пока.

— Что он тебе сказал?

Зандт даже не обернулся.

— Что, если я приду к нему, он отменит остальное. Он сказал, что отпустит Нину. И в любом случае ты нужен ему живым.

— Что значит «остальное»?

— Это все, что он сказал. Возможно, что и ничего.

— Нет. Дело явно не в тебе. Тебя одного ему вряд ли хватит.

— Он хочет, чтобы я приехал в «Холидей-Инн». А он приедет туда за мной.

— И ты собираешься поехать?

— А что еще нам остается?

— Ты ведь наверняка думаешь, что сможешь его прикончить.

— В отеле до сих пор полно фэбээровцев. Когда еще у меня появится такой шанс?

— И ты полагаешь, он об этом не знает?

— Если мы сейчас поедем туда, мы сможем рассказать им о том, что случилось с Чарльзом. Чтобы они как следует подготовились.

— Они нам не поверят. Скорее всего, они тебя арестуют. Они...

Я замолчал, осененный внезапной мыслью.

— Вот чего он на самом деле хочет, — сказал я. — Ему нужно, чтобы ты был там, и он знает, что я в любом случае поеду с тобой. Это означает, что сам он будет где-то в другом месте. Да, мы ему нужны, но на самом деле он приехал сюда не за этим. — Я опустил голову на руки. — Нина кое-что сказала.

— То есть?

— Она сказала... она сказала нечто странное. В самом конце. Она сказала: «Живи и учись». Два раза.

— И что?

— Как по-твоему, это похоже на Нину? Она обычно изъясняется загадками?

— Нет, — согласился он. — Но...

— И эти ее слова не имели никакого отношения к нашему разговору. Жизнь и учеба никак не связаны с пожеланием остаться в живых. Зачем ей...

— Она говорила что-нибудь еще?

Я восстановил в памяти наш слишком короткий разговор. Она заявила, что отлично себя чувствует. Что к голове ее приставлен пистолет. Что она делает все возможное, чтобы выжить.

— Ничего такого. Она произнесла всего тридцать или сорок слов. И шесть из них потратила на то, чтобы дважды повторить эту фразу.

Зандт молча ждал. Наконец до него начало доходить.

— Помнишь, что говорилось в письме, про которое нам утром рассказывал Карл? — спросил я.

— Что-то насчет того, что они не американцы. И не европейцы, и вообще никто конкретно. И еще про то, что...

— Что надо преподать остальным урок.

— Вместе с ними молодой парень. Который с легкостью может зайти куда угодно и подложить бомбу, так же как вчера в Лос-Анджелесе. На этот раз уже не маленькую. Нечто такое, что действительно произведет эффект. Вот почему Полу нужно, чтобы мы оказались в другом конце города.

Джон бросился к машине.

— Они собираются что-то сделать со школой.

ГЛАВА 35

Я остановился в пятидесяти ярдах за школой, перед большой церковью. Мы вышли из машины и стояли, обдуваемые холодным ветром, поднимавшимся из низины. С этого места можно было обозреть почти половину города, но я не видел никого. Не просто никого подозрительного, но вообще никого. Казалось, будто все попрятались за углами, или за дверями, или в глубине улицы, скрываясь от посторонних глаз.

Я посмотрел на часы: четверть третьего, обычное рабочее время, отличительная черта которого заключается в том, что все сколько-нибудь существенные события случаются либо раньше, либо позже его. А пока все работают, или делают покупки, или учатся, или просто чего-то ждут. Если бы Землю решили захватить инопланетяне, три часа дня было бы для этого самым подходящим временем.

Мы проверили пистолеты.

За пятнадцать минут до этого я подвез Джона к «Холидей-Инн», и мы переставили его автомобиль так, чтобы его было видно с дороги — на случай, если Пол выставил своих наблюдателей. Затем мы тайком перебрались назад в мою машину, захватив с собой оружие и патроны Джона в черном чемоданчике.

Я вынул из пистолета частично израсходованную обойму и перезарядил его. Мы набили карманы наших черных пальто предметами, которые никому не могли принести ничего хорошего.

Джон посмотрел на меня:

— Готов?

Я кивнул:

— Но если возникнет хоть малейший намек на то, что Нина находится где-то в другом месте, меня здесь не будет.

Мы двинулись направо, вдоль стены церкви, и вышли на улицу, которая шла параллельно главной. Не дойдя пятидесяти ярдов до задней стороны школы, остановились. Вокруг все так же ничего не происходило, и никого не было видно.

Перейдя на другую сторону, мы пошли вдоль улицы, глядя на комплекс школьных строений, занимавший целый квартал. В центре возвышалось главное здание, отделенное от улицы большой асфальтированной площадкой. В отличие от лужайки перед фасадом, она вовсе не походила на место для игр или прогулок. Вдоль улицы тянулось ограждение с двумя большими воротами для въезда грузовиков.

Один из них как раз сейчас стоял возле здания, но груз, который таскал парень в комбинезоне, не производил впечатления подозрительного: коробки с замороженной пиццей, сложенные на тележку, которую он катил по пандусу к находившемуся у самой земли люку. Вернувшись, рабочий затеял оживленную беседу с принимавшим товар парнем, который стоял у стены и курил. Судя по всему, они давно и хорошо друг друга знали.

Мы быстро дошли до дальнего конца квартала, свернули налево и по боковому переулку вновь вышли на главную улицу. Наверху склона, за усыпанной листьями лужайкой, располагались старые здания.

Рядом со школьными воротами стоял парнишка, которого раньше здесь не было. Под мышкой он держал скейтборд, и лет ему могло быть от семнадцати до двадцати, может быть, даже чуть больше. Ни Джон, ни я не видели фотографий Ли Гиона Худека, поэтому не могли его опознать.

— Что скажешь? — тихо спросил я.

— Занятия еще не кончились. Что он тут делает?

— Собрался к зубному врачу. Ждет, чтобы его кто-нибудь подвез. Поругался с учителем и в наказание обязан простоять здесь час.

— Довольно загорелый, тебе не кажется?

— Ты прав, — согласился я. — Давай уложим его лицом вниз на тротуар. Извини, сынок, но ты недостаточно бледен. И нам придется тебя пристрелить.

Тем не менее я направился вверх по склону, пока не оказался в нескольких ярдах от парня. Я не спешил. Он изо всех сил старался делать вид, будто меня не замечает, но любой в его возрасте поступил бы так же.

— Огонька не найдется?

— Курить вредно, — ответил он.

— Тебя подвезти куда-нибудь?

Парень поднял взгляд. Кожа его выглядела безупречно, а голубые глаза смотрели холодно и бесстрастно. Он с любопытством взглянул на меня:

— Да вы, похоже, шутите.

— Занятия еще не кончились.

— А вам какое дело?

— Такое дело, — сказал Джон, появляясь из-за моей спины, — что нам интересно, зачем ты тут стоишь.

— Вы что, из полиции?

— Да, — солгал я. — В некотором роде.

Парень лишь покачал головой:

— Вот придурки.

Заметив пристальный взгляд Джона, он не спеша повернулся и направился назад за ворота школы.

Мы с Джоном смотрели ему вслед.

— Неплохо, — сказал я.

Джон не ответил — просто стоял, глядя на шагающего через лужайку парня, который даже ни разу не посмотрел в нашу сторону. Я пытался понять, стоит этому удивляться или нет, когда он вдруг повел себя несколько странно.

Он направлялся к строению с правой стороны от главного здания школы, но, когда из дверей вышли несколько школьников, он вдруг резко свернул, словно не желая с ними встречаться.

Джон посмотрел на меня.

— Угу, — кивнул я. — Я заметил.

Мы вошли в ворота. Наш парень теперь шагал быстрее, в сторону арки, которая вела во дворик внутри главного здания.

— Эй! — крикнул Джон. — Ли!

Парень не обернулся. Но обернулся другой.

Один из двоих, стоявших в дальнем конце справа, тотчас же поднял взгляд, прервав общение с другим, и посмотрел прямо на нас. У меня перехватило дыхание.

— Джон...

— Я видел.

Он быстро направился к парню. Тот убрал что-то обратно в карман и быстро вошел в здание. Вид у него был спокойный и уверенный, как у человека, который знает свое дело. Он явно не был школьником. Возможно, пару лет назад, но не сейчас. И судя по реакции на имя, это был Ли Гион Худек.

Джон вошел прямо за ним. Я увидел, как третий парень с делано безразличным видом отходит в сторону, и поспешил ему наперерез.

— Ты только что разговаривал с парнем — ты его знаешь?

Мальчишка покачал головой. Судя по всему, он изо всех сил пытался показаться крутым, но ему было не больше четырнадцати, и он явно нервничал.

— Вообще-то, нет.

— Тогда о чем вы разговаривали?

— Ни о чем.

— Врешь. Я видел, как он положил что-то в карман. Что это было?

— Не понимаю, о чем вы.

— Прекрасно. Значит, это точно были не наркотики.

Выражение лица парня сразу же сказало мне все, что требовалось.

— Что бы это ни было — не смей принимать, — сказал я и побежал к зданию.

За входом находился большой и мрачный вестибюль, переходивший в коридор с каменной лестницей в дальнем конце, на которую падал тусклый свет. Казалось, будто я переместился назад во времени. Не важно, из чего построена школа — она все равно пахнет школой. Когда учишься, этого не замечаешь, но когда возвращаешься уже взрослым, это учреждение начинает напоминать стойло для немытых инопланетян.

По обе стороны коридора тянулись двери классов с матовыми стеклами. У дальней стены стоял ряд потертых шкафчиков. Где-то в отдалении слышалась приглушенная размеренная речь учителя.

Я остановился, прислушиваясь. Над головой раздались шаги. Взбежав по лестнице на второй этаж, я обнаружил там то же самое, что и на первом. Джон стоял в дальнем конце коридора возле окна.

— Куда он пошел?

— Не знаю, — ответил Джон, идя мне навстречу. — Я думал, он поднялся сюда.

— У него не было с собой никакой сумки, — отметил я. — Так что либо мы ошиблись и это действительно всего лишь какой-то юный наркодилер, приторговывающий травкой, либо он уже заложил где-то бомбу, которую принес с собой. Это глупо, Джон. По-моему, пора предупредить кого-нибудь из местных, а потом убираться отсюда ко всем чертям и продолжать искать Нину.

— Ладно. Пошли найдем директора...

Он замолчал.

Посмотрев в окно, я увидел полицейский автомобиль, стоявший на улице прямо напротив школы. Через лужайку быстро шагал рослый офицер.

— Вот это нам совсем ни к чему, — пробормотал я, направляясь обратно к лестнице.

Джон последовал за мной. Когда мы вышли из здания, полицейский двинулся прямо к нам.

— Интересно, — сказал я. Мы продолжали идти ему навстречу. — Похоже, это тот самый, с которым Монро разговаривал сегодня утром.

— Для меня он выглядит как самый обычный коп.

— Одень меня в форму, и я буду выглядеть так же.

— Не уверен. Думаю, Министерство внутренних дел сразу бы заинтересовалось.

Полицейский остановился в нескольких ярдах от нас. Это явно был именно тот, кого я сегодня уже видел. Худощавый, коренастый, с бесстрастным взглядом.

— Кто вы такие и что тут делаете? — спросил он.

— А вам какое дело? — ответил Джон, сам не сознавая того, что ведет себя почти так же, как и тот парень со скейтбордом.

— Вы ведь понимаете, что я из полиции?

— Какие проблемы, офицер? — присоединился я.

— Мне только что звонил здешний учитель. Один из учеников сказал, что двое подозрительных типов приставали к нему за воротами. И мне кажется, что это вы.

— Мы считаем, что этой школе грозит опасность.

— Да, грозит, — проворчал полицейский. — И эта опасность — вы. Это не просьба, это приказ — уходите отсюда немедленно.

Никто из нас не двинулся с места.

— А ну-ка, джентльмены...

— Где вы были, когда вам позвонили? — небрежно спросил Джон. — В полицейском участке?

Полицейский молча уставился на него.

— Быстро же вы добрались, — кивнул я. — Мы разговаривали с тем пареньком минут пять или шесть назад. Ему нужно было вернуться в школу, поговорить с учителем, убедить его, что ради этого стоит беспокоить полицейских. Учитель позвонил в полицию, вызов передали вам, и вы мгновенно оказались здесь.

— Быстрее не бывает, — сказал Джон.

— Или, возможно, парень вообще никому ничего не говорил, — продолжал я. — Возможно, кто-то просто наблюдал за нами. В таком случае зачем вы лжете, будто вас сюда вызвали?

— Вы собираетесь вызвать подкрепление? — спросил Джон. — На вашем месте я поступил бы именно так. Двое странных типов, которые предупреждают об опасности? Я бы немедленно вызвал сюда других офицеров. Если, конечно, действительно был бы копом.

Взгляд офицера стал еще холоднее.

— Вам что-нибудь говорит имя Пол? — спросил я. — Мы слышали, что некто с таким именем находится где-то тут, неподалеку. Этот человек очень опасен. Возможно, на самом деле вы ищете именно Пола.

— Никогда о нем не слышал, — ответил полицейский, кладя руку на кобуру. — И я устал слушать вас.

— Вы правы. — Я поднял руки.

Иного выхода не было, а мы теряли время, которого у Нины оставалось все меньше.

— Нам тоже ни к чему лишние неприятности, но дело действительно важное. Думаю, нам нужно поехать в участок и обо всем нормально поговорить.

— Хорошо, так и сделаем.

Мы вышли за ворота и подошли к его машине. Он начал открывать заднюю дверцу.

Джон незаметно дал мне знак рукой. Я окинул взглядом улицу. Пора.

Схватившись за дверцу, я резко распахнул ее, так что она врезалась полицейскому в живот. Он почти успел увернуться, но попал прямо под удар Джона, пришедшийся по голове. Глаза полицейского начали закатываться, но он все же удержался на ногах. Я с размаху ударил его кулаком в лицо, а Джон толкнул обмякшее тело на заднее сиденье.

Я открыл дверцу со стороны водителя и сел.

— Ключей нет, — сказал я.

Несколько секунд я смотрел в окно, прислушиваясь к приглушенному стону и звукам коротких ударов. Затем стоны стихли.

— Лови. — Джон бросил мне сзади ключи.

Я не торопясь доехал до угла школьной территории, затем свернул налево.

— Его удостоверение, похоже, в порядке, — сказал Джон. — Если это и подделка, то очень качественная.

— В любом случае он порядочная сволочь.

Остановившись на середине улицы, я вышел и помог Джону перетащить бесчувственного копа в багажник. Запихнуть его туда было непросто.

— Заткнуть ему рот?

Джон покачал головой:

— Думаю, не стоит.

Мы захлопнули багажник.

— Он вовсе не тот, за кого себя выдает, — сказал я. — И ты это знаешь.

— Что означает — здесь действительно что-то должно случиться.

Я знал, что он прав, и, следовательно, Пол где-то недалеко.

— Так что школу пора прикрывать.

ГЛАВА 36

Теперь мы направились к другому входу. Лестница справа от дворика привела нас на более многообещающую территорию: в самое большое и самое старое здание школы. По всей видимости, руководство находилось именно здесь.

Первый этаж занимали классы. В коридорах не было ни души. По моим воспоминаниям, в коридоре всегда кто-нибудь болтался, пропуская уроки, притворяясь больным или попросту лодырничая. В торнтонской средней школе порядки, судя по всему, были куда жестче. Наконец я заметил вдали какого-то парня, но он никак не прореагировал на оклик и быстро исчез.

Расположение помещений на втором этаже оказалось аналогичным, если не считать большой пустой комнаты, походившей на учебную лабораторию.

На третьем мы обнаружили обшитые деревянными панелями кабинеты, а также массивную дверь с табличкой: «А. И. Зингер, директор».

Мы вошли в приемную, где сидела дородная женщина за древней электрической пишущей машинкой. Она неодобрительно посмотрела на нас, и я снова почувствовал себя двенадцатилетним.

— Вы кто?

— Нам нужно поговорить с директором, — сказал я. — Немедленно.

— Она разговаривает по телефону.

Я последовал за Джоном к закрытой двери. За ней оказалась большая комната с огромным столом посередине. На стенах висели ряды полок с серьезными книгами, черно-белые фотографии достойных предшественников и обменивающихся формальными рукопожатиями людей. Окно выходило на лужайку перед фасадом. За столом, спиной к окну, сидела женщина. Ни по какому телефону она, естественно, не разговаривала.

— Вы должны эвакуировать школу, — сказал Джон.

Женщина уставилась на нас. Высокая, с пышной прической, она могла бы выглядеть вполне уместно на заседании совета директоров крупной компании.

— О чем вы говорите? Кто вы такие?

— Кто-то намеревается устроить в школе террористический акт.

Директор встала.

— Кто-то... что? Да с чего вы это взяли?

— У нас нет времени на объяснения, — вступил я. — Просто поверьте нам, что подобное весьма вероятно.

Женщина потянулась к телефону в углу стола. Однако Джон успел первым и положил на него руку. Директриса поджала губы и обратилась к кому-то за моей спиной:

— Джейн, вызовите, пожалуйста, полицию, а потом позовите сюда Бена. Скажите ему, что у нас непрошеные гости.

Повернувшись, я увидел стоящую в дверях секретаршу.

— Не надо этого делать, — сказал я.

Что-то отвлекло внимание женщины, и она скрылась из виду. Я снова повернулся к директрисе:

— Мисс Зингер, я знаю, что все это выглядит довольно странно, но вы должны нам поверить.

— Естественно, я вам не верю. Если бы школе что-то угрожало, мне бы позвонили из полиции.

— Мы только что обсуждали ситуацию с одним из них, — сообщил я. — И у нас есть сомнения, что им можно доверять.

— Этого не может быть... господи. Джейн, позовите Бена. Немедленно.

Ответа из приемной не последовало, но затем мы услышали раздраженный женский голос, и дверь неожиданно распахнулась.

В кабинет вошел парень, тот самый, со скейтбордом, которого мы встретили за воротами, только теперь мне было совершенно ясно, что он уже далеко не мальчишка и не учится ни в этой школе, ни в какой-либо другой. Едва переступив порог, он заговорил, изображая неподдельную обиду:

— Мэм, я стоял за воротами, и ко мне подошли двое и стали приставать. Вот эти самые.

Женщина уставилась на него. Я почувствовал, что подобное в ее жизни случалось не часто.

— Ты кто? Я тебя не помню.

— Джейсон Скотт, мэм. Они пытались меня заставить, чтобы я поехал с ними.

Женщина снова перевела взгляд на Джона:

— Верните мне телефон. Полиция разберется, в чем дело.

Джон продолжал держать руку на трубке. Женщина открыла ящик стола и достала из него мобильник.

— Ладно, черт с вами, — раздраженно бросил я. — Вызывайте копов, мисс Зингер. Как хотите. Но тем временем, пожалуйста, уберите всех из здания. Разве вы не слышите? Мы говорим, что школе грозит опасность. Вам хочется рисковать?

— Я бы не стал их слушать, мэм. — Парень неожиданно захихикал. — Один из них показал мне свою пипиську.

Я изо всех сил пытался ее убедить.

— Вы никогда раньше не видели этого парня. Он не учится в этой школе. Вы его вообще узнаете?

— Я не могу помнить каждого...

— Проверьте, есть ли Джейсон Скотт в списках учеников. Но побыстрее.

Женщина повернулась к стоявшему на краю стола компьютеру, но явно не торопилась. Я едва сдерживался, чтобы не наброситься на нее.

— Мэм, либо эвакуируйте школу, либо мы сделаем это за вас.

— Директор? — донеслось из приемной. — Что-то случилось с телефонами.

Послышался раздраженный стук по трубке.

— Не могу соединиться по городской линии.

Директриса посмотрела на меня. Внезапно мое присутствие перестало быть самым странным событием в ее жизни.

— Ну вот видите. — Я смотрел ей прямо в глаза. — Делайте, что вам сказали. И немедленно.

— Хорошо, Джейн, — решилась она. — Объявляйте тревогу. Прямо сейчас.

Парень со скейтбордом слегка улыбнулся:

— Ну и зануды же вы, ребята.

Бросив на пол скейтборд, он достал из нагрудного кармана свитера пистолет с глушителем, выстрелил в голову директрисе, повернулся и бросился к двери.

Мы с Джоном выхватили оружие. Послышался тихий хлопок еще одного выстрела. Выбежав в приемную, я увидел лежащую у стены женщину, уткнувшуюся лицом в ковер. Ноги ее еще шевелились, но затылок полностью отсутствовал.

— Найди тревожную кнопку, — крикнул Джон, пробегая мимо меня.

Я обшарил весь кабинет, но не нашел ничего такого, чтобы можно было поднять тревогу. Потом я понял, что тревожные кнопки должны быть в коридорах. Я помчался по коридору, ударяя кулаком в каждую дверь. Когда я добрался до лестницы, из большинства классов выглядывали озадаченные лица.

— Пожар, — сказал я как можно более спокойно и убедительно. — Выводите всех на улицу.

— Где? — спросил кто-то. — Какой пожар?

Забыв о спокойствии, я направил на него пистолет.

— Выводите всех, черт бы вас побрал.

Сбежав на нижний этаж, я увидел в дальнем конце коридора Джона. Устремившись следом за ним, я вскоре наткнулся на коробку пожарной сигнализации. Разбив локтем стекло, я со всей силы вдавил большую красную кнопку.

Ничего не произошло.

Я нажал снова, на этот раз ладонью. Потом еще раз, более плавно, но до самого упора.

— О господи, — пробормотал я и побежал дальше.

Найдя еще одну коробку, я разбил стекло кулаком и начал давить на кнопку снова и снова.

Ничего.

Повернувшись, я увидел бегущего в мою сторону Джона.

— Они вывели из строя сигнализацию, — сказал я. — Черт с ним, с тем парнем. Нам придется самим поднимать тревогу.

Он побежал по коридору, распахнув первую попавшуюся на пути дверь. Я услышал, как он что-то кричит находящимся внутри. Подбежав к другой двери, я сделал то же самое.

— Эвакуация, — сказал я, снова спокойно и убедительно. — В здании пожар. Выходите на улицу.

Видимо, школьные пожарные учения не прошли даром. Все встали быстро, но организованно.

— Скажите всем остальным, кого увидите, — добавил я. — Не бегите. Просто выходите на улицу и будьте осторожны.

Все будет в порядке, подумал я, глядя, как они быстро проходят мимо. Через десять минут здесь никого не останется, и я смогу снова заняться тем, что для меня важнее всего.

В коридоре я убедился, что ученики покидают остальные классы. Потом увидел в окно, как Джон целеустремленно шагает через лужайку, направляясь к первому зданию. Возможно, он просто собирался освободить от людей и его, но нечто в его взгляде подсказывало, что мне сейчас лучше быть вместе с ним.

Протолкавшись через шумную толпу школьников, я быстро спустился по лестнице. Внизу тоже было полно народу, и двигались они намного быстрее, к тому же несколько неуправляемо.

Услышав крики, я понял, что кому-то стало известно о том, что случилось с директрисой и ее помощницей. По лестнице бежал вниз человек средних лет в твидовом пиджаке, что-то громко крича другому учителю. Он явно был из тех, кому обязательно нужно сперва посоветоваться с директором, прежде чем последовать простым инструкциям, предписывающим покинуть здание в случае пожара.

Протолкавшись через толпу, я схватил его за лацканы и притянул к себе.

— Заткнитесь, — процедил я. — Замолчите немедленно.

Он уставился на меня:

— Что? Что случилось с...

— Мисс Зингер убита, — тихо и быстро заговорил я. — Но другим совершенно необязательно знать об этом прямо сейчас. Не поднимайте панику. Просто помогите им выйти из здания. Чем быстрее, тем лучше.

Он не отводил от меня взгляда.

— Вы тут не работаете. Кто вы?

— Просто один человек. — Я подтолкнул его в сторону толпы. — А теперь действуйте.

ГЛАВА 37

Ли не знал, что делать дальше. Задание он выполнил — поговорил с несколькими ребятами, завоевал их доверие, раздал им таблетки на пробу. Он никак не мог понять, какой во всем этом смысл, если совершенно ясно, что вряд ли они появятся здесь еще раз, чтобы продать следующую партию. Ли отработал свое, но знал, что еще раз этого делать не станет.

Он уже направлялся к воротам, намереваясь поймать за оградой Пола и потребовать, чтобы ему поручили нечто более достойное, когда кто-то вдруг окликнул его по имени. Посмотрев в ту сторону, он увидел двоих крайне подозрительного вида типов в черном, быстро шагавших по школьной лужайке.

Сперва они подошли к какому-то другому парню — с этого расстояния он не мог точно сказать, тот ли это самый, кому он передавал наркотики, — и Худек обругал себя за то, что вообще как-то среагировал. Он повел себя как дилетант. Даже у Сони Пита хватило бы ума так не поступать. Но что случилось, то случилось. Ли нырнул в здание школы и скрылся в лабиринте коридоров. Он слышал, как один из тех типов вбежал следом за ним, но некоторое знакомство с расположением школьных помещений помогло ему оторваться от преследователя.

Он сидел на корточках в дальнем конце коридора первого этажа и вдруг увидел нечто, совершенно сбившее его с толку. В здание вбежал человек, выглядевший точно так же, как и Пол. Ли моргнул, но незнакомец все равно остался точной копией Пола, хотя был одет совершенно по-другому и, несомненно, был одним из тех самых двоих в черном. Несколько мгновений он стоял неподвижно, словно принюхивающийся зверь, а затем помчался наверх по лестнице, туда, куда ушел второй.

Ли продолжал ждать, пока не услышал, как они снова спускаются и поспешно покидают здание, затем неслышно поднялся наверх. Он знал, что никуда не пойдет, пока эти двое не уберутся подальше. Никто из них не походил на людей, с которыми ему хотелось бы встретиться.

Он уже решил было, что времени прошло достаточно, когда заметил, что в окружающей обстановке что-то изменилось. Сперва вокруг царила настоящая тишина — уж точно намного тише, чем когда-либо бывало в его школе. Теперь же он слышал чьи-то голоса, доносившиеся с некоторого отдаления. С улицы?

Подойдя к окну, Ли увидел, что с задней стороны соседнего здания начинают толпой выходить школьники, собираясь на большой асфальтированной площадке. Взглянув на часы, он понял, что вряд ли это конец занятий. К тому же почему они все шли через запасной выход? Это напоминало пожарные учения или нечто подобное, хотя никакой тревоги он не слышал.

Впрочем, не важно. Происходящее казалось ему все более странным. Пора было уходить.

Он приближался к лестничной площадке, когда услышал, что кто-то поднимается наверх. Возвращаться в укрытие было уже поздно, но он напомнил себе, что те двое вряд ли могли его внимательно разглядеть. Он просто был в туалете, увидел, как народ собирается на улице, понял, что это учения, и сейчас покидает здание, как и положено.

Ли пошел дальше и едва не налетел на идущего ему навстречу. Это был тот самый парень со скейтбордом, только доски у него больше не было. И выглядел он очень возбужденным.

— Что происходит? — спросил Ли.

— У нас проблемы, — ответил парень.

Он явно пытался сохранять хладнокровие, но это удавалось ему с большим трудом.

— На пути нашего плана появились помехи. Сейчас выясню у Пола, что и как.

Достав из кармана маленькую рацию, он нажал кнопку и, отвернувшись, быстро и негромко заговорил. Прошелся по коридору, слушая ответ, а затем посмотрел на Худека.

И тут Ли понял.

Именно теперь ему стало ясно, почему лицо парня показалось ему столь знакомым. Да, это был один из тех, кто сидел за столиком в «Бель-Айл», и, вероятно, один из тех, кто вышел из тени в самый первый раз, когда Ли встретился с Полом. Но похоже, он видел его лицо и в промежутке между этими событиями.

Поздним вечером, на краю заброшенной парковки, в свете фар. Это был один из троих, начавших пальбу.

Ли не отводил от него взгляда, пытаясь четче увидеть его черты. Изображение словно впечаталось в мозг.

Парень убрал рацию в карман и улыбнулся. Он уже снова обрел прежний вид парнишки-скейтбордиста, переминающегося с ноги на ногу.

— Похоже, все-таки все идет по плану, — доложил он. — Так что можно двигаться дальше.

Ли кивнул:

— А когда на самом деле возник план?

— Ты о чем, братишка?

— О том, что я думал, будто он возник после того, как убили моего друга, а мы поступили неправильно и спрятали его тело, потому что нам так велели. Эрнандес специально так сделал, и я думал, что после этого все и началось.

— Угу, верно. Слушай, у нас нет времени на...

Ли направился прямо к нему.

— Но все началось намного раньше. Мои родители, похоже, и в самом деле как-то на этом завязаны, хотя я и не понимаю, как именно. Но сейчас я про тот вечер, когда мы с друзьями поехали в Санта-Инес и парню, которого я знал с детства, разнесли башку. И это были не какие-то случайные гангстеры. Это были вы.

Парень стоял неподвижно, выпрямившись. Теперь он уже больше не напоминал школьника.

— Что ты хочешь этим сказать?

— Я хочу сказать, что ты или один из ваших убили моего друга.

— Отлично. Умный мальчик. Угу. Это был я. Мой выстрел.

— И теперь, с того самого вечера, вы морочите мне голову. Толкаете меня то туда, то сюда. И вообще, сломали мне всю жизнь.

— У тебя никогда не было своей жизни, — усмехнулся парень, и Ли понял, что этот человек никогда не испытывал к нему ничего, кроме презрения. — Тебя купили и оплачивали с самого первого дня. С того дня, когда ты...

Ли бросился на него.

Худек хорошо умел драться. Он был достаточно силен, уверен в себе и готов отомстить любому обидчику. Но противник был намного опытнее. Драка явно доставляла ему наслаждение. Он с ходу атаковал Ли, словно в нем где-то повернули выключатель.

Оба дрались сосредоточенно и молча, если не считать негромкого пыхтения. Первые несколько ударов Ли попали в цель, но затем движения противника ускорились, став его второй натурой, чего можно добиться лишь долгими и самоотверженными тренировками. Ли хватало ума не подражать актерам голливудских фильмов. Драка — не способ показать, насколько ты крут. Это способ расправиться с врагом.

Ли знал, что нужно хватать за волосы, одежду или попасть в глаза, чтобы как можно быстрее повалить противника на землю, а затем добивать ногами, кулаками и любыми имеющимися под рукой острыми предметами. Но ему никак не удавалось схватить парня. Как бы он ни пытался, тот ловко уворачивался, одновременно продолжая бить Ли по лицу и животу кулаками, локтями и ребрами ладоней.

Наконец один из ударов пришелся Ли прямо в горло, и у него перехватило дыхание. Упав на одно колено, он едва успел судорожно вздохнуть, прежде чем взлетевшая в воздух нога угодила ему прямо в лицо.

Он упал на спину, перед глазами все плыло. Парень стоял над ним с пистолетом в руке.

— Мне не положено тебя убивать. — Он даже почти не запыхался. — Но я бы мог. А пулю всегда можно выковырять.

— Пошел к черту.

— Угу, верно, — ответил парень и ударил его ногой по голове.

А потом еще несколько раз.

Когда Ли лишился чувств, парень снова спрятал пистолет в карман свитера, наклонился и, подхватив Худека под мышки, быстро поволок в дальний конец коридора. Расположение школьных помещений он знал наизусть, часами изучая их планы в течение последних нескольких недель. Ему точно было известно, куда идти — к большой кладовке за углом. Все должно было быть совсем не так, но у него не оставалось выбора. То, что он собирался сделать, казалось вполне приемлемым.

Он втолкнул тело Худека внутрь кладовки и запер дверь на засов. Вряд ли кто-то попытается проникнуть туда снаружи.

Закончил он как раз вовремя, примерно за десять секунд до того, как услышал, что один из доставивших столько проблем типов выбегает из директорского кабинета, крича что-то про пожар. Это ему не понравилось. «Человек прямоходящий» не упоминал о подобных проблемах с тех пор, как началась настоящая работа, а эти двое, кажется, не собирались уходить. Особенно тот, похожий на Пола, которого ему теоретически не положено было убивать.

Заняв удобную позицию, он перезарядил пистолет. Инструкции всегда можно интерпретировать по-своему. Что бы ни случилось, он не собирался задешево отдавать свою жизнь.

Подобные ему никогда так не поступали.

ГЛАВА 38

Когда Джон снова вбежал в первое здание, меня отделяло от него лишь несколько ярдов. Он свернул направо, а я налево, открывая двери и говоря всем, чтобы они выходили на улицу. Все беспрекословно подчинялись, чему я был только рад. Джон быстро разделался со своей половиной, и мне до сих пор было интересно, не заметил ли он кого-нибудь и не прибежал ли сюда отчасти и в погоне за ним. Дверь последнего класса в коридоре я не стал даже открывать, просто постучал. Меня поняли — послышались громкие голоса выходящих учеников. Протолкавшись сквозь нарастающую толпу, я побежал наверх следом за Зандтом. Когда я свернул за угол, навстречу хлынула целая волна школьников, и мне пришлось пригнуть голову, чтобы ее преодолеть.

— Джон?

— Он там, — крикнул он, устремляясь в коридор верхнего этажа.

Видимо, он имел в виду парня, которого мы встретили в кабинете директора. Я начал проталкиваться следом за ним. Наконец, добравшись до конца коридора, я увидел тяжелую дверь, которую не заметил в первый раз.

По другую ее сторону оказалась еще одна часть здания, расположенная под прямым углом к первой. По обеим сторонам коридора тянулись длинные матовые окна. Снова учебные лаборатории.

Джон стоял, прижавшись к стене и держа пистолет на уровне груди. Он помахал мне, и я быстро переместился к стене по другую сторону коридора.

— Он там, слева, — тихо сказал Джон.

— Ну так пусть там и остается.

Джон непонимающе посмотрел на меня.

— Мне плевать на этого парня. Нам просто нужно, чтобы школу освободили от людей и заперли. Дальше пусть разбираются полиция или ФБР. Мне здесь больше нечего делать. Я...

— Тебе все равно некуда больше идти, Уорд, а этот парень может привести нас к Полу.

Я поколебался, и тут внутри лаборатории послышался металлический стук. Мы затаили дыхание, направив пистолеты на дверь в дальнем конце. Потом я понял, что есть смысл выбрать другую цель, и направил ствол в середину матовой стеклянной панели.

— Ладно. Давай его брать. Но будь осторожнее.

Зандт едва заметно улыбнулся:

— Всегда ценил твои советы.

— Знаешь что? Забудь, что я тебе только что сказал. Сходи с ума, поступай безрассудно — как тебе будет угодно.

Стрельба по матовым стеклам либо позволила бы обнаружить местонахождение парня, либо затруднила бы ему возможность спрятаться. Но с другой стороны, облегчала задачу прицельно стрелять в нас. Еще можно было, пригнувшись ниже уровня стекол, добраться до двери в лабораторию и ворваться прямо туда.

Мы сделали и то и другое. Джон пригнулся и начал пробираться по коридору. Тем временем я выстрелил по очереди в каждое из трех окон, начав с самого дальнего, в надежде, что выстрелы погонят его ближе ко мне и дальше от двери. Второе окно разлетелось вдребезги, и я заметил, что он метнулся как раз в ту сторону. Выстрелив в третье окно, я устремился следом за Джоном.

Когда я оказался на середине коридора, Джон уже стоял в дверях, и они с парнем стреляли друг в друга. Увидев, как Джона отбросило к стене, я повернулся и разрядил пистолет внутрь помещения. Первые две-три пули ушли в случайном направлении, но потом я заметил, что парень пытается спрятаться за одной из длинных скамеек и, прицелившись, продолжает нажимать на спуск.

Когда звуки моих выстрелов смолкли, он уже больше не отстреливался.

Зандт поднял руку, и я увидел, что ему лишь слегка оцарапало запястье. Перезарядив пистолет, я вместе с Джоном осторожно вошел в лабораторию.

Мы медленно прошли с противоположных сторон в заднюю ее часть и обогнули последнюю скамью почти одновременно. В углу валялся пистолет с глушителем, который я отшвырнул ногой на безопасное расстояние.

Парень сидел, прислонившись к стене и опустив руки. По полу растекалась лужа крови.

— Где он? — спросил я.

Парень деловито покачал головой.

— Вы опоздали, — хрипло проговорил он. — День ангелов уже начался.

— Только не для тебя, — сказал Джон. — Твои дни подходят к концу. И ты расскажешь нам, где сейчас Пол. Мне плевать, на что нам придется пойти, чтобы добыть эту информацию. Ты в любом случае все нам расскажешь, если я начну тебе отстреливать одну конечность за другой.

Парень снова покачал головой. Джон направил пистолет на его ногу.

— Я не шучу, — предупредил он.

Парень на мгновение закрыл глаза, словно призывая на помощь всю силу воли. Я поднял пистолет, держа его на мушке.

Парень медленно поднял руку.

— Не стоит, — сказал я. — Опусти.

Неожиданно он быстрым движением сунул руку в передний карман свитера и тут же вытащил ее снова, уже с ножом.

— Так ты все равно ничего не добьешься, — сказал Джон. Парень глубоко вздохнул.

— Наслаждайтесь жизнью, пока можете, — произнес он и воткнул нож с левой стороны себе в шею.

Джон метнулся к нему, пытаясь помешать, но парень последним усилием резко рванул ножом слева направо.

Хлынула кровь, и мгновение спустя он был мертв.

Джон обыскал труп. Достал бумажник с небольшим количеством денег, но никаких документов. Вытащил полпачки сигарет, одну из которых закурил я. Нашел нечто напоминавшее карманную рацию, но один из моих выстрелов, видимо, попал прямо в нее, и теперь она не издавала ни звука. Вероятно, с помощью этой рации парень связывался с псевдополицейским, тем самым, который лежал сейчас в багажнике собственной машины.

Не было ничего, что могло бы привести нас к Нине.

Я раздраженно отвернулся от кровавого месива на полу к окну в противоположной стене, откуда открывался вид на площадку с задней стороны школы, и облегченно вздохнул, увидев там толпу школьников, к которым присоединялись выходившие из других зданий.

Несколько сотен ребят выстроились ровными рядами на размеченной части площадки в тени школы, прямо под окном. В дальнем конце площадки было пусто.

А в ворота только что въехала машина.

Сперва я подумал: слава богу, наконец-то приехали полицейские и мы можем отсюда убираться, но эта глупая мысль задержалась у меня в голове лишь на долю секунды. Местные полицейские не стали бы ездить в большом черном автомобиле с затемненными окнами.

— Джон, — позвал я, — иди сюда. Быстро.

Машина медленно пересекла площадку. Никто на нее не смотрел. Все были слишком заняты построением и наслаждались бездельем, каковым, видимо, всегда являлись для них пожарные учения.

— О господи, — проговорил Джон.

Машина проехала вдоль задней стены школы и въехала на пандус, по которому недавно сгружали пиццу. Несколько секунд спустя автомобиль скрылся из виду, словно его и не было.

— Подвал, — понял я. — Или разгрузочная площадка. Зачем ему...

— Бомбу еще не заложили, — мрачно сказал Джон. — Она только что прибыла.

Машина, полная взрывчатки, — весьма мощный заряд. В лучшем случае он снес бы школу, обрушив дождь горящих обломков прямо на стоящих на улице ребят. Или, что еще хуже, в зависимости от расположения и протяженности подвала, взорвался бы непосредственно под ними.

Наши усилия ни к чему не привели. Пол до сих пор опережал нас на шаг.

Я схватился за ручку окна, но она была закрашена наглухо много лет назад. Я начал колотить в окно обоими кулаками, но никто не обращал на меня внимания.

— Оставь, — сказал Джон. — Мы знаем, куда идти.

Мы выбежали в коридор, а затем снова в другое крыло здания. Мне показалось, что откуда-то доносится чей-то крик. Но прислушиваться не было времени.

На первом этаже входа в подвал не оказалось.

Через лужайку мы вернулись в главное здание, свернули налево в коридор и попали в столовую. Пригнувшись, пересекли зал, миновали раздачу и кухню с потертыми газовыми плитами и большими холодильниками. Последняя дверь вела на лестницу. Достав пистолеты, мы спустились в подвал.

ГЛАВА 39

Когда Пол велел водителю ехать к школе, Нине стало ясно: взывать к голосу разума бесполезно. И вовсе не потому, что Пол был безумен. Он просто не согласился бы с ней. Как сказал Витгенштейн: если бы львы могли говорить, мы бы не смогли их понять.

Пол оказался здесь, следуя собственному рассудку, простым и логическим шагам, которые были по-своему разумны, просто разум его был устроен иначе и основывался на совершенно иных ценностях. Рано или поздно это должно было случиться. Он следовал к своей цели, испытывая к ней чуть ли не сексуальное влечение.

Нина поняла, что, скорее всего, жить ей осталось считаные минуты. Так что хорошо, что ей удалось поговорить с Уордом, хоть и недолго. Жаль, что до него так и не дошел ее намек насчет школы, но большего она сказать тогда не могла — к голове ее действительно был приставлен пистолет.

В любом случае теперь уже нельзя было ничего поделать. Оставалось лишь ждать, сколько бы времени ей ни осталось.

Порой решение не предпринимать безнадежных действий становится самым смелым из всех возможных.

Машина въехала в пространство под зданием шириной в четыре автомобиля, с лестницами по обеим сторонам и рядом отсеков глубиной в двадцать футов. Часть стен была покрыта старым блестящим кафелем. Освещение тусклое и неровное. Водитель заехал в самый дальний отсек, возле стены с аркой, которая вела в дальнюю часть подвала, и выключил двигатель.

Пол повернулся к Нине.

— Плюс в том, что все произойдет очень быстро, — сказал он. — Ты просто испаришься. Минус — тебе придется ждать. Конечно, я мог бы просто тебя убить. Но я, во-первых, не склонен облегчать твое положение и, во-вторых, подозреваю, что тебе хотелось бы сохранить в памяти эти мгновения, сколь бы несовершенны они ни были.

Нина пристально смотрела на него.

— Спасибо, Пол. Да, хотелось бы.

— Договорились. Точного времени я тебе назвать не могу, поскольку приведу заряд в действие сам. Впрочем, так даже лучше — ты будешь радоваться каждой своей мысли, зная, что она может оказаться последней.

Водитель вышел из машины. Звук захлопнувшейся дверцы прозвучал как окончательный приговор. Все начало происходить в последний раз.

Нина не отводила взгляда от Пола.

— Ты понимаешь, что, как бы ты ни притворялся другим, ты оставляешь меня в живых, по сути, из чувства сострадания?

— И что?

— Значит, ты на это способен. Ты можешь сочувствовать. Поступай так чаще, и сможешь стать настоящим мальчиком. Как Пиноккио.

— Я куда более настоящий, чем тебе когда-либо казалось.

— Нет. Ты такой же, как и я, и как любой другой. Между тобой и Уордом нет генетических различий. Ты ведешь себя так не потому, что принадлежишь к некоей высшей расе, а лишь из-за всего того, что случилось в твоей жизни. Ты можешь стать таким же, как все.

— В самом деле? — задумчиво произнес он. — И кто же все эти нормальные люди? Тебе следовало бы больше смотреть новости, а не охотиться на таких, как я. Представители вашего вида воровали и убивали с тех пор, как встали на две ноги. Они лгали с тех пор, как научились говорить. Мы не единственные, кто воюет, насилует и убивает. Различие лишь в том, что вы делаете вид, будто это плохо.

— Пол, ты на самом деле ничем от нас не отличаешься. И ты это знаешь. Где-то в глубине души ты должен осознавать, что ты тоже человек.

— Нет, — ответил он. — Мы — песнь Бога. Мы слишком долго пребывали в связи с вами, но теперь мы обрезаем пуповину. Ты этого не увидишь, но поверь мне — начнется настоящая дикая жизнь.

Он открыл дверцу и вышел. Обменявшись несколькими словами с водителем, обошел машину сзади и что-то начал делать в багажнике. Нина услышала негромкий писк, означавший, что заряд взведен. Водитель поспешно ушел.

Снова подойдя к дверце, Пол наклонился и посмотрел на Нину.

— Тебе может показаться, что ты сумеешь открыть дверцу, даже несмотря на то, что ты связана и все они заперты. Это довольно рискованно, но, возможно, ты считаешь иначе. Так что мне следует тебе пояснить, что каждая дверца подсоединена к мешку со взрывчаткой в багажнике. Стоит открыть одну из них, и все взлетит на воздух. Будь так любезна, дай мне время убраться отсюда, прежде чем попробуешь.

Нина посмотрела на него, пытаясь наконец понять, что же такое она увидела в его взгляде.

— Пол, — спросила она, — ты вообще хотя бы помнишь, кто ты?

Он захлопнул дверцу. Послышался щелчок центрального замка.

А затем — удаляющиеся шаги.

ГЛАВА 40

Подвал представлял собой большое складское помещение, построенное еще в те времена, когда не было возможности доставлять товар семь дней в неделю. Лестница из кухни вела в пространство, заполненное металлическими полками. На полу лежала груда упаковок из-под пиццы, а рядом, в небольшой кладовой, — куча старых деревянных стульев. Никого из работников школы не было видно.

Мы с Джоном пробежали через эту часть подвала, пытаясь попасть на разгрузочную площадку в дальнем конце. Обнаружив коридор, в глубине которого виднелся свет, мы остановились в нескольких ярдах от открытой двери. Джон дал мне знак легким движением головы, и я отошел в сторону.

Он шагнул в дверь, быстро свернув вправо. Поскольку выстрелов не последовало, я шагнул за ним.

Мы оказались внутри длинного помещения, которое, казалось, тянулось вдоль всей школы. Его освещал неровный свет висевших под низким потолком лампочек, а кафельная плитка и пятна плесени придавали всему зеленоватый оттенок. Слева, там, куда снаружи вел пандус, было несколько светлее. Сверху слышался отдаленный гул голосов, но до сих пор не раздалось ни одной сирены. Где они, черт побери?

— Нужно их предупредить, — сказал Джон.

— Сперва нужно найти Нину, — ответил я. — Или, если хочешь, можешь сделать это сам.

— Если Пол здесь, то бомба пока не взорвется.

— Ты не знаешь, на какой риск он готов пойти. А если его здесь нет, то взрыв может произойти в любую секунду и ты об этом не узнаешь, пока не станет слишком поздно.

Он лишь пожал плечами и побежал вправо. Я понял, что не уверен в том, на какой риск готов пойти Джон. Вот если бы со мной сейчас был Бобби... Он был куда более приятным человеком, нежели Джон. Я ему полностью доверял. Он шел на любой риск, а его опыт в самых сложных ситуациях порой приводил меня в замешательство. Я же всего лишь дилетант. И у меня нет права даже на единственную ошибку.

Людей следовало предупредить.

И похоже, сделать это должен был я.

Выругавшись, я побежал в сторону пандуса. Преодолел четверть пути, когда понял, что в дальнем его конце, в тени, стоит невысокая фигура.

Послышались три негромких хлопка пистолета с глушителем.

Преодолев оставшееся расстояние до противоположной стены, я бросился к ближайшему отсеку и соскользнул на пол. Я пытался перекатиться так, чтобы иметь возможность выстрелить в ответ, но человек продолжал посылать пулю за пулей, ударявшиеся о край отсека.

— Уорд?

Крик Джона отразился от стен столь громким эхом, что я не мог понять, насколько далеко он от меня находится.

— Я цел! — крикнул я в ответ. — Ты можешь в него попасть?

Ответом мне стала стрельба, продолжавшаяся секунд десять. Громкие хлопки пистолета Джона перемежались щелчками оружия противника под свист рикошетирующих от стен пуль.

Как только раздался последний выстрел Джона, я услышал его крик:

— Давай, Уорд!

Не успев ничего толком сообразить, я выскочил из отсека и метнулся в левую сторону, несколько раз выстрелив вправо. Джон прикрывал меня огнем. Примерно на середине открытого пространства я увидел стрелявшего возле входа в отсек на противоположной стороне, ярдах в тридцати от меня. Он снова открыл огонь.

Мгновение спустя я оказался внутри отсека, удивляясь, что все еще жив. Меня окружали старые столы. В ушах звенело.

— Господи.

— Кто это, черт побери? — спросил Джон.

— Понятия не имею, — выдохнул я. — Но нам отсюда не выбраться, пока мы его не прикончим.

— Это будет нелегко. Он знает, что делает. Он едва не пристрелил тебя.

— Спасибо за информацию.

— Но промахнулся. Тебе повезло.

Выставив наружу пистолет, Зандт выстрелил еще раз. Секунду спустя последовал ответный выстрел.

В задней стене отсека была дверь. Распахнув ее, я увидел коридор, уходящий влево.

— Этим путем мы вряд ли подберемся к нему ближе, — сказал я, — но, возможно, сможем уйти в другом направлении. Что, честно говоря, вполне меня устраивает.

Я пошел первым, Джон за мной, пятясь задом и выставив перед собой пистолет, на случай, если тот тип решит побежать за нами.

Когда мы оба оказались в узком коридоре, я закрыл дверь, и мы поспешили вперед, на ходу перезаряжая оружие. Примерно через каждые десять ярдов по левой стороне нам встречались очередные двери. Я открывал каждую. Все они вели в такие же отсеки, забитые барахлом. Вдруг коридор неожиданно закончился сплошной стеной.

— Черт, — пробормотал Джон.

— Похоже, нам все же придется пройти через одну из этих дверей.

— Нам хотя бы нужно выяснить, где сейчас тот парень. Мы в ловушке. Если он пройдет через тот первый отсек, а потом в этот коридор, нас можно брать голыми руками.

Я открыл последнюю дверь. В этом помещении не было старых коробок или стульев, как в остальных, но он не был пуст.

Там стоял большой черный автомобиль.

— Мы нашли его, — выдохнул я.

Фары были погашены. С того места, где мы стояли, из-за затемненных стекол и тусклого освещения невозможно было разглядеть, есть ли что-нибудь или кто-нибудь внутри.

Я выставил из отсека ногу и тут же отскочил назад, услышав свист пули. Парень с пистолетом стоял у противоположной стены. Вероятно, его задачей было не дать нам добраться до машины. Поэтому он и не стал тратить время на преследование. Сейчас он находился в отдалении, и если бежать достаточно быстро, то при некотором везении все же можно было оказаться у автомобиля. Возможно.

Джон уже напрягся, готовый сорваться с места.

Но я внезапно понял, что на самом деле все не так просто. Справа от отсека в дальней стене виднелся проход в виде арки, который вел в следующую секцию подвала под другой частью здания. Там было очень темно, и невозможно было понять, есть ли...

— Погоди, — сказал я. — Пол наверняка тоже здесь.

— Откуда ты знаешь?

— Если бы он покинул здание, то и тот, второй, тоже ушел бы. Так что если предположить, что Пол приехал сюда на этой машине, то он либо все еще в ней, либо где-то там, справа.

Джон понял, что я имею в виду. Если Пол все еще здесь, то машина могла оказаться как раз на пересечении линий огня. Либо парень у дальней стены пристрелит нас, когда мы побежим к ней, либо мы угодим прямо в ловушку, попав под прицел Пола, стоящего по другую сторону арки.

Джон устало кивнул:

— У нас есть только одна попытка.

Я не знал, что делать.

Нас отделяли двадцать футов от бомбы, к которой могла быть привязана Нина, и мы не могли выйти из здания, чтобы предупредить тех, кто наверху. Ни назад, ни в сторону пути не было. Оставалось лишь идти вперед. Единственный вопрос заключался в том, в каком направлении двигаться и сколько времени у нас осталось. Я послал мысленную просьбу, надеясь, что некто намного более опытный, чем я, сумеет мне помочь.

«Помоги мне, Бобби. Прошу тебя».

Шли секунды. Джон шагнул вперед. Рядом просвистела еще одна пуля.

— Нам все-таки придется рискнуть, Уорд...

И тут наконец я получил ответ от старого друга.

— Телефон, — медленно проговорил я. — Пол звонил на твой телефон. Должен был сохраниться его номер. Ты можешь ему перезвонить.

— У него наверняка отключен звонок.

— Может быть, да, а может быть, и нет.

— И вообще, работает ли тут в подвале связь...

— Джон, у нас нет другого выхода.

Достав телефон, он нажал кнопку вызова списка входящих звонков. Время последнего из них примерно соответствовало звонку Пола, и номер отсутствовал в телефонной книге.

— Есть, — сказал он.

— Подожди. — Я глубоко вздохнул и крепче сжал в руке пистолет. — Нужно действовать быстро. Ты набираешь номер. Если у него звонит телефон, и мы его слышим, и если, судя по звуку, он не в машине, то я бегу к ней, а ты — под арку и находишь Пола.

Зандт немного подумал.

— Ладно.

— Постарайся остаться в живых, — попросил я.

Он посмотрел на меня взглядом, в котором отражались воспоминания о давно умерших людях, и грустно улыбнулся:

— Это не жизнь.

— Все же лучше, чем ничего.

— Спаси Нину, если сумеешь. И не смей следовать за мной.

— А ведь именно этого тебе бы и хотелось.

Он тяжело вздохнул:

— Как знаешь.

Я немного подождал, затем сказал:

— Давай.

Джон нажал кнопку на телефоне. Последовал тихий писк, затем две или три секунды тишины.

А потом мы услышали звонок, раздавшийся откуда-то справа, с некоторого расстояния — ярдов двадцать или тридцать, может быть, больше.

— Иди, — сказал я, а сам побежал прямо через проход.

Джон бросился направо под арку. В воздухе между нами просвистели три или четыре пули, но ни одна из них не попала в цель.

Ворвавшись в отсек, я затормозил возле задней части автомобиля и сразу же развернулся кругом, на случай, если в данной ситуации инструкции предписывали парню у дальней стены прибежать и прикончить меня на месте.

— Джон! — позвал я, но его уже не было.

Он скрылся в другой части подвала, следуя своим путем, который рассчитывал пройти до самого конца.

Подождав с полминуты, я рискнул снова повернуться к машине. Быстро подойдя к правой задней дверце, взялся за ручку.

Я уже собирался ее повернуть, когда послышался тихий стук.

Я поднял голову, не понимая, что именно слышу. Стук раздался снова. Кто-то стучал в окно с другой стороны.

Убрав руку от дверцы, я присел и приблизил лицо к окну, пытаясь рукой заслониться от света.

И увидел внутри лицо Нины.

Я не видел ее рук, и поза казалась странной, словно Нина на чем-то лежала. Она стучала в окно головой, пытаясь предупредить меня.

Прижавшись лицом к стеклу, она что-то настойчиво произносила. Потребовалось три попытки, прежде чем я понял.

Дверцы заминированы.

ГЛАВА 41

Сперва — пыль, потом запах чего-то влажного. Темнота, и тяжелая, отчаянная боль в голове.

Ли медленно, с трудом сел. Он понятия не имел, где находится. Попытался встать, но пространство вокруг было тесным, и ноги его не держали, так что он снова рухнул назад, с шумом свалив что-то с жестких деревянных полок за спиной.

Он еще раз попробовал подняться, помогая себе руками, и наконец выпрямился, чувствуя, как у него кружится голова. Перед глазами мелькали белые вспышки. Его охватило странное чувство клаустрофобии, словно он вдруг стал маленьким и беззащитным.

Вытянув руки вправо, Ли осторожно сделал несколько шагов в сторону, но наткнулся еще на одну стену из полок. На них лежало что-то мягкое, вроде тряпок или полотенец. Нога ударилась о какой-то предмет, судя по всему, швабру.

Он находился внутри кладовки.

Попытавшись пойти в другую сторону, он чуть не упал на дверь. Ему показалось, будто с ним такое уже было, будто он уже приходил в себя чуть раньше и какое-то время кричал, прежде чем снова отрубиться.

Чертовски болела голова.

Ему было очень плохо.

Ли начал шарить по двери обеими руками, пытаясь отыскать какой-нибудь способ, чтобы ее открыть. Найдя ручку, повернул ее, но безрезультатно. Дверь была заперта с другой стороны.

Некоторое время он колотил по ней кулаками, но удары только отдавались эхом у него в голове, накатываясь тяжелыми беззвучными волнами боли.

Снаружи не было никакой реакции.

Он оттолкнулся от двери, намереваясь немного постоять неподвижно, глубоко дыша и приводя голову в порядок. Но вместо этого начал тяжело оседать на пол, заваливаясь на бок.

Честно говоря, внизу было лучше. Отсюда все равно не выбраться, пока кто-нибудь не придет. Так что можно спокойно сидеть.

За ним придут, рано или поздно. Может быть, появится Пол. Он заметит, что Ли нет за воротами школы, и придет выяснить, что с ним случилось. А может быть, за ним придет отец. Но не мать. Это казалось маловероятным. Она всегда была несколько не в себе, словно постоянно думала о чем-то своем. Но отец, возможно, придет.

Или Брэд. Ну да, Брэд. На него можно положиться. Он всегда был другом. Ли знал, что, если все остальные попытки потерпят неудачу, здесь рано или поздно появится Брэд, откроет дверь и заберет его с собой куда-нибудь в другое место. Они поедут и купят гамбургеров. Или отправятся к морю.

А пока можно было просто сидеть и ждать. Здесь тепло. И даже в каком-то смысле уютно.

Могло быть и хуже.

Я отошел от дверцы машины, заставив Нину на всякий случай повторить то, что она сказала. Пол заминировал автомобиль так, что любая попытка открыть дверцы привела бы к взрыву.

Но внутри находилась Нина.

Я приложил ладонь к окну. Она не приложила к нему свою. Значит, ее руки связаны. Но она прислонила к стеклу голову, стараясь оказаться как можно ближе к тому месту, которого касались мои пальцы. Если бы не стекло, я мог бы дотронуться до ее волос.

Я ничего не знал ни о взрывных устройствах, ни о том, как их снаряжать или обезвреживать. Я разбирался в этом ничуть не лучше собравшихся наверху школьников, а если они хорошо учили физику, то возможно, и хуже. Взрыв мог произойти каждую секунду. В любое мгновение мир мог превратиться в ничто.

Но Нина была в машине.

Единственный способ открыть багажник — расстрелять замок. Мне пришлось бы отойти достаточно далеко, чтобы не попасть под рикошет, и, следовательно, я оказался бы прямо на мушке стоявшего у дальней стены парня. Кроме того, посылать пулю в набитый взрывчаткой багажник было весьма рискованно.

Я отошел как можно дальше и смотрел на черный автомобиль, пытаясь получить хоть какую-то подсказку.

О четырех дверцах меня уже предупредили. До багажника я добраться не мог, к тому же не знал, как обезвредить его содержимое. Вряд ли у меня имелось слишком много времени. Пола в машине не было, и это означало, что он вооружен и готов действовать.

Я понял, что все сводится лишь к нескольким вопросам. Срабатывает ли детонатор в дверце от электрического контакта или от датчика движения? Нужно ли разорвать электрическую цепь, чтобы произошел взрыв, или достаточно резкого толчка?

Выяснить это не было никакой возможности. Да, удары Нины головой по окну не привели в действие взрыватель. Но она старалась делать это как можно мягче. А то, что собирался сделать я, мягким никак нельзя было назвать.

Оставалось лишь надеяться, что это все-таки электрический контакт. Предположение могло оказаться либо истинным, либо ложным. Наше будущее могло стать долгим или же невероятно коротким. Но я не собирался отдавать его в чужие руки.

Снова подойдя к окну, я опять прижался к нему лицом и посмотрел Нине в глаза. Я сказал ей, что люблю ее. А потом жестами дал понять, чтобы она отодвинулась как можно дальше от ветрового стекла и опустилась как можно ниже, оставаясь при этом максимально близко к дверце. Она взглянула мне в глаза и исчезла во мраке салона.

Выпрямившись, я сглотнул слюну и подошел к машине спереди. Держа пистолет обеими руками, я направил его в центр левой половины ветрового стекла.

И выстрелил.

Джон Зандт осторожно продвигался в темноте подвала. В этой его части тоже имелись отсеки, но меньших размеров, забитые никому не нужным барахлом. Было тихо, сыро, холодно и безлюдно. Как в лесу.

Он остановился на середине прохода. В сорока ярдах впереди виднелся тусклый свет, сочившийся сквозь грязное стекло. Вероятно, там был выход, какая-нибудь аварийная лестница. Если так, то, возможно, Пол уже выбрался наружу. Но Джон явно ощущал его присутствие.

Он всегда знал, что так и случится. С того дня, когда «человек прямоходящий» похитил его дочь и разрушил все, что он считал своей собственной жизнью, Зандт знал, что если только его не убьют, все закончится именно так. Они встретятся, и в живых останется только один. Или никто.

И потому он не испытывал ни страха, ни сожаления — иногда смерть является единственным ответом на вопрос, которого ты на самом деле никогда не слышал. Тебе лишь остается надеяться, что это чужая смерть, а не твоя собственная.

Приходилось действовать методом проб и ошибок, и притом немедленно. Он услышал выстрел Уорда, раздавшийся в другой части подвала, и странный звук от удара пули.

Время шло.

Он подошел к первому отсеку и выстрелил в него.

———

Ветровое стекло сдалось не сразу. Мне пришлось выстрелить несколько раз, чтобы преодолеть пуленепробиваемый слой и проделать дыру.

Но бомба не взорвалась.

Из темноты послышались выстрелы Джона, методично продвигавшегося вглубь подвала.

Забравшись на капот, я снял пальто и начал давить на стекло руками, используя ткань для защиты от острых краев. Я давил до тех пор, пока не образовалось достаточно большое отверстие, чтобы пролезть внутрь.

Нина лежала на заднем сиденье. Я добрался до нее и крепко поцеловал, на случай, если другой возможности у нас уже не будет. Развязал ей руки и ноги и потащил наружу тем же путем. Она была очень бледна и с трудом двигалась после долгого пребывания в неудобной позе.

С каждой секундой я все больше осознавал, что вопрос о том, каким образом заминированы дверные замки, может потерять всякое значение, стоит кому-нибудь где-нибудь нажать на кнопку. Но сейчас это было не столь важно. Я вытащил Нину через ветровое стекло на капот, основательно при этом порезавшись. Я старался, чтобы острые края ее не зацепили, но она тоже получила несколько царапин. Мы соскользнули вниз и упали на землю.

Машина до сих пор не взлетела на воздух.

Поднявшись на ноги, я помог встать Нине.

— Где Джон?

— Не знаю, — ответил я. — Когда будет взрыв? По таймеру?

— Спусковая кнопка у Пола.

— Значит, нам нужно уходить.

— Хорошо.

Пошарив в карманах того, что осталось от моего пальто, я нашел второй пистолет, зарядил его и отдал ей.

— Ты можешь бежать?

— Попробую.

— Тогда вперед.

Обхватив ее рукой за шею так, чтобы оказаться между ней и парнем с пистолетом, я побежал прямо через проход. Парень выстрелил в нас, я — в него, а потом мы уже оказались в отсеке напротив.

Я помог Нине добраться до задней стены, открыл дверь и припустил по коридору так быстро, как только мог, убегая от возможной погони. Пинком распахнув дверь, через которую мы с Зандтом попали сюда, я вбежал в первое помещение. Убедившись, что мы находимся вне досягаемости стрелка, я подождал секунду, давая Нине возможность перевести дух.

— Ладно, — сказал я. — Готова?

Она улыбнулась:

— Всегда готова.

И мы побежали, стреляя на ходу.

Преодолев около половины пути, Джон услышал какой-то звук, донесшийся из последнего отсека с левой стороны — нечто вроде шороха ножек стола или стула о каменный пол, когда кто-либо случайно задевает их в темноте. Пол знал о намерениях Джона. Он знал, что тот приближается, расстреливая в каждый из отсеков половину обоймы. Он знал, что Джон не повернет назад. И готовился к встрече с ним.

Джон подумал о том, испытывает ли вообще этот человек хоть какой-то страх, и решил, что, скорее всего, нет. Иначе он попытался бы выбраться наружу. В этом случае Джон его попросту пристрелил бы. Если же Пол не знал страха и ждал до самого конца, тогда исход их встречи оставался в руках бездушных богов, правивших этим миром. Богов, которые позволили Карен умереть, но при этом также позволили Джону вновь отыскать «человека прямоходящего». Богов, которым или все было безразлично, или же они просто не желали оказывать покровительство кому бы то ни было.

Джон в очередной раз перезарядил пистолет и на секунду закрыл глаза, вспоминая о некоторых людях, местах и событиях. Вдали раздавались выстрелы пистолета Уорда, удалявшиеся все дальше и дальше, и он надеялся, что в итоге все закончится хорошо.

А потом направился к последнему отсеку.

— Привет, Джон, — послышался голос из темноты. — Помнишь свою дочь?

После этих слов не было слышно уже ничего, кроме стрельбы.

Видимо, Нина все-таки попала в стрелявшего. По крайней мере, кто-то из нас попал. Я увидел, как он зашатался и осел на пол.

Нина споткнулась и едва не упала. Я потащил ее к пандусу, поддерживая на ходу. Хотя мы поднимались вверх, мне казалось, будто мы падаем в водопад, в конце которого сияет яркий свет.

Когда мы выбрались на площадку за школой, я начал кричать и размахивать свободной рукой. Потребовалось несколько мгновений для того, чтобы все поняли, что я пытаюсь сказать. Новость быстро распространилась, стройные ряды распались, все побежали к воротам. Казалось, будто передо мной рассыпается на осколки стеклянная стена — сперва медленно, а потом стремительно.

Как только стало ясно, что все уходят, я сосредоточился на том, чтобы вывести Нину через ближайшие ворота. Она уже передвигалась лучше, но замешкалась, глядя на собравшуюся толпу явно с мыслью о том, не следует ли ей что-либо предпринять, словно это входило в ее обязанности. Я слегка подтолкнул ее в спину.

Перебежав на другую сторону улицы, мы оглянулись на школу. Дети и учителя еще бежали через дорогу, но за оградой уже никого не осталось. Здания казались мне похожими на воздушные шары, надутые до предела.

— Мы ведь не знаем, — сказала Нина. — Может быть, Джон уже...

И тут раздался взрыв.

Казалось, будто весь мир содрогнулся, словно кто-то пнул планету и она ударилась о стену.

Взрывов, похоже, было два, с интервалом в долю секунды. Площадка позади школы взлетела на воздух, и одновременно в школе вылетели все стекла. Осколки только начали сыпаться вниз, когда обрушились крыша и верхние этажи, разбрасывая обломки во все стороны.

Люди, бежавшие по улице позади нас, оборачивались в ужасе, а потом спешили дальше, спасаясь от падающих сверху кирпичей, дерева, стекла, земли и огня. Я пробился вместе с Ниной к стене, пытаясь найти укрытие, и понял, что она что-то кричит мне.

— Телефон! — кричала она. — Дай мне телефон!

Я протянул ей телефон.

Земля снова вздрогнула. Школьная башня рухнула, словно медленный и неумолимый молот, взметнув еще одно облако дыма, которое начало подниматься к небу над рушащимися остатками школьных зданий, все увеличиваясь, словно нависшее над нами гигантское лицо. Люди продолжали бежать мимо нас, с побелевшими лицами, залитыми кровью от свежих ран. Вокруг слышался грохот, перемежавшийся криками.

— Не могу ни с кем связаться, — сказала Нина.

Она попыталась еще раз, нажав несколько кнопок.

— Кому ты звонишь?

Схватив мою руку, она потащила меня через улицу к школе. Мы бежали наперерез потоку кричащих учеников. Школу уже охватили языки пламени высотой в двадцать футов, и к ним присоединялись новые, возникая из ничего, словно по мановению чьей-то руки. С расстояния в сто футов чувствовался жар.

— Где твоя машина?

Я показал налево.

С неба начали сыпаться пыль и горячий пепел. Добравшись до конца квартала, мы свернули на боковую улицу. Деревья, окружавшие школу, были охвачены огнем. С долгим пронзительным стоном обрушилась еще одна часть здания. Я никак не мог понять, почему мне кажется, будто земля продолжает содрогаться.

Мы пробежали мимо большой старой церкви к концу улицы, к дороге, которая вела через холм мимо фасада школы к центру Торнтона, и остановились. Медленно повернувшись, взглянули на город, и наконец я понял, отчего мне казалось, будто взрывы до сих пор продолжаются. Это действительно было так.

Весь город был объят пламенем.

Со всех сторон поднимались столбы дыма. Я побежал по улице туда, где она сворачивала в сторону центра. Полицейского участка больше не было. Исторический район пылал. Взглянув в другую сторону, я увидел огромное темное облако на месте «Холидей-Инн».

Нина все еще пыталась до кого-то дозвониться, связаться с властями, которых больше не существовало. Я поворачивался и поворачивался, не зная, когда остановиться, и увидел большое огненное зарево, вздымавшееся в небо со стороны Рейнорского леса.

Две секунды спустя нас отбросило на середину дороги от очередного взрыва. Церковь превратилась в лавину рушащихся камней.

Шеффер

На улице сейчас холодно. Мы снова живем в свободном домике Патриции, скрытом в лесу. Мы здесь уже почти три недели. За это время с гор спустилась зима, с каждой ночью подкрадываясь все ближе. Время ужинов на крыльце давно прошло, но иногда мы проводим вечера у озера. Мы сидим и смотрим, как в ледяной воде плывут темные тучи. Обычно мы почти не разговариваем.

Нина уже на крыльце и ждет меня. Я стою у окна и смотрю на нее. Но ужин я не готовлю.

Мы собираемся поужинать в городе.

Я внимательно слежу за новостями о последствиях случившегося в Торнтоне. Да их невозможно пропустить. В течение многих дней других новостей просто нет. Число погибших до сих пор точно неизвестно — определенно не меньше тысячи, и я не удивлюсь, если оно окажется больше.

Выяснилось, что отдельные взрывные устройства были оставлены в здании полицейского участка, в церкви, в школе, в «Старбаксе», в «Холидей-Инн», в закусочной «У Рене», в детском саду, в здании пожарной команды, в двух ресторанах исторического района, в продовольственном магазине, в радиомагазине торгового центра по дороге в Оуэнсвилл, в публичной библиотеке и в здании масонского общества.

И не только там.

Одна из бомб взорвалась в баре «Мэйфлауэр». Там погибли Хейзел, Ллойд, Гретхен, а также Диана Лоутон, зашедшая выпить кофе после работы, — чтобы доказать себе, что может обойтись без ежевечерней выпивки. Возможно, она действительно смогла бы. А может, и нет.

Девушка-портье, которую я до смерти напугал в «Холидей-Инн», тоже погибла вместе с семью агентами ФБР, использовавшими отель в качестве штаб-квартиры. Мне вспомнился молодой парень, зашедший проверить минибар в номере Нины на второй день моего пребывания там. Он возился довольно долго и не очень умело, но выглядел привлекательно и отличался хорошими манерами. Теперь же оба эти его качества остались лишь в моей памяти.

Численность остальных жертв не поддается нормальному восприятию.

Подозреваю, подобное случалось в Торнтоне и раньше. Об этом же свидетельствует и кое-что из того, о чем Пол рассказал Нине. Наверное, все началось еще много лет назад. Возможно, там всегда погибали люди.

В тот вечер и ночь мы делали все, что могли. Помогали людям выйти из домов, уводили их подальше от начинавшихся повсеместно пожаров.

Все рушилось на глазах. Казалось, нас окружает бесконечный ад. Город превратился в беспорядочную массу обожженных и окровавленных людей, пытавшихся бежать из него в любом направлении. Даже те, кто всегда хотел стать героем, обнаружили, что самообладание им изменило, и бросились прочь. В городе не осталось полиции. Не было пожарных. Огонь быстро распространялся. Вскоре даже невозможно было сказать, где все началось, где прогремели первые взрывы. Казалось, весь город одновременно взлетел на воздух.

Но из школы мы вывели всех. Несколько человек получили ранения от падающих обломков, у одного случился сердечный приступ, но могло быть намного хуже. В сто раз хуже. Дважды мы возвращались и пытались найти Джона, но не смогли. К школе просто невозможно было приблизиться.

Организованная помощь начала поступать лишь тогда, когда к Торнтону стали съезжаться люди из близлежащих городов и когда наконец прибыла армия — целыми подразделениями и с оружием. Никто не знал, кому доверять, кто враг. В такой неразберихе казалось, что врагом может быть каждый.

Мы делали все, что могли, пока не начали валиться с ног от изнеможения. Тогда, разыскав мою машину, уехали. Мы ехали несколько дней через страну, где были перекрыты многие дороги и прекращено все воздушное сообщение, где каждый телевизор показывал одну и ту же картинку, где каждый житель каждого города думал, не станет ли он следующим.

Пока что никто больше им не стал. Но как долго это продлится? Никто не знает.

Никто не имеет ни малейшего понятия о том, каким образом террористическая группа сумела проникнуть в город и заложить такое количество бомб, не вызвав ни у кого подозрений. На этот счет имеется большое количество версий. Я вижу периодические сообщения о двух мужчинах или иногда о мужчине и женщине, которых якобы видели на территории школы непосредственно перед взрывом и после него. Некоторые утверждают, будто те пытались предупредить о готовящемся взрыве, но чаще всего приходится слышать, что они были вооружены пистолетами и выкрикивали лозунги, обычные для исламских экстремистов.

В багажнике сгоревшей патрульной машины, припаркованной неподалеку от церкви, были найдены останки неизвестного. Судя по форменной одежде, это был полицейский, хотя из-за всеобщего замешательства и большого количества жертв среди местных сил правопорядка этот факт пока что не подтвержден. Трупов очень, очень много. И наверняка потребуется немалое время, чтобы выяснить, кем был каждый из них.

Но одного, конечно, уже опознали.

Среди обломков кладовой на третьем этаже одного из школьных зданий пожарные наткнулись на останки молодого человека. На основании стоматологической карты была установлена его личность, и оказалось, что он и подозреваемый в совершении теракта в торговом центре в Лос-Анджелесе накануне утром — одно и то же лицо.

Его звали Ли Гион Худек.

Теперь вряд ли кто-либо скоро забудет это имя. Судя по показаниям оставшихся в живых, в день трагедии его заметили в разных местах города. Два десятка свидетелей подтвердили, что видели его в продуктовом и в радиомагазине, в «Старбаксе», возле церкви и во многих других местах, которые позднее были разрушены взрывами. Предположительно его сопровождал невысокий мужчина арабской внешности.

Вспомнили его и многие ученики школы. Некоторые признались, что он раздавал им наркотики. Очевидно, это служило лишь прикрытием для закладки зарядов, которые он и его сообщники затем привели в действие.

Худек также считается виновником убийства своего бывшего друга, некоего Брэдли Метцгера, чье тело было найдено в одном из складских помещений в Долине. Предполагается, что гибель еще одного молодого человека и девушки из их круга тоже как-то связана с произошедшим, но никто не знает, каким образом. Свидетельские показания об одном подслушанном разговоре, данные местным бизнесменом Эмилио Эрнандесом, стали основой для рабочего предположения, что они тоже были заговорщиками, от которых Худек избавился перед решающим ударом.

В одном можно быть уверенным точно. Теперь, когда известна личность того, на кого можно взвалить ответственность за события в Торнтоне, никто не станет пытаться заглянуть дальше, не заинтересуется тем, как такое вообще могло случиться. Возможно, где-то в другом месте уже происходит нечто подобное. А может быть, происходило всегда.

Райан и Лиза Худек несколько раз появлялись на экранах телевизоров, тщательно прикрываемые адвокатами во время пресс-конференций. Некоторые их в той или иной степени ненавидят, но большинство американцев считают, что они такие же жертвы, законопослушные граждане, потерявшие единственного сына, по каким-то непонятным причинам попавшего под влияние чуждых и темных сил. Никто из Худеков не имеет понятия, каким образом их сын мог связаться с террористами. Его мать со слезами на глазах призналась, что в последние месяцы Ли Гион вел себя странно, а как-то раз она слышала, как он оживленно обсуждал некоторые эпизоды внешней политики США последнего времени, называя их «военными действиями».

Но каких-либо разумных объяснений случившегося у них нет. Особенно у Райана Худека, который практически все время молчит.

Джулия Гуликс все еще не умерла, хотя жизнь в ней еле-еле теплится. Она никогда уже не придет в себя, но, поскольку она созналась в двух убийствах, ей предстоит предстать перед судом. Я думаю порой, не навещают ли ее в туманных снах воспоминания о том, как ее пьяный отец, шатаясь, взбирается по лестнице их старого дома в Драйфорде, и не приходит ли к ней во сне другая девочка, которая была тогда на несколько лет младше, но, судя по всему, так никогда и не побывала нигде дальше их улицы.

Во дворе своего покинутого двенадцать лет назад дома был задержан человек по имени Джеймс Кайл. Считалось, что он уехал из города вместе с женой и маленькой дочерью, хотя теперь этот факт подвергается сомнению.

В тот самый день, когда произошли события в Торнтоне, сосед сообщил о некоем странно ведущем себя незнакомце в саду старого дома Кайлов. Он видел его с дороги и не заметил издали в высокой траве труп агента ФБР. Сообщи он об этом, возможно, полиция оказалась бы там быстрее. Хотя, может быть, и нет. У полицейских к тому времени появились куда более насущные проблемы совсем в другом месте.

Когда полицейский патруль наконец приехал на вызов, в саду нашли тяжело раненного мужчину лет шестидесяти с небольшим, сидевшего возле неглубокой ямы, которую он выкопал руками в углу участка. Он пребывал в полнейшем душевном расстройстве и держал в руках кости, которые вполне могли принадлежать восьмилетнему ребенку.

Дело Гуликс несколько осложнилось тем фактом, что Кайл теперь заявляет, будто это он убил двоих мужчин, найденных в окрестностях Торнтона на прошлой неделе. Хотя он не в состоянии привести какие-либо убедительные доказательства, но упрямо настаивает, что это его вина. Он также утверждает, что в окрестностях можно найти и другие трупы. Очень много трупов.

В данный момент это мало кого интересует — в Торнтоне и без того хватило мертвецов, чтобы возвращаться на десятилетие назад и искать новые. Так что Джулия пока лежит в больнице в ожидании своей судьбы, то ли виновная, то ли нет; то ли живая, то ли мертвая. Мне хватает ума не упоминать ее имени в присутствии Нины.

Чарльза Монро похоронили в числе многих других. Мы послали цветы.

Я понятия не имею, жив ли Пол. Знаю только, что, когда мы с Ниной выбрались из подвала торнтонской школы, я все еще слышал выстрелы Джона. Трудно представить, каким образом Пол мог уцелеть после взрывов, которые сам же и вызвал, приведя в действие не только взрыватель в багажнике черной машины в подвале, но и все остальные бомбы, заложенные в разных местах города.

Если он погиб — я уверен, что он умер счастливым. «Соломенные люди» отпраздновали свой день, пролив кровь многих ангелов. Никто не говорит ни о чем другом, кроме событий в Торнтоне. Почему-то мне кажется, что теракт был направлен именно на уничтожение маленького городка, где жили обычные люди. Потому что так всем намного тяжелее воспринять случившееся.

Это был не акт против некоего символа, который можно увидеть только по телевизору. Нет. Тьма внезапно поглотила людей прямо там, где они жили.

Тот факт, что террористы уничтожили город, в котором в это время находилось значительное количество агентов ФБР, заставил широкую публику еще больше усомниться в возможности правительства их защитить. Скорее всего, все это было специально продумано. Как и присутствие на месте происшествия представителей прессы, чтобы они смогли показать весь ужас с самого начала. Как сказал Нине Джеймс Кайл, Пол был Прозорливцем, всегда видевшим на шаг вперед.

Я пытаюсь звонить на телефон Зандта каждый день и знаю, что Нина делает то же самое. Но ответа нет. Джон никогда не любил перезванивать, но, по крайней мере, ему можно было оставить сообщение.

Вероятно, со временем мы прекратим эти попытки. Когда-то ведь нужно остановиться.

Агент Нина Бейнэм условно считается пропавшей без вести в Торнтоне, учитывая, что ко времени теракта она отсутствовала уже несколько дней. Она пока не решила, стоит ли опровергать подобное предположение.

А пока что мы помогаем Патриции и другим соседям. Я не позволяю Нине поднимать тяжести, если только она не настаивает. Мы ездим ужинать в Шеффер и иногда слегка напиваемся за бильярдом в баре «У Билла». А вечерами сидим рядом на скамейке у озера или в креслах в нашем домике.

Нам хорошо вдвоем.

Ни в одном сообщении я не встретил упоминаний о трупе агента ЦРУ, найденном в туалете «Старбакса». Кафе сгорело дотла. На фотографиях невозможно даже понять, где оно находилось. Останки Карла Унгера, вероятно, превратились в прах, унесенный тайным течением истории.

Я немало размышлял над его рассказом, пытаясь воспринять его как возможную правду. Проблема в том, что я не верю в рай. В ад, впрочем, тоже. И то и другое — лишь попытки объяснить, кем мы являемся.

В темных глубинах нашей души таится мечта о смерти, а убийцы — лишь ее одинокие жрецы. Время от времени очередной безумец пытается устроить геноцид от нашего имени, и мир затем содрогается еще полстолетия, а тем временем одинокие стрелки без лишнего шума делают свое дело. Иногда кого-то из них удается поймать и убить или посадить в тюрьму, но всегда находятся другие.

Смерть будет всегда, ибо она в наших сердцах. Люди устраивают войны, убивают своих ближних и уничтожают другие виды не потому, что они глупы или недальновидны. Точнее, не только поэтому. Мы были первым животным, постигшим смысл смерти, и стремимся показать, что не бессильны перед ее лицом. Возможно, наша трехсотвековая история убийств — всего лишь акт неповиновения, попытка овладеть собственной судьбой; мы знаем, что смерть придет за нами, и иногда пытаемся с ней сразиться. Может, Пол и ему подобные правы, и в этом нет ничего плохого. Возможно, убивать — наше предназначение.

Но все на самом деле далеко не так просто. Как бы я поступил, если бы мне пришлось выбирать между Ниной и школой?

Лучше не спрашивайте.

Сейчас я даже не знаю, что обо всем этом думать. Но я не верю, как не верил и Карл, что история повторяется. Никаких циклов не существует. История постоянно творит одно и то же. Порой мы не замечаем, что происходит, только и всего. А иногда мы это видим, поскольку не остается иного выбора.

Любой террористический акт убивает невинных. Любая попытка ему противостоять приводит к тому же самому. Мы сидим в центре зловещего круга, не зная, в какую сторону повернуться. Убийцы всех национальностей, верований и эпох стоят по краям нашего мира, стреляя в его середину. Они видят лишь тех, кто находится по другую сторону круга, своих врагов, которых считают воплощением демонов. Всех остальных для них просто не существует.

Какими же нереальными должны казаться им мы, обычные люди, и как же нам не хватает их светлого очистительного огня! Как далеки от героических помыслов наши примитивные желания прожить свою короткую жизнь, не погибнув от пули, голода или взрыва во имя чьих-то законных интересов или идеалов, о которых мы даже не знаем.

А они продолжают нас убивать. Это их жизнь, они не могут иначе. Мы вынуждены им противостоять, всегда и во веки веков. И мы должны найти возможность громче выражать свой протест.

Три дня спустя я получил ответ по крайней мере на один вопрос. В течение двух недель после нашего возвращения у Нины периодически случались приступы тошноты. Она до сих пор неважно себя чувствовала, и у нее часто болела голова. Мы надеялись, что это лишь временные последствия ее пребывания в старом фургоне, насыщенном бензиновыми парами, но когда стало ясно, что они не проходят, я в конце концов убедил ее обратиться к врачу.

И оказалось, что она беременна.

Сейчас я собираюсь выйти на улицу, забрать Нину и поехать с ней куда-нибудь поужинать. Нет, не салатом, а чем-нибудь более существенным и питательным. Она может привередничать, но я умею настаивать. Возможно, мы немного поговорим о том, что делать дальше, о нашем будущем, которое нам предстоит построить.

Мы не слишком торопимся. Я понятия не имею, готов ли я стать отцом. Полагаю, мне это еще предстоит выяснить. Нам придется растить нашего ребенка в странном мире.

Но, мне думается, мир всегда был таким.

Оглавление

Маршалл М.

М 30   Кровь ангелов : роман / Майкл Маршалл ; пер. с англ.
К. Плешкова. — СПб. : Азбука, Азбука-Аттикус, 2019. —
480 с. — (Звезды мирового детектива).

ISBN 978-5-389-15842-9

Уорд Хопкинс, бывший агент ЦРУ, вместе с сотрудниками полиции
Лос-Анджелеса и агентами ФБР занимается расследованием серии
убийств, всколыхнувших маленький городок Торнтон. И вновь след
выводит его на «соломенных людей» и их главаря, «человека прямоходящего». День ангелов, который задумала устроить эта тайная группировка, должен стать репетицией будущего уничтожения всего цивили-
зованного мира.

Роман Маршалла — абсолютно уникальное явление в мире совре-
менного детектива. Этот крупномасштабный триллер сразу же вывел
писателя в ведущие мастера жанра.

УДК 821.111(73)
ББК 84(7Сое)-44

Литературно-художественное издание

МАЙКЛ МАРШАЛЛ

КРОВЬ АНГЕЛОВ

Ответственный редактор Александр Етоев
Художественный редактор Владимир Гусаков
Технический редактор Татьяна Тихомирова
Компьютерная верстка Екатерины Киселевой
Корректор Анна Быстрова

Главный редактор Александр Жикаренцев

Подписано в печать 06.02.2019. Формат издания 60 × 90 $^1/_{16}$.
Печать офсетная. Тираж 3000 экз. Усл. печ. л. 30. Заказ № 1319/19.

Знак информационной продукции
(Федеральный закон № 436-ФЗ от 29.12.2010 г.): 16+

ООО «Издательская Группа „Азбука-Аттикус"» —
обладатель товарного знака АЗБУКА®
115093, г. Москва, ул. Павловская, д. 7, эт. 2, пом. III, ком. № 1
Филиал ООО «Издательская Группа „Азбука-Аттикус"»
в Санкт-Петербурге
191123, г. Санкт-Петербург, Воскресенская наб., д. 12, лит. А
ЧП «Издательство „Махаон-Украина"»
Тел./факс (044) 490-99-01. E-mail: sale@machaon.kiev.ua
Отпечатано в соответствии с предоставленными материалами
в ООО «ИПК Парето-Принт».
170546, Тверская область, Промышленная зона Боровлево-1,
комплекс № 3А.
www.pareto-print.ru

ПО ВОПРОСАМ РАСПРОСТРАНЕНИЯ ОБРАЩАЙТЕСЬ:

В МОСКВЕ

ООО «Издательская Группа „Азбука-Аттикус"»

Тел.: (495) 933-76-01,
факс: (495) 933-76-19

e-mail: sales@atticus-group.ru;
info@azbooka-m.ru

В САНКТ-ПЕТЕРБУРГЕ

Филиал ООО «Издательская Группа „Азбука-Аттикус"»

Тел.: (812) 327-04-55,
факс: (812) 327-01-60

e-mail: trade@azbooka.spb.ru

В КИЕВЕ

ЧП «Издательство „Махаон-Украина"»

Тел./факс: (044) 490-99-01

e-mail: sale@machaon.kiev.ua

Информация о новинках и планах на сайтах:

www.azbooka.ru
www.atticus-group.ru

Информация по вопросам приема рукописей
и творческого сотрудничества
размещена по адресу:
www.azbooka.ru/new_authors/